D1243306

Traduit de l'allemand par
Claudine Barthelheimer

Titre original allemand :
Kursbuch Kosmetik
(publié chez Südwest en 1998)
© Rita Stiens

1ère édition en France en 2001 :
Éditions LPM, Paris.

© 2005 LEDUC.S Éditions
33, rue Linné
75005 Paris – France
E-mail : **infos@leduc-s.com**
Web : **www.leduc-s.com**
ISBN : 2-84899-075-9

RITA STIENS

LA VÉRITÉ

SUR LES

COSMÉTIQUES

le seul guide pratique
pour bien choisir
et mieux s'en servir

Préface

Peut-être avez-vous lu *L'Automne à Pékin*, de Boris Vian. Dans ce talentueux roman, il n'est pas une seule seconde question d'automne, ni de Pékin. Les industriels des cosmétiques se sont visiblement inspirés de cette technique et parviennent à nous faire croire – non sans talent il faut bien le dire – que leurs produits sont pleins de bonnes choses pour notre peau, nos cheveux, notre beauté, notre santé.

Prenons-en quelques-uns au hasard. Par exemple le matin, au réveil, en tâtonnant dans la salle de bains, l'œil à demi-fermé, comptant sur les « zestes de fruits » et autres « gels-douche vitalité » pour nous rendre vif, beau et intelligent.

- Un shampooing « extra-doux », qui n'a de doux que le nom et se révèle, au contraire, très agressif pour la peau, irritant pour les yeux. Dans la plupart des cas, le terme « doux » est indiqué lorsque le produit renferme des huiles dérivées du pétrole. Très, doux, en effet…
- Un gel-douche aux huiles essentielles peut fort bien ne renfermer aucune huile essentielle (on parle alors de « parfum recréé » !)
- Le déo, à tous les coups, dépose sous nos aisselles des sels d'aluminium, soupçonnés de provoquer de graves troubles pour la santé.
- Une crème de jour, estampillée « nature » grâce à ses grandes feuilles dessinées sur le tube, contient à peine 0,00001 % de plante.
- Le maquillage, à base de produits pétroliers (huiles minérales, cire de paraffine), est pointé du doigt par l'OMS (Organisation mondiale de la santé) car ses ingrédients principaux sont susceptibles d'abîmer le foie ou le cœur… en plus de boucher les pores de la peau.
- En fonction des couleurs choisies pour le fard ou le rouge à lèvres, on récolte au passage plus ou moins de métaux lourds, très nocifs.
- Une « eau de Cologne naturelle » ne renferme pas moins de huit substances chimiques reconnues dangereuses (certaines d'entre elles étant interdites dans d'autres pays).

Cosmetic addicts

« Avec l'augmentation du prix du pétrole, les cosmétiques vont coûter de plus en plus cher » ironisent certains médecins dermatologues. Mais dans l'ensemble, tout cela ne les fait pas beaucoup rire : ils reçoivent chaque jour davantage de patients dont les peaux ne supportent plus rien, d'enfants devenus hyperallergiques suite à l'utilisation de produits « extra-doux » (les mêmes que tout à l'heure), ou encore de « cosmetic addicts », incapables de sortir de chez eux sans s'être au préalable douchés à l'eau quasi brûlante, récurés sous des litres de gel-douche + shampooing + savon à visage + savon intime puis enduits de lait hydratant pour le corps, crèmes minceur sur les zones concernées, crème de jour avec filtre et antioxydants intégrés, maquillage, parfum, etc.

Au-delà du produit, donc, le comportement compte lui aussi. Ainsi, il suffit de baisser de quelques degrés la température de la douche pour minimiser les risques d'irritation, d'allergie, de dessèchement, et le potentiel agressif des gels-douches et autres savons ou pains. Dépenser des fortunes en cosmétiques anti-âge est une bonne façon de dilapider son argent, surtout si l'on fume et qu'on se nourrit mal. Aucun anti-cerne, aucun fond de teint ne remplacera une bonne nuit de sommeil et une longue balade à la campagne ou à la mer.

Ce livre est là pour nous faire découvrir tout cela, et surtout remettre chaque chose à sa place : les cosmétiques sont des cosmétiques. Ils ne sont ni des repas équilibrés, ni des fontaines de Jouvence, ni des heures de repos, ni des boîtes de Pandore remplies d'offrandes de Généreuse Dame Nature. L'hygiène de vie ne s'achète pas en tube. En revanche, ils embellissent la vie, sont indispensables pour observer une hygiène corporelle essentielle à la santé, dissimulent nos imperfections, facilitent notre rapport aux autres.

Depuis sa précédente édition, écoulée en quelques jours après la diffusion d'une mémorable émission télévisée dans le cadre d'*Envoyé Spécial*, ce livre a été mis à jour. Les industriels, eux aussi, ont revu et corrigé leurs formules. Certaines marques ont, par exemple, décidé de retirer les parabènes ou les éthers de glycol (substances très critiquées) de la totalité de leurs gammes ; d'autres ont remplacé tel ingrédient par tel autre, meilleur pour la santé et pour l'environnement. Comme quoi, c'est possible. Il suffit de demander ! C'est que dans le domaine des cosmétiques, l'imagination (et les budgets Recherche & Développement) n'a pas de limite. Sauf celles du marché !

Vous avez entre les mains le seul et unique ouvrage dans son genre, un guide pratique vous permettant de bien choisir vos produits cosmétiques, de mieux vous en servir, d'avoir enfin accès à l'information qu'on vous dissimulait jusque-là sous des noms de codes et des appellations extrêmement complexes. Rédigé par une journaliste allemande, il fait figure de pionnier dans un domaine où l'omerta, elle, fait loi. Les industriels et les chercheurs ne sont effectivement pas très bavards et il a fallu beaucoup de constance et de ténacité pour obtenir les informations. Du côté allemand, les langues se délient un peu plus facilement, sans doute parce que les citoyens de ce pays ont une longueur d'avance question environnement, transparence et traçabilité. Mais les cosmétiques ne connaissent pas les frontières et renferment les mêmes substances, ici ou là-bas. C'est donc bien de votre lait démaquillant, de votre produit solaire, de votre bain moussant dont on parle au fil des pages. Ces amis de toujours, que vous côtoyez chaque matin, que vous appliquez sur votre peau, vos yeux, vos lèvres, et qui ne sont peut-être pas aussi innocents que vous l'imaginez. On est décidément toujours trahis par les siens…

Pour pénétrer dans l'univers fermé des produits de beauté, commencez par un exercice simpaple : allez chercher quelques flacons dans votre salle de bains et décryptez l'étiquette à l'aide du dictionnaire « franco-cosmétique » en fin d'ouvrage. Concluez. Alors ?

ANNE DUFOUR
Directeur de collection

Les formules des cosmétiques sont susceptibles de toujours évoluer, aussi n'hésitez pas à nous faire part de vos remarques, de vos critiques, de vos découvertes, de vos témoignages, de vos interrogations sur certains produits cosmétiques pour nos prochaines éditions. Bref, parlez-nous de vous ! infos@leduc-s.com

Sommaire

L'énorme et fructueux marché des cosmétiques

Peut-on être bien dans sa peau lorsqu'on est tout pâle, mal coiffé et que l'on sent mauvais ? Pas vraiment. C'est pourquoi la plupart d'entre nous prennent les devants. Un coup d'œil dans les salles de bains et sacs à main permet de constater que l'hygiène et la beauté font partie de nos principales préoccupations. Les chiffres sont parlants puisqu'on arrive facilement à vingt produits de soins ou de beauté par foyer. Ces produits ont-ils tous l'effet bénéfique que les fabricants leur attribuent ?

La déclaration des composants garantit la transparence

L'industrie cosmétique protège les formules de ses produits comme le Saint-Graal. Les associations de protection des consommateurs ont dû lutter des années avec opiniâtreté avant d'obtenir enfin gain de cause : une décision de la Commission européenne contraint désormais les fabricants à dévoiler ce que cachent un bel emballage ou un slogan prometteur. Ainsi, le consommateur n'est plus obligé d'acheter les yeux fermés, mais peut étudier d'un œil critique où va passer son argent, et s'il risque sa peau.

La formule magique ouvrant les portes de la transparence se nomme « Déclaration INCI ». Désormais, tous les composants d'un produit cosmétique doivent être indiqués sur l'emballage (ou le contenant) par une terminologie commune à tous les pays de l'Union.

La majorité des produits de beauté sont plus que des « soins corporels », ils sont le symbole de l'espoir. Passé l'âge de 40 ans, on attend d'eux qu'ils comblent le fossé entre l'âge biologique et l'âge psychologique (qui indique comment l'on se sent dans sa peau).

La signification des termes INCI

Pour que « Le lexique des composants de A à Z », qui constitue la pièce maîtresse de ce livre, soit aussi complet, actuel et facile à utiliser que possible, j'ai prié mes amis de faire le tour de leur salle de bains en notant tous les composants indiqués sur les emballages (ou contenants) de leurs produits cosmétiques : laits nettoyants, shampooings, crèmes, maquillage.

Aucun ne refusa, mais plus d'un fut agacé dès le départ : « Ricinoleamido... j'arrive à peine à prononcer ce mot, et en plus, c'est écrit si petit qu'on a besoin d'une loupe. » Et c'est une triste réalité, rien n'est fait pour faciliter la tâche du consommateur qui veut s'informer. Sur certains produits de luxe très onéreux, la taille des lettres est même inférieure à celle des plus petits caractères de contrats et, qui plus est, le texte est placé sur un fond sombre qui le rend quasiment illisible. Par ailleurs, tous mes enquêteurs se heurtèrent à l'effet rébarbatif qu'engendrent les termes chimiques d'origine latine. Cependant, passé ce premier agacement, la curiosité l'emporta : « Qu'y a-t-il dans ce produit, cette crème vaut-elle son juste prix ? » Les résultats des contrôles effectués à l'aide de la liste de référence étaient surprenants et montraient que le consommateur a effectivement le choix : qu'il s'agisse de produits classiques ou de produits naturels (qui, eux non plus, ne tiennent pas toujours leurs promesses), les différences de qualité sont significatives.

Pas donné, le 0,001 % de rides en moins

Des crèmes extrêmement chères contenant des agents actifs révolutionnaires sont censées faire des miracles. La mention « lift » est à la mode et les arguments scientifiques utilisés par la publicité sont là pour prouver que la recherche fait bien son travail et pour justifier le prix élevé du produit.

Même si ces références scientifiques sont exactes, un coup d'œil plus approfondi fait disparaître, comme neige au soleil, les illusions concernant l'effet antirides, soi-disant nouveau et sensationnel. Il est évident que « 37 % de profondeur de rides en moins » évoque immédiatement pour nous un visage rajeuni et que, en comparaison, une crème ne promettant que 22 % de rides en moins nous paraît dépassée. Dans la réalité, la différence qu'offrent ces super-crèmes ne représente que 0,001 % de profondeur de rides en moins, une différence invisible au miroir grossissant (et a fortiori à l'œil nu), mais très sensible par contre au niveau du porte-monnaie. Il est surprenant de constater à quel point les produits cosmétiques sont proches les uns des autres, alors que les différences de prix, elles, sont très marquées. Le prix d'un flacon de gel douche de 100 ml, par exemple, peut aller facilement de 1,80 à 20 euros.

Pour connaître la composition exacte d'un produit, il est nécessaire de décrypter la déclaration INCI, ce qui n'est pas une tâche facile tant au niveau de la forme que du fond (comment savoir, par exemple, ce qu'est le PEG-4 Cocoamido MIPA Sulfosuccinate si l'on n'a pas fait d'études de chimie ?) Quoi qu'il en soit, le travail de l'Union européenne sur la déclaration INCI reste très appréciable car, muni des explications nécessaires (que vous trouverez à partir de la page 227), chacun d'entre vous, même le plus novice, peut déchiffrer ces hiéroglyphes. En outre, l'obligation

« Le corps masculin, explique l'écrivain John Updike, trompe moins l'être humain qui l'habite que le corps féminin. S'il n'égale jamais sa grâce et son charme, il en tombe aussi de moins haut. Sa beauté rude résiste aux rides. »

de déclarer les composants nous a remis en mémoire ce qui confère réellement sa qualité à un produit cosmétique : ce ne sont pas les principes actifs mais bien l'excipient. Non seulement il représente 90 % ou plus du produit, mais sa qualité est primordiale. Un bon excipient soigne la peau et prévient les allergies.

Des exigences nouvelles

Il n'y a pas si longtemps que les choses ont commencé à changer. Les formules furent remises en question, certains composants interdits et d'autres découverts. Dans de nombreux cas, la croyance qu'un produit, s'il est autorisé, ne peut être mauvais, s'est révélée n'être qu'une belle illusion. C'est pourquoi les critères concernant les composants se basent maintenant sur les exigences minimales des associations de consommateurs. Ils concernent les substances douteuses pour la santé, les propriétés plus ou moins bénéfiques des composants, et les processus chimiques utilisés. Pourquoi, par exemple, employer des gaz de combat hautement toxiques pour fabriquer des cosmétiques ? Même s'ils sont neutralisés et ne représentent plus de danger pour le consommateur, n'est-il pas préférable de renoncer aux produits chimiques et à tous les procédés de fabrication agressifs ?

Le souci permanent d'améliorer la qualité

L'ingénieur H.-J. Weiland-Groterjahn, responsable du département développement du groupe Logocos (qui comprend les marques Logona et Sante, vendues dans toute l'Europe) est confronté tous les jours aux exigences que les concepteurs de formules cosmétiques doivent respecter. Nous l'avons chargé de superviser ce livre, en tant que conseiller spécialisé, et avons en grande partie fait appel à ses compétences pour juger les composants.

Depuis des décennies, les mouvements écologiques attirent l'attention sur les menaces qui pèsent sur l'être humain et la nature. L'homme s'interroge sur la notion de progrès et cette réflexion n'épargne pas le domaine des produits de beauté. « Le problème n'est pas tant de choisir entre la nature et la chimie, mais plutôt d'opter pour la qualité avant tout. Un exemple : aucun fabricant de cosmétiques, de quelque bord qu'il soit, ne peut employer une amande ou une fleur pure, bien qu'elles soient naturelles. Quant aux huiles ou extraits naturels, ils sont obtenus par des processus chimiques. On le voit, le cœur du problème, c'est ce que l'on entend par qualité. Le grand avantage de travailler au sein d'une entreprise de cosmétiques naturels qui innove est de pouvoir tout remettre en question pour chercher de meilleures solutions. » Les détracteurs de la déclaration INCI lui reprochent de ne pas représenter, elle non plus, une protection optimale pour le consommateur, et il est vrai qu'elle n'est pas parfaite. Mais il reste que la liste déjà très complète des composants – mais non encore exhaustive – est un instrument de travail important, et un repère précieux, surtout pour les personnes allergiques.

À notre époque où la peau est exposée à des agressions chaque jour plus nombreuses, et où nous accordons une importance toujours plus grande à l'apparence et à l'hygiène, l'entretien et la protection de la peau sont des sujets d'actualité. Pourtant le manque d'information est flagrant car même les médias s'intéressent peu à la réelle qualité des produits cosmétiques.

L'information donne le pouvoir, une chance à saisir

Quels que soient les produits, on enregistre des différences de qualité significatives. Vérifiez-le par vous-même à l'aide de ce livre qui vous fera faire de passionnantes découvertes et vous aidera à vous retrouver dans cet imbroglio de composants (si agaçant lorsqu'on est novice). L'irritation du départ fera place au plaisir de savoir. Comparer les cosmétiques grâce au « Lexique des composants », ne signifie pas, bien au contraire, renoncer à prendre soin de soi et à se maquiller à son goût, mais permet de le faire en connaissance de cause.

Le comportement des consommatrices influence de manière décisive la politique de développement de l'industrie cosmétique. Certains produits sont conseillés, d'autres non, et le consommateur, par ses choix, peut avoir un impact déterminant sur l'offre. Devenu consommateur critique et informé, il devient alors « consomm'acteur » !

Nous souhaitons que ce livre contribue à la transparence du marché pour que vous ayez la joie de pouvoir embellir votre peau et votre chevelure avec des produits de beauté dignes de ce nom.

Rita Stiens

CHAPITRE I

Les cosmétiques sur la sellette

Les fabuleuses promesses de la recherche

La conjoncture, c'est un fait, est favorable aux produits de beauté : saison après saison, de nouveaux produits de soins de la peau, soi-disant révolutionnaires, arrivent sur le marché. Des procédés de haute technologie, toujours plus sophistiqués, sont censés rendre possibles des miracles de beauté. Force mots frappants vous poussent à acheter ! La crème « Face Sculptor » et le « Line Lift Serum » d'Helena Rubinstein promettent, par exemple, « des traits réguliers sans chirurgie esthétique ». Des « principes actifs au pouvoir remodelant » se targuent de « raffermir les traits comme le ferait un lifting ». La cosmétologie a-t-elle réellement fait « un bond en avant » si phénoménal ? Le consommateur se trouve devant une offre étourdissante et n'a que l'embarras du choix.

D'après ce qui se trame dans les laboratoires des industries cosmétiques, tout laisse penser qu'on ne va pas tarder à pouvoir faire un pied-de-nez à la vieillesse. Chacun prépare d'arrache-pied une nouvelle révolution des soins corporels pour rester en tête dans la course à la concurrence.

Lancaster projette, grâce à des microcristaux de ferrite de baryum contenant un petit champ magnétique, d'activer la circulation dans les minuscules vaisseaux sanguins de la peau, de stimuler le métabolisme des cellules et d'accélérer leur régénération. Pour comprendre tous ces mécanismes, il faut à la fois des connaissances en chimie et en physique. Quant à Estée Lauder, elle semble avoir un succès fou avec la « technologie antirides » de son « Re-Nutritive Intensive Lifting System ».

Des « nanoparts » ont pour mission de faire passer de la vitamine E pure à travers la couche cornée pour empêcher que les rayons U.V., le stress ou la nicotine ne détruisent les fibres de collagène et d'élastine de la peau et ne provoquent son vieillissement. Un tel produit véhicule le message que chaque écart de conduite peut être gommé d'un coup de crème : une peau traitée avec le bon produit ne souffrira ni du soleil ni de la cigarette, et sera épargnée par les traces de vieillesse.

La biotechnologie s'est trouvée promue « nouvelle arme contre la vieillesse » par la dernière génération de cosmétiques. Résultat, le consommateur se perd dans le labyrinthe de la biologie de la peau, dans les broussailles inextricables et incompréhensibles de la « synthèse des kératines » (comme on lit dans la notice), ou de l'activation de « la capacité de communication entre les kératinocytes et les autres cellules ».

À la recherche de la fontaine de Jouvence

C'est le marin Ponce de Léon, un original, qui chercha le premier la fontaine de Jouvence dans les Caraïbes. En vain. Actuellement, les espoirs se tournent vers l'industrie cosmétique. Des expressions très prometteuses telles « enzymes réticulées, nanosphères, thalasphères, complexe cellulaire,

---

Quel espoir les femmes mettent-elles dans la médecine du futur ? Une étude de l'Institut de Psychologie Rationnelle de Munich nous apprend que si 82 % d'entre elles souhaiteraient disposer d'un produit anticancéreux, 78 % aimeraient un produit empêchant la formation des rides, et 68 % un produit contre le vieillissement. La peur de vieillir est donc une préoccupation bien réelle et le souhait de meilleurs traitements contre les allergies (63 %) et contre la maladie d'Alzheimer (48 %) viennent seulement en 4e et 5e positions.

AHA (alpha-hydroxy-acide), coenzyme, technologie vitaminique, molécule antivieillissement », font rêver à une beauté d'une tout autre dimension. Les attentes qui en découlent n'en sont que plus disproportionnées : la beauté semble accessible à celui qui veut bien y mettre le prix. Une illusion bien coûteuse ! Et pour gonfler les chiffres d'affaires, de nouveaux démons sont inventés et brandis comme des épouvantails. « Un nouveau concept de maladie est né, qui prend deux formes : la cellulite et la vieillesse. Ce sont des problèmes créés de toutes pièces par l'industrie cosmétique », accuse Anita Roddick, fondatrice des Body-Shops. « Lorsque l'on atteint la cinquantaine, on a l'impression qu'il faut se soumettre à un traitement médical. Vieillir n'est plus considéré comme un processus naturel, mais comme un défaut auquel seuls les cosmétiques peuvent remédier. Quel tissu de mensonges ! »

Un succès fracassant aux USA : le lifting par patch à la vitamine C

Toujours à la pointe, les USA ignorent les frontières du possible : un marketing bien mené fait tout vendre, à condition d'y mettre le prix. Le tout dernier succès américain contre les rides se présente sous forme de deux patchs à placer au coin des yeux en se couchant, pour se réveiller la peau lisse le lendemain matin. Ce produit, conçu par un certain « University Medical », se nomme « Face Lift », et le mot patch (pansement) est entouré d'un graphisme évoquant une marque déposée : on le constate, l'image du produit est on ne peut plus sérieuse. Mais ce qu'il contient ne vaut pas un sou ! Le docteur K.-P. Wittern, chef du département « développement cosmétique » de Beiersdorf, un expert de renommée mondiale, qualifie ces patchs de manière lapidaire : « C'est du vent ! »

John Hegarty, chef de l'agence publicitaire Bartle Bogle Hegarty, maintes fois primée, risque un pronostic courageux : la publicité va devoir dire la vérité et les consommateurs vont se tourner vers les entreprises ayant une ligne de conduite éthique.

34 MILLIARDS D'EUROS PAR AN
POUR LES COSMÉTIQUES

L'Allemagne est le plus grand marché des soins corporels en Europe avec 26 %, suivie par la France (20,3 %), la Grande-Bretagne (13,7 %), l'Italie (13,3 %) et l'Espagne (8,3 %). En 1997, les Européens ont dépensé 34 milliards d'euros pour des produits cosmétiques. Les Français occupent le premier rang dans le palmarès de la consommation européenne par habitant :
- France, 118 euros par personne,
- Allemagne, 106 euros,
- Belgique, 102 euros,
- Autriche, 101 euros,
- Pays-Bas, 100 euros.

Suivent les Finlandais avec 89 euros, les Irlandais avec 81 euros, les Anglais avec 80 euros, les Italiens avec 79 euros et les Espagnols avec 72 euros.

Statistiques de 1996

L'angoisse du vieillissement créée par le marketing

En faisant régulièrement passer le message qu'à partir de 25 ans la peau commence lentement à décliner, on réussit même à contaminer les jeunes femmes par le virus « angoisse du vieillissement ». Il ne reste plus qu'à lancer l'appât « produit anti-âge » pour entraîner cette clientèle dans le sillon de la peur de voir vieillir sa peau. Pourtant, rares sont les 20-25 ans qui ont des problèmes de peau à condition de bénéficier d'un apport bien équilibré en lipides et en éléments hydratants. Le secret de la jeunesse du corps et de l'esprit, c'est aussi une vie active et saine. Les études menées aux USA conduisent au constat que chacun de nous a déjà fait : une personne triste ou abattue a l'air fatigué et peu attirant. Les soucis laissent des traces, sous forme de rides. Et, bien que les cosmétiques soient un moyen de se faire plaisir, la peur de vieillir qui les accompagne va à l'encontre de leur bienfait psychologique.

En matière de beauté et de produits cosmétiques, les médias et la publicité s'accordent sur un
point : les femmes, et de plus en plus d'hommes,
mènent un combat perpétuel contre les rides, la
déshydratation, les impuretés de la peau, la
graisse, la sueur, les radicaux libres... Et la
croyance en la toute-puissance des produits chimiques et du développement technologique a
quasiment paralysé notre bon sens et notre esprit
critique.

L'attrait des innovations cosmétiques

En matière de soins du corps, les besoins des
consommateurs sont de plus en plus individuali-
sés et l'exigence de performance toujours plus
grande. « C'est la recherche d'efficacité qui prime,
quel que soit le type de produits », constatent les
fabricants. À qui la faute, pourrait-on leur rétor-
quer ? Qui a le premier promis haut et fort
l'efficacité ? 90 % de ce matraquage viennent de la
publicité : pour que les fabricants conservent ou
augmentent leurs parts de marché, le consommateur
est enseveli sous une avalanche de marchandises et
de grands mots. Le bon prétexte pour cette esca-
lade de promesses surfaites est que le fabricant qui
ne suit pas reste sur le carreau. Compte tenu des
attentes démesurées engendrées par un marketing
forcené, les produits cosmétiques d'aspect plus
modeste sont défavorisés. D'après le Docteur K.-P.
Wittern de Beiersdorf (numéro un allemand et
l'un des dix premiers sur le marché mondial des
cosmétiques), « La recherche et le développement
sont partenaires à part entière du marketing. Nous
essayons de conserver une ligne de conduite raisonnable. Toute promesse doit reposer sur une
base solide, réelle et vérifiable. » Les slogans publicitaires pseudo-scientifiques ou grandiloquents
font beaucoup de tort aux tentatives plus sérieuses

Le succès des nouvelles crèmes repose souvent sur une recette très simple : un grand show publicitaire masquant un grand vide. Tambour battant, les campagnes publicitaires vantent leurs « nouveautés mondiales », même lorsqu'il ne s'agit que de silicone ou d'une pincée de vitamine C. Il ne leur reste plus qu'à protéger ces produits si précieux par un emballage clinquant, et le tour est joué : l'illusion est parfaite et le consommateur met la main à la bourse.

d'informer le consommateur. Mais il est très difficile d'inverser cette tendance et de nager à contre-courant.

« NOUVEAU » ! Cet adjectif fait fureur et s'est mué en critère de qualité sans qu'il n'y ait besoin d'apporter aucune preuve. L'abondance de « nouveaux » produits, aux formules de soins patentées et aux complexes actifs révolutionnaires, donne à croire au consommateur – et c'est bien là l'objectif – que la recherche, tellement novatrice, ne cesse de se frayer de nouvelles voies vers la beauté.

Adieu les illusions

Le contraste entre l'immense effort publicitaire et les résultats obtenus est bien affligeant. La chirurgie esthétique connaît toujours le même succès auprès, entre autres, d'une clientèle huppée, qui fréquente pourtant régulièrement les instituts et les centres de beauté, et qui se trouve être la principale consommatrice des produits dernier cri les plus onéreux. Si les cosmétiques avaient réellement le pouvoir d'empêcher la formation des rides, les grands (riches et beaux) de ce monde se les paieraient à n'importe quel prix. Mais où sont ces femmes ayant balayé leurs rides d'un coup de crème ? Nulle part à la vérité, car aucune crème ne peut empêcher la formation des rides.

S'informer, c'est aussi se protéger

Le consommateur qui utilise des produits sans en connaître les effets met sa peau en danger et risque un jour de payer le prix de cette course folle à la beauté (toujours plus, toujours mieux, toujours plus efficace). De nombreuses personnes (38 %) ont une peau naturellement sensible et cela ne va pas en s'arrangeant.

> Il faut croire que les experts en cosmétiques se frictionnent à la « lotion du profit » car toutes les promesses dont ils ont la bouche pleine n'ont qu'un seul objectif : faire des bénéfices. La proportion normale d'eau dans une crème est de 70 %, mais certains chercheurs ont réussi à atteindre les 80 à 90 %, tout cela pour l'argent.

Cependant, malgré le bien-fondé des critiques concernant les pratiques commerciales de certains fabricants, les composants douteux et les prix juteux, il faut se garder de mettre tout le monde dans le même sac :

- certains cosmétiques modernes ont d'excellentes propriétés ;
- on a découvert quelques nouveaux processus de fabrication très intéressants ;
- il existe des produits offrant un bon rapport qualité/prix et qui tiennent leurs promesses.

La loi veut que l'indication des composants soit « facile à lire et placée à un endroit visible ». De nombreuses déclarations de composants sont *hors-la-loi.*

Le cadre juridique

Depuis le 1er janvier 1998, le 6e décret modificatif de la Commission de l'Union européenne rend obligatoire la déclaration des composants en se basant sur le système européen INCI (International Nomenclature of Cosmetic Ingredients).

Le système INCI protège l'acheteur

L'obligation de déclarer les composants participe de la protection du consommateur, si tant est que celui-ci prenne la peine de s'informer en jetant un coup d'œil dans les coulisses de la cosmétologie. Bien que la chimie soit une discipline complexe, étudier et juger ce qui fait un bon produit pour la peau ou les cheveux est à la portée de tout un chacun.

Un ensemble de lois, réactualisées en permanence, a pour but de contrôler la qualité des cosmétiques d'un point de vue sanitaire. Ces dernières années, un nombre important de nouveaux règlements sont entrés en vigueur. Désormais, ces décisions ne sont pratiquement plus prises à l'échelle nationale : de fait, la législation concernant les produits de beauté est du ressort de l'Union européenne.

Un cosmétique n'a pas le droit de traverser la peau ? Les exemples développés plus loin des parabènes retrouvés dans des cancers du sein ou des éthers de glycol montrent bien que la peau n'est pas, comme on l'a longtemps cru, une frontière étanche pour beaucoup de composants des cosmétiques qui la franchissent allègrement.

Ce qui est autorisé et ce qui ne l'est pas

Seuls les produits utilisés sur la peau et n'ayant pas de vertus curatives peuvent entrer dans la catégorie des cosmétiques. Ces derniers se différencient des médicaments dans la mesure où ils ne peuvent en aucun cas avoir d'action thérapeutique. Ils n'ont pas le droit non plus de pénétrer dans le système sanguin. Afin d'éviter les effets secondaires indésirables, les substances ayant une action en profondeur, comme les médicaments, ne peuvent être employées comme principes actifs dans les cosmétiques. Par ailleurs, les cosmétiques (et autres substances utilisées dans les produits de soins) qui présentent un risque pour la santé sont interdits sur le marché.

Cependant, bon nombre d'experts pensent que les législateurs ne donnent pas suffisamment suite à leurs bonnes intentions car ils autorisent certaines substances sans être totalement convaincus de leur innocuité. Selon de nombreux spécialistes, la liste des substances non autorisées en cosmétologie mériterait bien d'être substantiellement allongée.

Les personnes souffrant d'allergies aux composants de certains cosmétiques devraient veiller à actualiser leur carnet d'allergies. La déclaration obligatoire des composants est une bonne chose pour eux car elle leur permet de repérer sur l'emballage les allergènes auxquels ils sont sensibles.

CE QUE LA LOI INTERDIT CLAIREMENT

- Seule l'utilisation de quelques groupes de composants est limitée de manière relativement explicite par la loi sur les cosmétiques.
- Pour les colorants, les conservateurs et les filtres solaires, seuls les produits énumérés dans une liste positive sont autorisés. Ceci ne concerne pas les colorants pour cheveux. Mais ces derniers sont de toute façon dans le collimateur à cause des substances particulièrement douteuses qu'ils contiennent, surtout pour les teintes les plus foncées et les produits à deux composants (voir pages 117 et 148).
- Certaines substances sont soumises à des restrictions d'utilisation, d'autres ne peuvent être utilisées que si l'emballage ou la notice comporte une mise en garde du consommateur.

Avantages et inconvénients de la déclaration INCI

Les consommateurs avaient déjà beaucoup gagné avec l'obligation de déclarer la composition d'un cosmétique et d'énumérer les composants. Mais des améliorations étaient nécessaires dès le début et la critique des insuffisances de la déclaration a fait son effet. Une des critiques de la terminologie INCI porte sur le fait que les substances naturelles ne sont pas aisément identifiables puisqu'elles portent les noms botaniques choisis par le grand médecin naturaliste suédois Carl Linné (1707-1778)

La nomenclature CFTA aurait été plus compréhensible, étant donné que le terme « Jojoba Oil », par exemple, est facile à comprendre, même pour un novice, ce qui n'est pas le cas de « Simmondsia Chinensis » dans la terminologie INCI. Inconvénient encore plus grave, surtout du point de vue des fabricants de cosmétiques naturels : la terminologie INCI n'indique que les noms des ingrédients de départ. Par conséquent, des indications comme « Prunus armenica » (abricot) ou « Chamomilla recutita » (camomille) ne permettent ni de savoir si ces substances végétales sont présentes sous forme d'extrait huileux, d'extrait aqueux ou de poudre de plantes, ni quelle partie de la plante a servi de base pour l'extrait. Ce manque d'information est d'autant plus regrettable que les agents actifs provenant des plantes, des racines et des feuilles sont très différents. Ces deux lacunes ont été comblées depuis.

La nouvelle réglementation sera en place fin 2005 et le consommateur trouvera sur le produit non seulement la traduction, par exemple, Simmondsia Chinensis, mais aussi l'indication Simmondsia Chinensis (jojoba).

Il sera par ailleurs spécifié sous quelle forme le composant est présent. Le consommateur pourra ainsi identifier s'il s'agit d'une huile, d'un extrait aqueux ou de poudre de plantes.

La déclaration détaillée précise également la partie de la plante concernée (feuille, racine, etc.).

La spécification d'un composant d'aloe vera se présentera donc sous les formes suivantes : Aloe Barbadensis Flower Extract, Aloe Barbadensis Leaf, Aloe Barbadensis Leaf Extract, Aloe Barbadensis, Leaf Juice Oder, Aloe Barbadensis, Leaf Juice Powder (voir également indications page 228, début INCI).

INSTRUCTIONS CONCERNANT LA DÉCLARATION DES COMPOSANTS

Les composants doivent être répertoriés sur l'emballage ou sur la notice d'accompagnement, dans un ordre et sous une forme prédéterminés.

- L'ordre dépend de la concentration, les composants principaux se trouvant au début. Ce sont les premiers composants indiqués (de quatre à huit) qui constituent le gros du produit. Quant aux substances représentant moins de 1 %, elles sont énumérées dans le désordre. C'est ainsi qu'un principe actif représentant 0,003 % peut se trouver avant un composant qui représente 0,99 % du produit.

- Les colorants se trouvent en fin de liste sous la dénomination CI (Color Index) suivie d'un nombre de 5 chiffres correspondant au numéro d'indexation des couleurs. Pour les produits de maquillage vendus en différentes nuances, tous les colorants entrant en ligne de compte sont indiqués entre crochets, comme par exemple : [+/- CI 15580, CI 18965] etc. Le signe +/- signifie que ces colorants ne sont peut-être pas tous dans un seul et même produit.

- Dans certains cas particuliers, le fabricant peut obtenir un code secret pour un composant. Dans ce cas, un code à 7 chiffres figure sur la déclaration.

La toxicologie est la science des poisons et des empoisonnements. D'origine grecque, le terme « toxine » désignait les poisons d'origine animale ou végétale agissant comme antigènes.

La 7ᵉ Directive européenne sur les cosmétiques, une protection supplémentaire pour le consommateur

- **L'accès à l'information**

Depuis septembre 2004, de nouvelles mesures accordent au consommateur un droit à l'information plus étendu.

Il peut obtenir, à sa demande, des indications détaillées sur la composition d'un produit.

De plus, le fabricant est tenu de donner des indications supplémentaires sur d'éventuels effets secondaires désagréables. Il s'agit d'effets secondaires considérés comme scientifiquement prouvés. On entend par là en premier lieu les réactions allergiques et les démangeaisons susceptibles d'affecter la peau ou les yeux.

Ces indications doivent être facilement accessibles au public.

- **Nouvelle réglementation concernant le temps de conservation minimum**

Pour un produit de beauté ayant une durée d'utilisation de plus de 30 mois, on n'indiquera pas de date limite d'utilisation mais plutôt ce que l'on appelle « la période de stabilité », exprimée en mois. Elle représente le temps pendant lequel on peut consommer le produit après ouverture.

Reste à savoir pourquoi les responsables de cette nouvelle charte n'ont pas prévu l'indication de « la période de stabilité » dans le cas des produits se conservant moins de 30 mois.

> ➤ **Pour chaque formule, un dossier de sécurité**

La réglementation du 1ᵉʳ juillet 1998 concernant la nocivité ou l'innocuité des produits cosmétiques contribue, elle aussi, de façon efficace à protéger le consommateur. Elle oblige les fabricants à fournir à l'autorité responsable un dossier complet sur chaque cosmétique. Il comprend les composants (terminologie INCI) avec la mention de leur pourcentage exact, la liste des matières premières, chacune d'elles étant accompagnée d'un document sur les risques éventuels encourus, le cahier des charges du fabricant, etc. Pour une crème de 10 à 20 composants, ce dossier peut atteindre l'épaisseur d'un classeur A4. Les grandes firmes cosmétiques confient cette tâche à des collaborateurs qualifiés, seuls habilités à juger de l'innocuité d'un produit. Les petits fabricants s'adressent de leur côté à un organisme extérieur homologué afin d'obtenir le certificat obligatoire.

Ces contrôles de sécurité ont pour but d'écarter les substances douteuses sur le plan toxicologique, et d'éviter les interactions indésirables entre les matières premières employées (pouvant par exemple provoquer la formation de nitrosamines cancérigènes). Comme l'explique H.-J. Weiland-Groterjahn, ingénieur diplômé : « D'un point de vue toxicologique, toute substance dont on n'a pas prouvé l'innocuité par expériences sur les animaux est considérée comme douteuse. L'une des premières étapes de cette recherche est le test sur les propriétés mutagènes (Ames Test) qui permet de mesurer le pouvoir cancérogène d'une substance. Ensuite, conformément à la loi sur les produits chimiques, il faut, avant d'autoriser le produit, mesurer la toxicité directe par ce que l'on appelle une DL 50. »

> On entend par pouvoir mutagène, la capacité de provoquer des changements génétiques. Le pouvoir cancérogène est la capacité de déclencher un cancer. La toxicité indique l'éventuelle présence de substances toxiques (poisons), leurs propriétés et leurs effets.

Cette dénomination si anodine évoque la longue agonie des animaux testés : elle indique que la dose mortelle (létale) de cette substance tue 50 % des animaux d'expérience. Le problème est que, si ces tests sont systématiquement mis en place pour les substances chimiques, il n'en va pas de même des matières premières d'origine végétale. La réglementation dessert les fabricants de produits (entièrement ou partiellement) à base de plantes qui jusqu'ici pouvaient se servir très librement dans la nature. Et comme les tests sont très onéreux, la recherche commence par les matières végétales pour lesquelles on dispose déjà d'une estimation de la toxicité.

Les plantes entrant dans la composition des produits pharmaceutiques, elles, sont déjà testées. Pour chacune d'entre elles, doit être établie une monographie positive, condition *sine qua non* pour être autorisée. Par contre, de nombreuses substances naturelles employées dans les cosmétiques n'ont pas été testées du point de vue de la toxicité. Il est pourtant dans l'intérêt du consommateur, avant qu'il ne les utilise, qu'on s'assure qu'elles ne sont pas dangereuses, et qu'on établisse précisément quels sont leurs effets positifs.

Les composants d'origine végétale doivent aussi être testés

L'évaluation de la conformité aux normes de sécurité est une affaire lucrative. Seuls les spécialistes ayant les qualifications requises (en pharmacie, toxicologie, médecine, dermatologie, chimie alimentaire ou chimie) peuvent délivrer ces certificats. Malheureusement, des scientifiques, pourtant soucieux d'obtenir des résultats clairs, ne réussissent pas à s'accorder sur l'innocuité ou la nocivité de certaines substances. Les fabricants, quant à eux, choisissent leurs experts en fonction de leur intérêt : les uns optent pour ceux n'ayant pas d'a priori négatif contre les substances végétales, les autres pour ceux partisans de la chimie cosmétique traditionnelle. Les scientifiques sérieux, spécialisés dans les substances naturelles, ne remettent pas en question le fait que ces dernières peuvent comporter un risque potentiel et doivent être étudiées.

L'efficacité doit être prouvée

Puisque c'est la promesse d'efficacité d'un produit qui motive l'achat du consommateur (surtout s'il coûte cher), cette efficacité doit être prouvée. La loi contraint les fabricants à tenir prêts des dossiers prouvant l'efficacité des produits cosmétiques chaque fois que « la publicité souligne qu'un cer-

La plupart des ingrédients naturels ne peuvent être utilisés à l'état pur. Ils doivent d'abord être préparés, soit sous forme d'huiles essentielles, soit sous forme d'extraits (poudre, extrait aqueux ou alcoolique). Ces extraits ont des qualités très différentes les uns des autres.

tain effet repose sur une propriété particulière, ou qu'un effet est tout simplement utilisé comme argument publicitaire. ». Cette réglementation va peut-être calmer quelques publicitaires tapageurs, mais on peut aussi s'attendre à de plus en plus de duplicité de la part des producteurs dans la description de leurs produits. Ainsi, ne pouvant plus affirmer qu'une crème rajeunit la peau, ils joueront sur les mots en disant que cette crème donne un air plus jeune à la peau.

Une échappatoire à la transparence : si une demande de traitement confidentiel est dûment justifiée, les autorités attribuent un numéro secret au composant concerné. Ce moyen de se dérober est déjà assez répandu et l'on voit se profiler une série de nouveaux produits dont une partie de la composition se cache sous un numéro.

Personne ne veut dévoiler ses cartes

Dans les coulisses de la branche « produits de beauté », se livre un combat sans merci. La plupart du temps, ce sont les lois qui courent après la dynamique du marché. Les fabricants utilisent constamment des substances non autorisées et profitent de la zone d'ombre entre le permis et le pratiqué. Dans les cas les plus positifs, il peut s'agir de conservateurs doux, dans les cas plus critiques, ce sont des substances qui se révèlent nocives pour la santé. Placées devant le fait accompli, les autorités commencent par accorder une autorisation provisoire, puis le processus de recherche de données scientifiques se met en marche avant que l'autorisation définitive puisse être délivrée.

S'il n'en allait pas de sa propre santé, le consommateur pourrait considérer cette lutte acharnée avec un haussement d'épaules. Mais il a besoin de la protection de la loi s'il ne veut pas servir de cobaye. La question de savoir quels dégâts un produit peut faire doit être abordée avant de lancer le produit et non après. Les fabricants ne se donnent pas beaucoup de mal pour faire enregistrer les substances non encore autorisées et ce jeu du chat et de la souris s'explique par le fait que : « Ce que la concurrence ne sait pas, ou n'utilise pas encore, est un avantage. » On garde secrètes les nouveautés le plus longtemps possible, on les protège par des brevets ou on les dissimule sous des codes. L'avenir nous dira si cette codification prévue pour les cas exceptionnels n'est pas en passe de devenir une échappatoire légale pour se soustraire à l'obligation de déclaration des composants. Ce sont les instances responsables de chaque pays membre de l'Union qui décideront s'il faut privilégier les fabricants et leur besoin de confidentialité, ou les consommateurs. Ces derniers ont intérêt à une transparence maximale et, pour eux, les combinaisons de codes du genre 600355 D ou ILN 5760 à la fin d'un produit ne sont jamais de bon augure.

Faut-il innover ?

La branche « produits de beauté » bouge beaucoup. Des modifications importantes ont eu lieu dans le domaine des colorants, dont le nombre a été considérablement réduit. Quant aux conservateurs, les critères légaux, jusque-là appliqués en vue d'obtenir l'autorisation de leur mise sur le marché, sont remis en question.

Placer les cosmétiques sur la sellette est l'occasion de repenser les formules et d'en tirer des conclusions afin de mener une politique commerciale qui respecte à la fois l'environnement et la peau de l'utilisateur. Les produits analysés à partir de la déclaration INCI (page 297) nous montrent que certains fabricants sont plus en phase avec leur époque que d'autres. Si de nombreuses habitudes perdurent, c'est bien que le changement est synonyme de complications. Lorsque l'on a, pendant vingt ans, conservé ses produits d'une certaine manière, on ne change pas si facilement de comportement : les systèmes de conservation exigeant des contrôles très minutieux, il est plus simple de continuer à faire ce que l'on sait bien faire.

Pour chaque produit cosmétique, il faut envoyer certaines informations à COLIPA, l'office central européen de toxicologie. Cette instance a mis au point des formules-types indiquant les proportions d'ingrédients. Les fabricants peuvent y faire référence si leur produit entre dans le cadre fixé.

Les tests sur les animaux de laboratoire continuent

Même si les tests sur les animaux en rapport avec les produits cosmétiques ont été restreints de plus en plus depuis les années 80, le thème de l'expérimentation sur les animaux échauffe encore les esprits, et non sans raison. Pourquoi ? Parce que la loi sur les produits chimiques, le décret sur les substances dangereuses et autres réglementations nationales ou européennes exigent la présentation de résultats provenant de tests sur les animaux pour la procédure de déclaration des nouvelles substances qui, la plupart du temps, sont des substances chimiques de synthèse. Cela signifie que les nouvelles substances doivent être testées sur les animaux. En matière de cosmétiques, une nouvelle substance ne peut alors être employée que si son innocuité a été testée sur les animaux ou par des méthodes de tests alternatives, si cela est possible.

Après de longues délibérations, *l'Organisation de Coopération et de Développement Économique (OCDE)* a reconnu quatre méthodes de tests toxicologiques ne faisant pas appel à l'expérimentation sur les animaux, qui pourraient donc devenir obligatoires. Cependant, aux dernières nouvelles la suppression totale des tests sur animaux pour les substances entrant dans les cosmétiques, n'est pas prévue avant le printemps 2009.

Le gouvernement français a porté plainte contre le consensus minimum voté par le Parlement européen et le Conseil européen en 2003, stipulant une interdiction des tests sur les animaux. Cette plainte a été refusée le 24/05/2005.

Ce qui signifie qu'une interdiction de tests sur les animaux pour la fabrication des cosmétiques avec portée européenne sera en place à partir de 2009 et que l'interdiction de la commercialisation de cosmétiques testés dans des pays-tiers entrera en vigueur à partir de 2013.

Aujourd'hui, un fabricant ne peut se servir de la mention « produit cosmétique non testé sur les animaux » pour se faire de la publicité que s'il est avéré que « ni lui ni ses fournisseurs n'ont mené, ni ordonné, d'expérimentation sur des animaux pour ce produit (ni ses échantillons), ni n'ont utilisé de composants testés par d'autres sur les animaux en vue de développer de nouveaux produits. » Concrètement, cela signifie qu'avant d'affirmer qu'un produit n'a pas été testé, il faut pouvoir prouver qu'aucun de ses composants ne l'a été par qui que ce soit au monde. Or, ceci est pratiquement infaisable.

CHAPITRE II

Les soins du visage

La protection de la peau, base de tous les soins

Lorsqu'on prend un médicament, on sait pertinemment qu'on s'expose à des effets secondaires. En suivant le même raisonnement, on pourrait croire que pour être beau, il faut savoir prendre des risques. C'est absolument faux.

- D'une part, il est inutile de prendre des risques puisque renoncer aux substances critiques ne signifie pas pour autant renoncer à des soins de qualité.
- D'autre part, les cosmétiques n'ont qu'un pouvoir restreint sur le vieillissement de la peau.

Le secret d'une belle peau : une alimentation équilibrée

Le processus naturel de vieillissement de la peau veut que celle-ci devienne plus fine, se réhydrate moins bien, perde en élasticité, se ride et se régénère mal. Ces phénomènes peuvent apparaître plus tôt chez les personnes dont la peau subit des agressions répétées. Mais les principaux facteurs de risques peuvent être éliminés assez aisément.

Imaginons que le concept de soin soit une balance à deux plateaux. D'un côté, on trouve tous

L'établissement « Royal Edinburgh Hospital » a examiné 3 000 femmes qui paraissaient dix ans de moins que leur âge, et les ont comparées à des femmes qui « faisaient bien » leur âge. Résultat de l'étude : celles qui étaient restées jeunes se nourrissaient de manière équilibrée, faisaient du sport, ne fumaient pas, s'exposaient peu au soleil et réagissaient plus calmement au stress.

les produits de soins externes qui garnissent les salles de bain. De l'autre, les soins internes (c'est-à-dire veiller à avoir un bon apport en substances nutritives et éviter de prendre des risques). Le second plateau, de loin le plus important, est presque tombé dans l'oubli. Une armada de produits – soi-disant miracles – à se passer sur la peau, a conduit la cosmétologie interne aux oubliettes. Pourtant, aucune crème ne peut compenser le manque de tonus interne : pour rester jeune et avoir un métabolisme sain, il faut consommer suffisamment de substances nutritives.

À l'encontre de toutes les promesses publicitaires, les meilleurs produits de beauté sont encore les fruits et légumes, et autres aliments frais. Dans son livre *Peau, cheveux et cosmétiques*, le Professeur Eberhard Heymann insiste bien sur le fait que la peau ne peut être nourrie que par les substances nutritives que transporte le sang.

La bonne vieille huile de foie de morue est source de vitamine D, une vraie mine de beauté pendant les pâles hivers. Elle facilite la fixation du précieux calcium, alors que le café, le thé et l'acide oxalique l'entravent.

De nombreuses carences s'expliquent par une insuffisance de vitamines et s'accompagnent de problèmes de peau. La solution de facilité qui consiste à s'enduire de vitamines est loin d'avoir fait ses preuves. Seule l'ingestion de vitamines peut soigner une peau qui manque de substances nutritives constitutives et protectrices des cellules. Certaines vitamines présentes dans les cosmétiques peuvent avoir une action complémentaire, mais elles ne peuvent en aucun cas remplacer la ration alimentaire quotidienne de ces substances vitales indispensables.

➢ **Les vitamines :
une cure de beauté extraordinaire**

Les vitamines A, D, E et K sont liposolubles. Prises en quantité trop importante, elles sont stockées par le corps, ce qui n'est pas sans danger. Une surdose de vitamine A, par exemple, peut endommager le foie. C'est pourquoi il est conseillé de ne pas abuser des compléments en vitamines. Par contre, une surdose par l'alimentation est rarissime. Quant au surplus de vitamines hydrosolubles, comme les vitamines B (B1, B2, B6, niacine, acide panthoténique, acide folique, biotine, B12) et la précieuse vitamine C, il est éliminé sans problème par voie urinaire.

- La peau est une barrière contre les agents pathogènes. Sans vitamine A les cellules protectrices abandonnent, se racornissent et cessent leur production d'anticorps. À l'état pur (rétinol) ou sous forme de précurseur (bêtacarotène), la vitamine A stimule la régénérescence des cellules et rend la peau lisse. Elle encourage les cellules fatiguées à se diviser régulièrement. De jeunes cellules se reforment, redonnant vitalité et résistance à la peau. Le bêtacarotène est également la meilleure protection interne naturelle contre le soleil.

- La peau est l'un des piliers du système immunitaire, toujours prêt à intervenir. Indispensable au bon fonctionnement des cellules protectrices, la vitamine C joue un rôle décisif qui va bien au-delà de son effet bénéfique sur la peau (constitution des fibres de collagène, fermeté de la peau et des tissus conjonctifs, cicatrisation).

- La vitamine E protège les cellules des radicaux libres qui les agressent et fragilisent le système immunitaire. Elle joue un rôle prépondérant dans la protection cutanée.

C'est dans la salade, les épinards, les produits laitiers, le jaune d'œuf, les tomates, les poivrons, les oranges et le cresson que l'on trouve la vitamine A, si précieuse pour la peau. Pour que le bêtacarotène, précurseur de la vitamine A, puisse être fixé par le corps, il faut consommer les carottes cuites avec un filet d'huile d'olive.

CINQ PORTIONS DE FRUITS ET DE LÉGUMES PAR JOUR

Pendant des années, des personnes, soucieuses de leur santé, se sont référées à des tableaux qui préconisent une dose exacte pour tel ou tel vitamine ou élément minéral. S'assurer d'un bon équilibre alimentaire devenait ainsi un jeu d'enfant ; des suppléments alimentaires (vitamines et éléments minéraux) profitaient d'un véritable boom et sont aujourd'hui en vente partout. Des études récentes font réfléchir et nous obligent à revenir radicalement sur nos positions.

Il a été largement démontré, par les résultats de différentes études, que les vitamines et les minéraux sont une véritable bénédiction pour la santé et la beauté.

Une question reste néanmoins ouverte : quel élément agit de quelle façon et sous quelle forme ?

Des fruits et des légumes contiennent – en dehors d'éléments végétaux essentiels comme les vitamines, les minéraux et les fibres – d'autres substances protectrices, que l'on dénomme « éléments végétaux secondaires ». Les carotinoïdes, flavonoïdes, glucosinolates, acides phénoliques, phytostérol, phytœstrogènes et sulfides font partie de ces éléments végétaux secondaires. Est ce qu'il suffit d'absorber des éléments isolés d'un fruit ou d'un légume ?

La Fédération allemande de l'alimentation « Deutsche Gesellschaft für Ernährung (DGE) » répond clairement non à cette question en avançant les résultats de leur dernier rapport sur l'alimentation (2004).

La raison de ce « non » est la suivante : en l'état actuel personne ne sait exactement à quoi attribuer l'effet positif sur la santé. Peut-être que ce sont les éléments végétaux secondaires qui entrent en interaction. À moins qu'ils ne développent leur capacité de protection uniquement s'ils sont consommés en combinaison avec des vitamines, des minéraux ou des fibres, présents dans les fruits et légumes.

La DGE constate que : « Il n'y a pas d'alternatives aux fruits et légumes aujourd'hui. Les fruits et les légumes – incluant les légumineuses et céréales complètes – devraient constituer la base de notre alimentation. » Ni les compléments alimentaires avec des extraits isolés ou combinés d'éléments végétaux secondaires, ni les compléments alimentaires à base d'extraits de fruits ou de légumes, ne sont une alternative à la consommation quotidienne de 5 portions de fruits et de légumes par jour (sous forme crue ou cuite).

Ce qui signifie concrètement : 3 portions (ou 400 g) de légumes et 2 portions (250 g) de fruits par jour. Pour agir en faveur de la beauté, il faudrait donc régulièrement intégrer dans son alimentation les éléments suivants : du jus de carotte, du beurre, des œufs, du lait, des légumes crus, de la mâche, des blettes et des épinards. Ces aliments fournissent de la vitamine A/bêtacarotène, essentielle pour une peau jeune. Les pommes, les fruits rouges, les pommes de terre, les poivrons, la choucroute et le chou vert sont également tous bénéfiques pour la peau. De l'huile végétale (première pression à froid) en vinaigrette, du jaune d'œuf, des céréales complètes, du brocoli sont des éléments riches en vitamine E et peuvent freiner le processus de vieillisse-ment des cellules. En respectant la règle d'or de « cinq par jour », vous couvrez vos besoins en « activateurs naturels de beauté » et posez les bases optimales pour une vie saine.

De plus, vous vous épargnez le tracas de penser à un éven-tuel sous-dosage en vitamines et minéraux, car le besoin quotidien est parfaitement couvert avec une alimentation équilibrée.

➢ Oligo-éléments et minéraux

- Une peau fatiguée et flétrie est souvent le signe d'une carence en zinc. Et lorsque nous disons que les soucis nous donnent des cheveux blancs, ce n'est pas une simple métaphore : la colère puise dans les réserves de zinc. Or, celui-ci ralentit le grisonnement des cheveux.

- Le sélénium est efficace contre les radicaux li-bres qui endommagent les cellules, fait briller la chevelure et maintient les ongles et les cheveux en bonne santé.

- Le corps a besoin de fer pour transporter l'oxygène nécessaire aux cellules de la peau et des cheveux. Mais l'organisme ne traite pas tous les apports en fer de la même manière. Le fer d'origine végétale est moins bien absorbé que celui d'origine animale. Le fer des légumes pourra être exploité s'il est consommé avec du poisson ou de la viande. En consommant des légumes riches en vitamine C ou en buvant un verre de jus de fruit, on améliore la fixation du fer des végétaux.

Le sucre raffiné est un incroyable consommateur de vitamines et d'énergie. Pour contribuer à l'embellissement de sa peau, il faut réduire sa consommation de sucre et augmenter celle de vitamines.

Éviter de surmener sa peau

Bien vieillir en gardant l'air jeune, ou faire plus que son âge, dépend aussi de ce que l'on fait subir à sa peau. Disons-le franchement, notre peau paie nos écarts. Elle vieillit prématurément si nous ne la ménageons pas. Alors que les petites traces de fatigue disparaissent après un bon soin, les autres laissent des traces profondes et irréparables.

➤ Facteur de stress numéro un, l'abus de soleil

En quantité raisonnable, la lumière et le soleil sont un bienfait pour la peau et remontent le moral. En revanche, l'abus de soleil ne pardonne pas : la peau vieillit impitoyablement. Dans le pire des cas, l'envie irrésistible de soleil se paie par un cancer de la peau. Même les indices de protection très élevés ne sont pas une garantie suffisante. En ne pensant qu'à bronzer et en prenant des bains de soleil prolongés pendant les vacances, nous compromettons irrémédiablement la beauté, la santé et la jeunesse de notre peau. Les dégâts sont cruellement visibles passée la quarantaine.

Les mécanismes naturels de protection de la peau luttent contre les effets nocifs du soleil. Ils empêchent que les rayons UV ne pénètrent jusqu'aux couches profondes de la peau et assurent un bronzage sain.

Non seulement le soleil rend la peau vieille et flasque mais il provoque la formation de taches de pigmentation sur le visage, le cou et le décolleté. Il accentue les grains de beauté et les angiomes et favorise leur multiplication. En ce qui concerne l'acné, il a tout d'abord un effet bénéfique suivi quelques semaines plus tard de nouvelles poussées importantes de boutons.

- La peau s'épaissit naturellement, formant une couche cornée protectrice. Ce phénomène n'a pas le temps de se mettre en place si l'on reste trop longtemps au soleil après une période sans exposition. C'est la raison pour laquelle les spécialistes conseillent d'habituer la peau progressivement, et à petite dose, au soleil. Si on lui en laisse le temps, l'épiderme s'adapte parfaitement bien.

- La peau repousse les rayons ultraviolets en produisant un surplus de mélanine (le pigment brun qui colore la peau). Mais la production de mélanine demande plus de temps chez les Nordiques, à la peau très pâle, que chez les gens du sud, à la peau mate.

- La riposte la plus rapide de la peau en présence du soleil est la formation d'acide urocanique. Ce film protecteur de surface est efficace en cas d'exposition raisonnable et à condition de garder la peau sèche. En vacances, par contre, les fréquentes baignades éliminent cette protection naturelle.

• Après une trop longue exposition au soleil, la peau se met à réparer les dégâts. Si nous réduisons ces efforts à néant par une nouvelle overdose de rayons, les processus naturels de protection et de guérison de la peau n'ont plus aucune efficacité, et le culte de l'astre solaire risque de se solder par un coup de soleil.

➢ **Facteur de stress numéro deux,
le froid de l'hiver**

Le froid aussi peut abîmer considérablement la peau, le pire étant la combinaison du froid, du vent, du soleil et de la transpiration, pendant les séjours aux sports d'hiver par exemple. Pour les amateurs de sport dans le grand froid, il est donc conseillé de se protéger par une crème spéciale froid et par des vêtements les plus couvrants possible.

L'hiver, il est suggéré d'inverser les soins quotidiens surtout si l'on est souvent en plein air : utiliser la crème de nuit le jour, et la crème de jour la nuit.

Produits de soins du visage

On insiste beaucoup sur la « haute technologie », mais en réalité, de nombreux cosmétiques ne sont que le fruit d'une banale revalorisation des déchets. Que faire avec les tonnes de produits résiduels provenant du raffinage du pétrole ? La chimie propose des procédés pour les utiliser avec profit, comme par exemple la transformation de l'huile lubrifiante en Paraffinum liquidum, l'un des principaux composants de nombreux produits de beauté.

De récentes recherches montrent que la couche lipidique de la peau est composée d'une couche hydrolipidique sous laquelle se trouve une autre couche ayant la structure des liposomes. Ces derniers n'ont cependant aucun rapport avec les liposomes que l'on trouve dans les crèmes. Ce sont des composants spécifiques de la peau, qu'elle est la seule à pouvoir produire.

Heureusement, des fabricants sérieux et très engagés travaillent d'arrache-pied pour élaborer des produits cosmétiques modernes de qualité (exempts de sous-produits douteux ou problématiques), tout en tenant compte des nécessités écologiques. Le problème de fond ne se pose pas en termes d'opposition Chimie ou Nature. La chimie n'est rien d'autre, par définition, que la science ayant pour objet d'étude la composition de la matière (liquide, gazeuse ou solide), de sa structure et de ses transformations. Savoir s'il faut considérer un produit cosmétique d'un œil critique ou non dépend, avant tout, des matières premières utilisées et des processus chimiques employés.

L'excipient :
le B. A.- BA et la base de la cosmétologie

De quoi notre peau pourrait-elle bien avoir besoin puisqu'elle dispose naturellement de la protection idéale que représente la couche hydrolipidique ? Cette dernière contient des agents spécifiques de maintien de l'humidité qui retiennent l'eau montant à la surface, et protègent la peau du dessèchement et de la déshydratation due à la transpiration. Lorsqu'il est intact, ce système de régulation se suffit à lui-même. Mais il est courant que cette couche hydrolipidique soit endommagée, et les conséquences en sont à la fois sensibles et visibles : la peau est flasque, rêche, tirée ou sujette aux démangeaisons. Une peau sèche et rêche ne pose pas seulement un problème d'esthétique mais aussi un problème de santé : elle perd ses propriétés protectrices, laissant le champ libre aux bactéries.

De nombreux problèmes de peau sont le résultat d'une hygiène excessivement poussée : on se lave trop souvent avec des produits très déca-

Boutons, comédons, peau flasque, ridée, trop sèche ou très sensible, sont trop souvent la conséquence de soins non appropriés. Le client choisit ses produits cosmétiques en fonction des agents actifs qu'ils contiennent, mais il en oublie trop l'importance de l'excipient. Résultat : tout en croyant la soigner, il abîme sa peau.

pants. Or, l'épiderme nécessite des soins très doux dont l'élément principal est encore, et toujours, l'excipient, quel que soit le produit utilisé (crème, fond de teint ou rouge à lèvres).

> ### Soins de la peau : moins on en fait, mieux on se porte

Malgré tout le mystère qui entoure la complexité des produits, il en va finalement de la cosmétologie comme de la pâtisserie : il y a la pâte brisée, la pâte au levain et la pâte sablée ; partant de ces recettes de base, il est possible de réaliser les gâteaux et les tartes les plus divers. La qualité de la pâte dépend des ingrédients employés (farine, œufs, beurre, etc.) et des proportions. S'il n'y a pas suffisamment de levure, la pâte ne montera pas. Quant à la pâte brisée, elle sera plus ou moins réussie selon qu'il y a trop ou pas assez de beurre. Chaque pâte se prête à des utilisations extrêmement diverses. Une pâte levée peut aussi bien permettre de préparer un bon gâteau sucré qu'une pizza épicée. Il en est de même pour les produits cosmétiques : le fondement de la réussite est l'excipient.

> ### On doit à l'excipient 80 % de l'efficacité

K.-P. Wittern, chef du développement chez Beiersdorf pendant de nombreuses années, souligne que : « Finalement, l'excipient joue un rôle primordial dans le résultat escompté. Un excipient de qualité permet d'atteindre 80 % de la performance recherchée. Les principes actifs, aussi extraordinaires soient-ils, ne représentent que les 20 % restants. Les nombreuses études scientifiques que nous avons menées montrent clairement que même les agents actifs les plus performants ne servent pas à grand-chose dans un excipient de mauvaise qualité. » Ce qui fait la richesse d'un excipient (une émulsion par exemple), c'est la qualité des huiles, des cires et des émulsifiants qui le constituent. Certains excipients sont une mine de substances actives alors que les autres n'apportent rien à la peau.

LES PRINCIPAUX COMPOSANTS D'UN PRODUIT COSMÉTIQUE

- *L'excipient* : on entend par excipient, ou base, la partie la plus importante du point de vue quantitatif : eau, huile, cires et émulsifiants pour une émulsion ; eau, tensioactifs et épaississants pour les shampooings ou gels douches ; mélange d'alcools gras, de cires et d'huiles pour les rouges à lèvres.
- *Les principes ou agents actifs* : ce sont eux qui confèrent leurs propriétés soignantes aux cosmétiques. Les substances hydratantes ou les filtres solaires protecteurs sont des agents actifs, tout comme les vitamines.
- *Les substances auxiliaires* (additifs) : elles stabilisent les préparations cosmétiques. On compte parmi elles les conservateurs et les antioxydants.
- *Les parfums* : un produit de beauté n'aurait pas forcément besoin d'être parfumé, mais comme on achète aussi avec le nez, l'odeur joue un rôle prépondérant dans la prise de décision.

➢ L'importance prépondérante des émulsions

Le corps humain a besoin de toute une série d'émulsifiants qu'il élabore lui-même (pour transporter les graisses hydrosolubles ou digérer les graisses alimentaires, par exemple). C'est ainsi qu'il produit des phospholipides à partir de graisses, de phosphates et d'acides aminés.

On pourrait avoir la trompeuse impression que les cosmétologues révolutionnent le monde en permanence. Mais dans la réalité, plus de 90 % des formules de soins ont le même et unique excipient : l'émulsion. C'est une « recette de base » à partir de laquelle est élaborée toute une palette de produits : laits nettoyants, crèmes pour le visage, crèmes solaires ou soins capillaires. Le grand avantage des émulsions est qu'elles sont bien tolérées par la peau car leur composition est très proche de celle de la couche hydrolipidique naturelle de l'épiderme.

La couche hydrolipidique est un cocktail, étonnamment efficace, d'eau (la sueur) et de graisses (provenant des glandes sébacées). Ces deux composants se combinent à la lécithine et au cholestérol présents dans la peau pour former un film protecteur qui varie selon la sudation. Au départ, il s'agit d'une émulsion « eau dans l'huile », et en cas de forte transpiration, d'une émulsion « huile dans l'eau ».

L'émulsion cosmétique est un cocktail du même genre. Ses principaux composants sont la phase aqueuse et la phase huileuse.

- La phase aqueuse est constituée d'eau et de substances hydrosolubles, comme les extraits de plantes.
- Pour la phase huileuse, on utilise des huiles, des cires, des alcools gras, des esters d'acides gras ou des composants gras comme, par exemple, l'huile d'avocat ou l'huile de noyau d'abricot.

> ### Les émulsifiants sont d'importants agents stabilisants

Notre peau réussit tout naturellement à émulsionner l'huile et l'eau. Mais pour que la phase aqueuse et la phase huileuse d'un produit cosmétique forment une émulsion agréable, on a besoin d'un tiers : l'émulsifiant. Sa fonction est illustrée par une expérience très simple : si l'on verse de l'eau et de l'huile dans un récipient, l'huile remonte à la surface. Même en remuant fortement, on n'obtient pas de liaison stable car la tension superficielle entre les deux liquides est trop importante. Tout le monde a déjà vécu cette expérience en essayant de préparer une vinaigrette : ce n'est qu'après avoir ajouté un jaune d'œuf à l'huile et au vinaigre que l'on réussit à obtenir une consistance crémeuse. Dans le cas des cosmétiques, on utilise généralement un mélange de plusieurs émulsifiants.

Les émulsifiants jouent un rôle déterminant dans le type d'émulsion obtenu. Suivant qu'ils sont hydrosolubles ou liposolubles, on les appelle émulsifiants « huile dans l'eau » ou émulsifiants « eau dans l'huile ».

➤ Les types d'émulsions

Nous avons vu que les émulsions étaient constituées de deux liquides de base : l'eau et l'huile. Ce qui distingue les différents types d'émulsions, c'est la relation qu'entretiennent leurs molécules d'eau et leurs molécules d'huile. Prenons l'exemple de produits courants comme les crèmes de jour et les crèmes de nuit. Chacune correspond à un type d'émulsion particulier : la crème de jour est une émulsion « huile dans l'eau », la crème de nuit une émulsion « eau dans l'huile ». L'une est plus riche en éléments hydratants, l'autre en corps gras.

L'émulsion « huile dans l'eau »
Dans ce type d'émulsion, les gouttelettes d'huile sont en suspension dans l'eau. L'eau forme une phase continue dans laquelle sont incorporées les gouttelettes d'huile constituant la phase discontinue. Et puisque la phase continue est aqueuse, cette émulsion a un fort pouvoir hydratant, s'étale facilement et est absorbée rapidement.

L'émulsion « eau dans l'huile »
Dans ce type d'émulsion, ce sont les gouttelettes d'eau qui sont enfermées dans l'huile, cette dernière formant la phase continue. Une telle émulsion couvre les besoins de la peau en graisse et en eau ; elle est mieux adaptée aux soins de nuit.

L'émulsion « 3 phases »
Cette émulsion est plus rare, mais elle est parfois mise en avant dans la publicité pour cosmétiques. Ainsi, le produit « Re-Source Lait-en-Eau » de Lancôme se targue d'être « une révolution en matière d'hydratation » et le fabricant vante « l'exclusivité du procédé de transformation » du lait en une eau « aux propriétés extraordinaires ». Mais cette émulsion « eau-huile-

eau » n'est pas vraiment une innovation. Ce qui est nouveau, c'est d'être capable de la stabiliser. Elle est obtenue en trois étapes : on part d'une émulsion normale (par exemple un lait léger). Grâce à un émulsifiant, cette émulsion est mélangée à une phase continue pour obtenir une « émulsion trois phases », dans laquelle l'huile et l'eau sont distribuées différemment : de fines gouttelettes d'eau sont incorporées dans de petites gouttelettes d'huile, elles-mêmes dispersées dans l'eau.

Une telle émulsion est censée réhydrater rapidement la peau par la phase aqueuse continue, la soigner grâce à la phase huileuse et assurer un apport en humidité à long terme par l'intermédiaire des particules d'eau se trouvant au centre de la phase huileuse (effet de dépôt). S'il est vrai que ce procédé permet de prolonger l'effet hydratant, il ne faut tout de même pas en attendre des miracles. L'apport en eau est effectivement prolongé d'une ou deux heures, mais, là encore, les propriétés du produit dépendent surtout des matières premières employées.

> **Les composants de base**

Bien que, pour le consommateur, l'efficacité d'un produit soit le premier critère d'achat, elle ne suffit pas à elle seule à en faire un succès commercial. Un produit de beauté doit également être agréable à la peau, rapidement absorbé et procurer une sensation de bien-être. On le constate, la tâche du concepteur n'est pas des plus faciles. Quant au consommateur, un simple regard ne lui permet pas de déterminer si une crème est constituée d'ingrédients précieux ou de moindre valeur. La plus belle des mixtures blanches, onctueuses et parfumées peut être obtenue à partir de tout ou de rien. Les ingrédients de base d'une émulsion sont soit des huiles minérales et des silicones, soit des huiles et des corps gras naturels. « Nous utilisons

La publicité pour cosmétiques nous présente le monde à l'envers : on ne dit presque rien de l'excipient – pourtant si déterminant pour la qualité d'un produit – et, en revanche, on exagère sans retenue les propriétés des agents actifs, et le prix : on fait payer au consommateur plus de 10 euros les 10 ml, pour une simple mixture de glycérine et d'huiles de silicone additionnée d'une quantité infime de vitamine et d'un ou deux autres composants naturels.

On se trouve devant une multitude déroutante d'appellations. Comme l'huile de paraffine, les cires (la vaseline par exemple, INCI : Petrolatum) sont des résidus de la distillation du pétrole. La cérésine aussi (INCI : Ceresin Wax) provient d'huiles minérales ou de l'ozokérite (cire fossile, INCI : Ozokerite).

de préférence des matières premières adaptées à la complexité de la chimie de la peau. Et dans ce domaine, la tendance est aux matières premières naturelles renouvelables. Nous aimerions pouvoir choisir exclusivement les substances qu'utilise la peau elle-même pour se protéger mais cela n'est pas toujours possible. Dans tous les cas, nous tâchons au moins d'employer des matières premières qui se marient bien aux substances présentes dans la peau. Les silicones, par exemple, qui, bien qu'elles ne se trouvent pas dans la peau ont des propriétés spécifiques très intéressantes. En tant que concepteur, je décide au cas par cas : pour certaines fonctions, je fais appel aux silicones, pour d'autres, j'utilise des substances différentes », explique le docteur K.-P. Wittern.

➢ **Une substance de base bon marché : les huiles minérales**

Les huiles minérales comme la Paraffinum liquidum sont composées de chaînes d'hydrocarbures (dépourvues d'oxygène) qui ne peuvent pas être métabolisées par l'organisme. Ces huiles et cires de paraffine proviennent de résidus de la distillation de l'huile minérale, par lavage et filtrage de la matière brute. Dans le meilleur des cas, elles ont des propriétés protectrices, comme l'huile de paraffine qui forme un film occlusif sur la peau : un avantage s'il s'agit d'une crème pour les mains, mais un inconvénient majeur dans le cas d'une crème pour le visage à utilisation quotidienne.

Les huiles de paraffine sont un composant de base particulièrement lucratif pour le fabricant de cosmétiques puisqu'elles sont à la fois simples à travailler et très bon marché. Des émulsifiants appropriés permettent d'obtenir des émulsions inodores, se conservant bien et faciles d'emploi. Il est possible de les stocker pendant de longues périodes sans qu'elles ne se décolorent ni ne sentent, et de les parfumer à souhait. On peut en produire des quantités importantes pour un prix de revient peu élevé et, qui plus est, l'huile de paraffine ne s'oxyde pas (ce qui évite d'utiliser des antioxydants contre le rancissement).

La cosmétologie naturelle refuse systématiquement les huiles minérales. Weleda, producteur de cosmétiques naturels à philosophie anthroposophique justifie ainsi sa position : « Les huiles d'origine minérale ne conviennent pas dans les produits de soins corporels car elles ne sont pas de la même famille que la peau. Elles ne stimulent pas les différentes fonctions de la peau. »

> **Agréables mais pas écologiques :
les huiles de silicone**

Les concepteurs de formules cosmétiques apprécient la polyvalence des huiles de silicone, qui connaissent une utilisation universelle. Ces substances entièrement synthétiques sont employées dans une multitude de produits : crèmes protectrices pour la peau, fixateurs de parfums et produits de coiffage, pour ne citer qu'eux. La Dimethicone est l'une des matières premières les plus utilisées pour les formules de protection de la peau, de soins capillaires et de rouges à lèvres. Dans les fonds de teint et les déodorants, on trouve couramment la Cetyl Dimethicone Copolyol et la Phenyl Trimethicone. Dans les rouges à lèvres et autres produits de maquillage, ce sont les cires de silicone (Stearyl Dimethicone et Cetyl Dimethicone), et dans les gels-douches ou shampooings, la Dimethicone Copolyol.

L'utilisation des silicones est quasi illimitée. Le chimiste peut les introduire dans presque toutes les liaisons, les produire et les employer au gré de ses besoins, même comme émulsifiants. Les huiles de silicones sont douces et s'étalent bien sur la peau.

Les silicones sont des substances synthétiques dérivées du silicium et contenant des atomes d'oxygène (en théorie, on pourrait les produire à partir du sable). Elles présentent de très grandes différences de qualité et leurs modes d'utilisation sont extrêmement divers.

Pour la santé de la peau, les silicones sont de loin préférables aux huiles minérales si tant est qu'elles soient de qualité, ce qui dépend de leur synthèse. Hélas, les huiles et les cires de silicone présentent un grave inconvénient qui justifie de restreindre leur utilisation : très peu biodégradables, elles sont particulièrement nocives pour l'environnement.

Les huiles naturelles sont aussi employées sous forme hydrogénée. Dans ce cas l'appellation INCI commence par « Hydrogenated » (par ex. Hydrogenated Castor Oil pour huile de ricin hydrogénée). Elles ont la consistance d'une cire permettant d'augmenter la fermeté d'une crème ou d'un bâton.

> ### Les graisses et huiles végétales sont en harmonie avec la peau

Les huiles végétales sont produites par des organismes vivants (les graines et les fruits) sous l'action de la chaleur et de la lumière. Sur la peau, une huile végétale naturelle se comporte différemment d'une huile de paraffine. Elle agit dans le sens du métabolisme, garde la peau lisse et stimule la formation du film protecteur de l'épiderme. En outre, elle favorise la formation d'une enveloppe de saine chaleur autour du corps.

Contrairement aux huiles de paraffine, les huiles et graisses végétales ont d'excellentes propriétés dues aux agents actifs importants qu'elles contiennent. On utilise principalement des huiles végétales non desséchantes (comme l'huile d'amande), des huiles riches en vitamines (comme l'huile d'avocat), des extraits végétaux huileux (comme les extraits de camomille) et des huiles essentielles.

La proportion d'huiles natives (naturelles) dans l'excipient est un critère de qualité pour les formules cosmétiques, c'est pourquoi on y revient doucement : alors que pendant longtemps les composants de synthèse avaient été considérés comme signe du progrès de la modernité (et les composants naturels abandonnés), on constate aujourd'hui chez certaines grandes entreprises cosmétiques un revirement, bien visible dans les listes d'ingrédients. Souvent, la base des nouvelles préparations est un mélange d'huiles natives (par ex. Ricinus communis) et d'autres composants végétaux. Néanmoins, l'utilisation des silicones reste encore courante, alors que dans l'intérêt de notre peau, il serait souhaitable d'augmenter le pourcentage d'huiles natives hyperactives.

QU'EST-CE QUI DÉTERMINE LA QUALITÉ ?

Ce sont les ingrédients mentionnés les premiers dans une déclaration INCI (soit plus de 90 % du produit) qui déterminent les performances d'un cosmétique. Ils permettent de différencier rapidement les bons produits des autres. Toutes les déclarations commencent par Aqua (eau).

- Une crème mérite un bonus si la mention « Aqua » est suivie de Ricinus Communis (huile de ricin), Glycérine, Persea Gratissima (huile d'avocat), Cera Alba, Sodium Stearate ou Triglycérides Caprylic/Capric (obtenus à partir d'huiles végétales).
- Elle reçoit un malus lorsque se trouvent aux premières places de la liste : Paraffinum Liquidum, Petrolatum, Ozokerite, Cera Microcristallina, ou Hydrogenated Polyisobutene.
- La Cyclomethicone (huile de silicone) peut être considérée comme satisfaisante d'un point de vue dermatologique, mais insatisfaisante d'un point de vue écologique, car difficilement dégradable.

Les huiles, graisses ou cires végétales issues de l'agriculture biologique contrôlée proviennent de plantes cultivées sans fertilisants ni désherbants chimiques. La production biologique est certifiée par des organismes indépendants.

➢ Le palmarès des huiles végétales

- L'huile d'avocat est riche en vitamines, en lécithine et en oligo-éléments.
- L'huile d'amande est l'une des plus douces et des meilleures.
- L'huile d'olive soigne particulièrement bien la peau grâce à son taux élevé d'acides (oléique, linoléique et palmitique).
- L'huile de germe de blé est, elle aussi, riche en substances précieuses : acides gras polyinsaturés, vitamine E, lécithine et provitamine A (bêtacarotène).
- L'huile d'arachide contient également une quantité importante d'acide oléique et d'acide linoléique.

Des millions de personnes souffrent de neurodermite, une maladie de la peau. Impossible à guérir, les dermatologues peuvent tout juste soulager les démangeaisons des patients sur les surfaces infectées. Lors de l'éruption de la maladie, se forment des nodules et des petites cloques. Il semble qu'il y ait une prédisposition génétique pour la maladie, son éruption dépend ensuite du métabolisme de la personne, de son système immunitaire et de facteurs hormonaux et psychodynamiques. Il arrive qu'un patient qui a souffert de la neurodermite ait de la chance : à l'âge adulte elle peut disparaître aussi vite qu'elle est apparue.

- L'huile de noix de Macadamia est employée dans une multitude de soins pour la peau et les cheveux, ainsi que dans les produits de maquillage. Elle possède d'excellentes propriétés, pénètre et soigne en profondeur. Dans les soins capillaires, elle lisse les écailles des cheveux fatigués.
- Sa composition fait de l'huile de palme un ingrédient de choix dans les produits contre le vieillissement.
- L'huile d'argousier, riche en vitamines, en oligo-éléments et en matières insaponifiables, accélère la restauration de la peau abîmée.
- L'huile de bourrache et l'huile d'onagre sont de bons remèdes contre la neurodermite grâce à leur taux élevé en acides gras insaturés.

➢ **Les inconvénients des huiles végétales**

Très épaisses, les huiles et graisses naturelles ne permettent pas d'obtenir des crèmes fluides, s'étalant bien sur la peau. De ce fait, on les emploie de plus en plus sous leur forme estérifiée, qui s'étale mieux et répond aux attentes du consommateur moderne. Les huiles estérifiées sont produites en laboratoire, soit par synthèse, soit par décomposition et recomposition des liaisons des huiles naturelles.

➢ **Les cires naturelles sont des émulsifiants doux**

Les cires végétales et animales contiennent des principes bénéfiques pour la peau. Bien proportionnées, elles sont aussi employées comme émulsifiants doux.
- La cire d'abeille entre dans la composition des rouges à lèvres, des pommades et de la « Cold-cream » aujourd'hui en voie de disparition.
- Employée dans les produits de maquillage, la cire de carnauba est issue des feuilles d'un palmier du Brésil.
- La cire de candelilla est obtenue à partir des

feuilles d'une plante du Mexique, l'Euphorbia Cerifera.

- La lanoline (cire de laine) et les alcools de lanoline font, eux aussi, partie des substances bénéfiques pour la peau, ayant de bonnes propriétés émulsifiantes. La lanoline est l'un des plus traditionnels émulsifiants des émulsions eau dans l'huile.

- Contrairement à ce que l'on pourrait penser, l'huile de jojoba – excellent ingrédient pour cosmétiques – n'est pas une huile mais une cire. Elle est la seule cire liquide connue existant à l'état naturel.

- Le beurre de karité est un hybride de cire et d'huile grasse. C'est un excellent soin pour la peau grâce à son taux élevé de matière insaponifiable.

Dans la plupart des huiles, le taux de matière insaponifiable se situe entre 0,5 et 2 % alors que dans le beurre de karité il peut atteindre jusqu'à 15 % (par comparaison, il faut savoir qu'il ne dépasse pas 6 % dans une bonne huile d'avocat). Cette partie insaponifiable est très précieuse et compte parmi les substances actives importantes : elle pénètre bien dans la peau, l'adoucit, fixe l'humidité et améliore l'absorption des agents actifs.

➢ Alcools gras et acides gras

Les alcools gras sont employés comme gélifiants et co-émulsifiants. Ils laissent la peau douce et veloutée. On les retrouve sous les appellations Cetyl Alcohol, Behenyl Alcool, Stearyl Alcohol ou Myristil Alcohol. L'alcool cétylique, par exemple, est une substance blanche employée pour donner de la consistance, qui n'est ni irritante ni toxique et présente l'avantage de ne pas rancir.

Les acides gras stabilisent un produit et possèdent aussi des propriétés émulsifiantes. Parmi les plus utilisés, on compte l'acide laurique (Lauric

Étalement facile et pénétration rapide sont deux qualités déterminantes dans le choix d'un corps gras.

Acid), l'acide stéarique (Stearic Acid), l'acide myristique (Myristic Acid) et l'acide palmitique (Palmitic Acid). L'acide linoléique (Linoleic Acid), quant à lui, est l'un des plus importants acides gras polyinsaturés. Ces acides gras sont d'excellents ingrédients pour les cosmétiques. Ils sont présents dans la nature sous forme de graisses et d'huiles, en liaison avec la glycérine.

➢ Les huiles hydrophiles sont aussi des émulsifiants

Les huiles appelées « hydrophiles » sont, elles aussi, des émulsifiants et – de surcroît – des auto-émulsifiants. Au contact de l'eau, elles forment d'elles-mêmes une émulsion « huile dans l'eau » que l'on peut rincer à l'eau courante. Cette propriété s'obtient habituellement en incorporant à ces huiles des émulsifiants éthoxilés (émulsifiants obtenus à partir de substances de combat hautement toxiques). Les huiles hydrophiles sont utilisées pour nettoyer les peaux sèches et calleuses. Pour un nettoyage plus en douceur, on peut leur préférer les huiles nettoyantes sans émulsifiant.

Comparer les composants en vaut la chandelle

En étudiant la composition de plusieurs marques d'un même fabricant, on retrouve généralement la « signature » du fabricant en ce qui concerne les excipients et les actifs. Les produits très bon marché sont presque toujours à base d'huile minérale, mais on trouve de temps à autre une base de qualité supérieure pour une différence de prix insignifiante. En ce qui concerne les produits très onéreux, on a parfois la surprise de constater que leurs excipients sont similaires à ceux de bonnes crèmes vendues à prix moyen. Conclusion : regarder de plus près peut s'avérer très profitable.

➤ Les gels

Les gels ne contiennent ni matières grasses, ni émulsifiants. Par conséquent, ce ne sont pas des émulsions. On les trouve dans les produits les plus divers :

- nettoyants pour la peau,
- produits de soin,
- préparations solaires,
- déodorants à bille.

À la base de tout gel, il y a de l'eau et un épaississant (gélifiant) pouvant fixer une grande quantité d'humidité. Les gélifiants peuvent être synthétiques ou naturels, ces derniers étant de meilleure qualité mais plus difficiles à travailler que les synthétiques. Pour qu'un gel devienne cristallin et souple, on utilise le plus souvent des épaississants comme les polyacrylates qui ne laissent pas de sensation collante sur la peau.

Les gels rafraîchissants contiennent généralement des pectines de fruits (surtout d'agrumes). Le carragheen, ou Mousse d'Irlande, provient d'une algue. Il est couramment employé dans les dentifrices et les produits de coiffage.

➤ Bon nombre de produits contiennent du gélifiant

La farine de guar (la gomme de Guar), la farine de noyau de caroube (souvent dans les déodorants à bille et produits de soins capillaires), la gomme arabique, l'agar agar (un gélifiant d'algues rouges), les algines (issues des algues brunes, présentes dans les shampooings et les masques) et l'amidon de pomme de terre, de riz ou de blé, sont autant de gélifiants d'origine végétale. Le xanthan, gélifiant couramment employé, est obtenu, lui, par un procédé de biotechnologie. La gélatine est d'origine animale, la bentonite d'origine minérale. La cellulose et la cellulose méthylique, très souvent utilisées, sont des gélifiants naturels semi-synthétiques. Tous ces gélifiants entrent dans la composition de nombreuses préparations cosmétiques qui n'ont pourtant pas du tout l'apparence d'un gel. En effet, dans bon nombre de produits,

Les masques-crèmes contribuent au bien-être de tous les types de peau (normale, sèche ou sensible). Ce sont des émulsions qui lissent l'épiderme et stimulent la circulation du sang. Elles ont aussi un pouvoir désincrustant et contiennent des actifs adaptés aux différents problèmes à traiter.

la phase aqueuse est un gel que l'on introduit ensuite dans la phase huileuse d'une émulsion.

> ### Beaucoup d'humidité, mais bien peu de soin

Les gels purs, dont la base n'est composée que
d'eau et de gélifiants, jouissent d'un bon pouvoir
de pénétration et d'hydratation cutanée, mais à la
longue ils finissent par dessécher l'épiderme. En
fait, ils sont à considérer comme des préparations
spéciales ou comme des compléments que l'on
réserve à des utilisations ciblées. Étant donné
qu'ils soignent moins que les émulsions, il est
conseillé de bien analyser l'état de la peau avant
de les appliquer. Par contre, ils sont une alternative intéressante pour les peaux présentant une
intolérance aux matières grasses, et sont très appréciés pour leur fraîcheur dans les produits après
sport.

COMMENT DIFFÉRENCIER TOUS CES GELS ?

- Les **hydrogels** forment la base des produits solaires et
  des masques ou nettoyants en profondeur qu'on applique et laisse agir sur la peau.
- Les **gels d'hydrodispersion** sont des hydrogels améliorés auxquels on a ajouté des corps gras et des
  regraissants. La qualité d'un tel gel dépend non seulement des ingrédients mais aussi du procédé de
  production.
- Les **crèmes-gels** sont une association d'émulsion et de gel.
- Les **lipogels** sont des huiles visqueuses ne contenant
  pas d'eau ; ils ont la consistance d'un gel (plutôt rares en
  cosmétique).

Les principes actifs

Rarement le consommateur ne s'est senti aussi
désemparé qu'aujourd'hui face à la surenchère autour de principes actifs qui lui sont totalement
inconnus. Il ne lui reste plus alors qu'à se laisser
bercer par les promesses. La performance des actifs
étant devenue l'argument commercial numéro un,

la recherche dans ce secteur galope à un train d'enfer. Chaque nouveau produit cherche à créer la surprise avec des substances miracles et des promesses toujours plus mirobolantes. Ainsi « Vitabolic » de Lancôme est présenté comme « une première mondiale » dont les performances reposent sur « les glycovecteurs™. » Que peut bien recouvrir cette dénomination ? Les appellations pseudo-scientifiques de certains principes actifs ou des substances qui les véhiculent (coenzymes, nanosphères, provitamines, microsphères, bio-épo etc.) nous font totalement perdre de vue de quelles substances on parle, et quelle est leur réelle fonction. Le soi-disant bond en avant de la cosmétologie, censé conférer aux soins de beauté une toute nouvelle dimension, est mis en exergue par de pompeuses expressions comme « Vital-complexe », « effet-dépôt », « poussée triple » ou « formule de soin brevetée ».

Face aux exagérations, à la désinformation et aux manipulations publicitaires concernant la plupart des produits cosmétiques, nous sommes en droit de parler de « la grande supercherie des principes actifs » : les espoirs fous qu'ils éveillent n'ont aucune commune mesure avec leurs réelles performances.

Une importance largement surestimée

Garder un certain scepticisme vis-à-vis des grands discours prometteurs permet de faire des économies substantielles tout en se faisant plaisir avec des produits réellement efficaces. Sur le plan purement quantitatif, la plupart des substances actives représentent un infime pourcentage du produit (0,1 ou même 0,0... %). Avec ses 0,10 %, l'acide hyaluronique est déjà considéré comme ayant l'un des taux les plus élevés.

De quels agents actifs a-t-on essentiellement besoin ? La règle d'or pour avoir une peau saine et le teint clair est de bien la nourrir (en eau et en graisse) et de la protéger soigneusement. Un épiderme sain est moins délicat qu'une peau rêche et desséchée. Le rôle principal des produits de soin est donc d'apporter de la graisse et de l'eau chaque fois que cela est nécessaire, un film hydrolipidique bien équilibré étant la meilleure garantie d'une belle peau. Voici les principes de base que devrait respecter chaque formule de soin digne de ce nom :

Certaines appellations, comme « moisturizer » (procure de l'humidité), restent compréhensibles. Mais de nombreux termes ne renvoient à rien de tangible. Il est encore heureux que la réglementation oblige à mentionner sur le produit (ou son emballage) les indications d'utilisation, dans la langue du pays où il est commercialisé.

- un excipient (substance de base) de grande qualité,
- quelques substances actives,
- éventuellement quelques supports supplémentaires (comme les liposomes) pour véhiculer les agents actifs.

L'excipient se taille la part du lion dans le niveau de performance d'un produit puisque ses principaux composants (eau et huile) ont pour tâche de maintenir (ou rétablir) l'équilibre hydrolipidique de l'épiderme. Plus la phase huileuse est riche en ingrédients, mieux on se porte : les huiles végétales, par exemple, sont un mélange complexe d'actifs, ce qui est leur grand avantage.

Les hydrorégulateurs

La phase aqueuse d'une émulsion soigne la peau qu'elle hydrate tout en lui apportant des substances régulatrices pour lutter contre la déshydratation. La façon la plus simple de s'hydrater est de se laver à l'eau, mais l'effet ne dure qu'une demi-heure et s'accompagne d'un dessèchement car l'eau dissout les agents cutanés d'humidification.

Il faut arriver à fixer les substances apportées ou bien découvrir un moyen de prolonger l'effet hydratant. Des solutions ont déjà été trouvées, mais elles sont moins efficaces qu'on veut le faire croire : même les meilleurs agents hydratants connus s'évaporent au bout de quelques heures.

Les hydratants les plus performants

Puisque l'agent d'hydratation naturelle de la peau (le NMF, Natural Moisturizing Factor) est constitué de substances qui se dissolvent dans l'eau et la retiennent, on a introduit dans les cosmétiques des substances ayant les mêmes propriétés (le fameux effet hydratant qui augmente la teneur en eau de la peau).

En tant qu'agent hydratant, l'**urée** connaît un véritable boom en cosmétologie traditionnelle comme en cosmétologie naturelle. Dans leur ouvrage, Raab et Kindl mentionnent à ce propos des études montrant que la teneur en urée « d'une peau cliniquement sèche est de moitié inférieure à celle d'une peau cliniquement saine ».

L'**acide hyaluronique**, lui, peut emmagasiner d'importantes quantités d'eau et on le considère comme une véritable substance miracle. Son efficacité s'explique par le fait qu'il se combine étroitement à la kératine des cellules superficielles de l'épiderme. Il forme un film qui fixe les kératinocytes, retient l'humidité et laisse la peau douce et lisse. Très onéreux, il est assez faiblement dosé, ce qui suffit habituellement à obtenir l'effet hydratant. Mais dans certains cas, le dosage est tellement infime (0,001 %) que le seul effet obtenu est publicitaire : l'hydratation, elle, n'est pas significative. Vieillir s'accompagne d'une diminution irrémédiable de l'acide hyaluronique cutané contre laquelle les produits de soin sont impuissants puisqu'ils ne peuvent pas pénétrer jusqu'aux couches profondes du derme. L'acide hyaluronique naturel était autrefois extrait de la peau de veau ou de la crête de coq, mais actuellement il est obtenu en grande partie par des procédés biotechnologiques.

> Même les pourcentages peuvent être trompeurs : dans certains produits, on exprime la proportion d'agents actifs végétaux par un pourcentage qui inclut les solvants, ce qui fausse totalement les chiffres.

Les **collagènes** ont longtemps été surévalués par les cosmétologues. Ils doivent leur nom aux colles que l'on obtenait autrefois en faisant bouillir des os et des tendons. S'il est exact que le tissu cutané est en grande partie constitué de collagènes, il est illusoire de penser qu'une crème aux collagènes puisse rajeunir le tissu conjonctif.

LES VRAIES INNOVATIONS SONT TRÈS RARES

Les composés chimiques vraiment révolutionnaires, hautement plus performants que leurs prédécesseurs, sont particulièrement rares. En cosmétologie, les actifs dits novateurs ne sont généralement que des variantes du répertoire connu : vitamines, provitamines et minéraux. Les vraies innovations nécessitent du temps et coûtent des millions. Ces gigantesques efforts de recherche sont parfois récompensés par la découverte de nouvelles combinaisons moléculaires. Ce fut le cas par exemple dans le domaine des soins dentaires où l'on a fait de réels progrès en efficacité grâce aux nouvelles combinaisons fluor-phosphore.

La composition du film hydrolipidique cutané nous renseigne sur l'état de la peau. Si le taux en eau de la couche cornée est inférieur à 10 %, la peau devient rêche, calleuse et commence à tirer. Fragilisée, elle peut connaître des poussées d'eczéma.

Apporter à la peau, par voie externe, les composants dont elle commence à manquer en vieillissant s'avère être un mauvais calcul. En effet, les molécules (de collagène par exemple) sont bien trop grandes pour pouvoir pénétrer jusqu'au derme, et c'est bien mieux ainsi : « Si elles étaient résorbées, explique le professeur E. Heymann, elles ne seraient pas intégrées mais déclencheraient des réactions immunitaires violentes qui les détruiraient comme des corps étrangers. » Par conséquent, le collagène n'a pas le pouvoir de raffermir la peau et de lui rendre son élasticité, il a seulement une action hydratante.

L'**élastine** aussi provient principalement des bovins. Tout comme le collagène, elle n'est pas seulement employée dans les produits pour la peau mais aussi dans les soins capillaires.

Les **protéines de soie** sont des substances actives provenant des déchets de cocons de vers séricigènes. Principalement composées de protéines (sérizine et fibroïne), ce sont de bons actifs hydratants pour les cheveux.

L'**aloe vera** a fait ses preuves comme hydratant végétal pour peaux sèches et fatiguées. Ses principes actifs ont été examinés par de nombreux scientifiques à l'aide de procédés d'analyse modernes qui ont permis d'identifier 160 substances constituantes. Les plus importants sont des minéraux, des enzymes, des vitamines et des acides aminés.

Les **algues** font l'objet d'études approfondies depuis quelques années. Leurs quelque 20 000 variétés offrent un large champ d'exploration aux scientifiques qui espèrent agrandir la liste des principes actifs. Ces végétaux marins fournissent déjà une multitude d'excellents ingrédients. Les extraits d'algues sont de bons hydratants qui, de plus, protègent la peau des radicaux libres.

Les **acides aminés (**constituants importants des **protéines)** sont responsables du métabolisme cellulaire. En nombre illimité, les protéines ne comptent que vingt acides aminés. Ceux-ci fixent bien l'eau et participent à la formation de l'agent d'hydratation cutanée (NMF). Le Sodium PCA, constituant principal du NMF, est un actif qui capte l'humidité.

La glycérine : premier hydratant de la peau

Certains alcools sont utilisés comme hydratants (moisturizer). Le sorbitol (alcool de valence 6) est une substance hydratante efficace, bien tolérée par la peau. On emploie aussi le xylol, un excellent alcool provenant du sucre de bois, ainsi que des alcools synthétiques comme le Propylène Glycol, le Butylène Glycol et le Pentylène Glycol.

Et malgré tous les nouveaux principes hydratants qui font beaucoup parler d'eux, la glycérine (alcool polyvalent) conserve la première place du palmarès des hydratants. Le Docteur K.-P. Wittern : « Nous avons effectué de longues recherches sur la glycérine. C'est un hydratant incroyablement performant sur la peau. L'urée aussi est presque imbattable. En quantité élevée, l'acide hyaluronique donne également de bons résultats. Les acides aminés apportent une contribution importante aux côtés des autres hydratants naturels cutanés, mais le Propylene Glycol et le Butylène Glycol les devancent. »

Les vitamines

Les produits vita-minés sont source d'énormes profits alors qu'une orange nous ap-porte beaucoup plus de vitamine C et d'acides de fruits – si importants pour le renouvel-lement cellulaire – qu'une crème aux vitamines. Après tout, un pot de crème ne contient que 0,1 g de vita-mine C, ce qui correspond à une orange. L'apport en vitamine C est donc infime.

Pour diminuer les problèmes cutanés, agir contre son vieillissement précoce et ralentir les méfaits de l'âge, on enrichit les produits de vita-mines aux propriétés stimulantes, vitalisantes et protectrices. Les vitamines A et E, les vitamines B, la biotine (vitamine H) et les acides gras insaturés (auparavant : vitamine F) sont des actifs très im-portants qui ont réellement un effet bénéfique sur la peau. Cependant aucune carence alimentaire ne peut être palliée par les vitamines se trouvant dans les cosmétiques.

La **vitamine A (rétinol)** combat les peaux ternes et rêches. Elle leur donne du velouté, stimule la régénération des cellules et compense les change-ments dus à l'âge. C'est une substance extrêmement fragile qui, à l'état pur, se décompose immédiate-ment au contact de l'oxygène. C'est la raison pour laquelle on la trouve souvent sous forme de pal-mitate dans les cosmétiques (précurseur de la vitamine A).

Les **vitamines B** sont très importantes pour les soins capillaires.

La **biotine (vitamine H)** est une vitamine pré-cieuse pour la peau et les cheveux, mais très onéreuse (voir page 90, chapitre sur les cheveux).

LES AGENTS QUI LISSENT ET FORTIFIENT LA PEAU

- L'huile d'avocat soigne bien l'épiderme grâce à son taux élevé de substances non saponifiables.
- L'allantoïne rend la peau lisse et veloutée.
- Le bisabolol, agent actif de la camomille, a un effet anti-inflammatoire et apaisant sur les peaux sensibles.
- Les céramides ont une influence positive sur la barrière protectrice de la peau.

- L'huile de sasanqua a de bonnes propriétés lissantes et soignantes et améliore la structure de la peau.
- Le beurre de karité, l'huile de noix de Macadamia, les huiles de pépins de raisin et de noyaux d'abricot sont des graisses ayant des propriétés lissantes et soignantes connues de longue date.
- L'huile de germe de blé est riche en vitamines. Elle tonifie les peaux vieillissantes, sèches et calleuses.
- Les extraits de levure stimulent et revitalisent.

Au cœur de la recherche : les antioxydants

La vitamine E (tocophérol) est un agent important de protection de la peau car elle entrave les processus d'oxydation dus à la lumière et à l'oxygène. Autrement dit, elle empêche le rancissement des graisses. Les graisses (lipides) sont indispensables à la peau. Le Docteur K.-P. Wittern (Beiersdorf) nous expose les raisons pour lesquelles on recherche de nouveaux antioxydants : « Si l'on réussissait à augmenter le pouvoir antioxydant de la peau, les lipides actuellement détruits par oxydation seraient disponibles, ce qui renforcerait les propriétés autoprotectrices et auto-équilibrantes de la peau. Après des années de recherche, il est désormais possible de stabiliser la vitamine C, qui complète la vitamine E. »

Actuellement, il n'existe donc pas d'antioxydant réellement efficace, autre que la vitamine E, ce qui justifie toute l'énergie consacrée à la recherche d'autres substances. Dr. K.-P. Wittern : « Nous nous sommes, par exemple, interrogés sur la manière dont les feuilles se protégeaient de la lumière, ce qui nous a amenés à étudier les flavonoïdes responsables des processus antioxydants. La tentation d'examiner si leur effet était le même sur la peau que sur les feuilles était grande. » Ce n'est pas une mince affaire que de transposer sur la peau une substance présente dans les feuilles, et ce par l'intermédiaire de cosmétiques. Un proces-

Comment et à partir de quand vieillissons-nous ? Des études ont montré que 65 % du processus de vieillissement sont déterminés génétiquement et que les 35 % restants dépendent du style de vie et des soins apportés à la peau. Vivre sainement et se soigner activement peut permettre de donner un coup de pouce à la nature. En revanche, prendre des risques peut tout gâcher : les plis du cou, par exemple, sont souvent la conséquence de l'abus de soleil.

sus compliqué qui se solda finalement par une réussite : les flavonoïdes ont été employés pour la première fois comme antioxydant dans le produit avant-soleil (pre sun) « pH5 Eucerin Sun Sensitive » de Beiersdorf.

Les filtres solaires

Les mises en garde contre le vieillissement précoce et le cancer de la peau expliquent la carrière époustouflante des filtres solaires. Pourtant, la lumière du jour n'est pas l'ennemie à combattre, bien au contraire : une quantité raisonnable de lumière active la protection naturelle de la peau, par ce que l'on appelle la synthèse des trois vitamines. Les filtres de protection solaire n'ont pas leur place dans la vie quotidienne. La composition des crèmes de visage d'usage courant correspond à un indice de protection numéro deux, ce qui est suffisant. Compte tenu des recherches récentes concernant quelques filtres solaires (voir page 161), il semble conseillé de reconsidérer leur utilisation.

La déferlante des agents actifs

Si les produits de soins pour peaux jeunes tiennent à peu près leurs promesses, ce n'est pas le cas de l'avalanche de produits anti-âge ou antirides, et de la multitude de formules prétendument nouvelles qui dépassent les bornes : dans ce secteur de marché, il est monnaie courante d'exagérer la nature des problèmes et la performance des produits.

Nouvelle dans le domaine de la cosmétologie du visage, la gamme « anti-âge » offre des soins spécifiques pour la protection de la peau. D'un point de vue dermatologique, la peau commence à « vieillir » à partir de 25 ans. Est-ce à dire que les jeunes constituent déjà une clientèle de choix pour les produits anti-vieillissement ? Tout est fait pour faire croire qu'il est nécessaire d'avoir recours à des armes biotechnologiques et autres protections pour enrayer le vieillissement. Pourtant les dermatologues, de leur côté, se plaignent plus souvent des soins trop intensifs ou inadaptés que d'un manque de soin. Dans la plupart des cas, on fait passer pour des « innovations Anti-Âge » des mythes créés de toutes pièces autour desquels le tapage publicitaire va bon train. C'est le cas, par exemple, des produits contenant des liposomes qui véhiculent, nous dit-on, de nouveaux actifs révolutionnaires.

On peut introduire dans les liposomes toute la gamme des actifs utilisés en cosmétologie : des vitamines aux facteurs hydratants, en passant par presque toute la panoplie des extraits de plantes (aloe vera, ginkgo, houblon, camomille, algues) et des extraits de cellules ou tissus d'origine animale (thymus, collagène ou élastine).

Mythe numéro 1 : les liposomes

Les liposomes sont le plus souvent présentés comme de petites vésicules pouvant pénétrer jusque dans les couches profondes de la peau pour y déposer les actifs qu'ils transportent (les excipients dont le nom commence par « nano » sont des liposomes). Ils ne véhiculent pas de substances hydratantes mais des agents liposolubles, comme les huiles ou les vitamines.

Il existe de multiples rumeurs sur l'action des liposomes, à qui l'on prête des pouvoirs magiques. Il paraîtrait qu'ils peuvent déposer leurs actifs de manière différenciée, en fonction du pH ou de la température de la peau. Bien qu'on puisse, en les examinant, déterminer leur taille, leur structure et certaines de leurs caractéristiques, les informations les plus importantes sur les qualités de chaque type de liposomes employé restent le secret bien gardé de chaque formulateur.

On distingue généralement trois sortes de liposomes :
- la variante simple, sorte de sac vide,
- la variante chargée d'un agent actif,
- le liposome complexe, contenant différents agents.

➤ Leur action n'a pas été prouvée

La première chose que l'on attend des nouveaux systèmes d'agents actifs est une meilleure hydratation de la peau, ce qui dépend en grande partie de la composition des liposomes. Si ces derniers sont principalement constitués de graisses hydrophiles, on obtient l'inverse de l'effet escompté : la peau se dessèche. Et si ces liposomes sont chargés d'acide hyaluronique ou de lactate, ils aggravent les carences en eau au lieu de les diminuer.

Les dermatologues se penchent, eux aussi, sur les liposomes pour essayer de déterminer s'ils sont utilisables dans les traitements des maladies de la peau. Pour obtenir un agrément, de longues recherches très complètes doivent être menées. Jusqu'à ce jour, seule une préparation a été autorisée à l'échelle mondiale.

LIPOSOMES, NANOSPHÈRES & CIE

- Les liposomes sont de toutes petites vésicules, de lécithine le plus souvent, qui véhiculent les agents actifs.
- Les niosomes ou nanoparticules sont de minuscules corps creux qui transportent aussi les actifs.
- Les excipients en forme de petits sacs portent des noms différents d'un fabricant à l'autre, mais en principe ce sont tous des liposomes. Certains d'entre eux ont l'avantage d'être à la fois excipient et agent actif.
- Les fabricants employant des liposomes feuilletés promettent un effet-dépôt : les agents actifs sont censés être distribués progressivement à la peau.

« Il serait souhaitable, disent Raab et Kindl, experts viennois en cosmétique, de soumettre tous les cosmétiques utilisant les liposomes comme argument publicitaire à un examen plus approfondi. » En effet, les propriétés des liposomes varient selon leur structure et leur emploi : les uns peuvent hydrater, les autres dessécher ; sous forme de gel, ils ont d'autres effets que dans les émulsions contenant des ingrédients bien tolérés par la peau. Reste aussi à prouver de manière convaincante que les liposomes feuilletés sont vraiment stables et ne se décomposent pas déjà au stade d'émulsion. Le spécialiste en cosmétologie, H.-J. Weiland-Groterjahn, a des doutes : « Il arrive trop facilement que ces excipients ne soient pas stables et se dissolvent dans l'émulsion. Il y a tellement d'impondérables dans ces formules que je considère 90 % des affirmations comme exagérées et seulement 10 % comme fiables. »

> ### L'action sur la cellule est controversée

Tout cela n'est que spéculation. Les liposomes agissent-ils vraiment à l'intérieur de la cellule ? Comment s'y prennent-ils ? S'introduisent-ils comme un cheval de Troie dans les cellules, ou seuls les agents actifs y pénètrent-ils ? Les membranes des cellules et des liposomes s'unissent-elles ? À ce sujet, le Docteur K.-P. Wittern indique que : « Les expériences ont montré que la plupart des liposomes s'ouvrent déjà sur la peau qui n'est jamais bien lisse ni homogène. Des débris pénètrent dans l'épiderme et reprennent, dans certaines couches cutanées, la forme de liposomes. Ils n'ont alors plus grand-chose de commun avec ceux qui avaient été appliqués sur la peau. Notre pratique nous a montré que les crèmes aux liposomes ont un bon effet hydratant sans que nous en connaissions vraiment les raisons. Peut-être est-ce seulement que les feuillets s'accumulent à merveille dans la peau et y retiennent l'eau ? »

Faire courir le bruit que les actifs encapsulés dans les liposomes atteignent en quantité considérable les cellules vivantes de l'épiderme tient de la légende car les promesses d'efficacité sont souvent à cent lieues de la réalité. Il serait plus approprié de souligner les performances des bons liposomes en matière de soins de la peau.

Certaines personnes sont prédisposées à paraître plus jeunes : des os malaires (pommettes) et un menton plus marqués supportent mieux la peau qui devient moins vite flasque.

Mythe numéro 2 :
les substances biotechnologiques

Les promesses d'efficacité alléchantes, démesurées et trompeuses ont une longue tradition. Même les jugements de tribunaux, qualifiant les termes « crème nutritive » ou « cosmétique régénératrice » d'illicites, n'ont pas réussi à endiguer l'avalanche de slogans séducteurs : à peine une tête de l'hydre est-elle coupée qu'une autre repousse.

Pendant un certain temps, les liposomes ont tenu la vedette dans des préparations dites exclusives, aujourd'hui ils sont presque devenus des lieux communs. On glorifie désormais une nouvelle génération de principes actifs : les agents biotechnologiques. « Lifting System », « rajeunissement sensible », « contours du visage harmonieux sans chirurgie » : autant de promesses magiques qui, associées à de mystérieuses substances comme « Pro Phosphore », « Bio-EPO » ou « Molécules Anti-Âge », nous font miroiter la possibilité de troquer sa peau vieillissante contre une peau jeune et fraîche. Et tout cela a son prix : en face des promesses mirobolantes, des prix extraordinaires.

En y regardant de plus près, le « drame » de la peau vieillissante pour un visage normalement soigné n'est rien d'autre qu'un processus de vieillissement naturel, presque imperceptible au fil des années. Peu à peu, la régénération cellulaire se ralentit, la peau devient plus sèche et la couche cornée s'épaissit. L'activité des cellules diminuant, l'épiderme devient plus fragile. Aucune crème, si chère soit-elle, ne peut inverser ce processus et redonner jeunesse et fraîcheur.

Maigrir trop rapidement se paie : la peau se plisse et se ride lorsque l'hypoderme devient flasque. Il est donc préférable de perdre du poids progressivement et sans exagération : un visage un peu plus rempli a l'avantage de paraître plus lisse et plus jeune.

➤ Une nouvelle tentation : les crèmes à effet liftant

Dans la lutte contre le vieillissement de la peau, on peut observer ce que Raab et Kindl appellent des décrochages : « Des dermatologues ont pris leurs distances avec la cosmétologie en dénonçant son manque de sérieux et son peu de crédibilité. » Le petit mot « lift » est un terme miracle employé pour envoûter la consommatrice. « Une crème ne peut remplacer un lifting » peut-on lire dans une publicité d'Helena Rubinstein. Jusque-là tout allait bien, mais quelques lignes plus loin, on n'a pas résisté à la tentation : « Mais un traitement intensif au Sérum Face Sculptor, associé à la Crème Face Sculptor, se rapproche de très près du lifting. » Ces affirmations sont renforcées par la mention : « Testé sur 240 femmes* ». Avez-vous remarqué l'astérisque ? Il a son importance car il permet de prendre connaissance des résultats du fameux test : « Jour après jour, les contours se raffermissent, les rides et ridules sont lissées, le visage devient plus régulier. » N'est-ce pas là ce que nous promettent presque toutes les crèmes?

Mythe numéro 3 : le résultat des mesures

Depuis peu, le législateur exige pour les cosmétiques des preuves d'efficacité afin de garantir que les produits sont présentés de manière plus objective et plus raisonnable. Mais la réalité est tout autre et on utilise les chiffres comme argument frappant : « 48 % de profondeur de rides en moins, 36 % de plus d'humidité », résultats obtenus par des « mesures biophysiques in vivo » dit la publicité de Juvena pour sa « Crème Rejuven Q10 ». Ces résultats sont présentés comme la justification scientifique du succès éclatant de la préparation. Ces annonces mirobolantes foisonnent. Sous pré-

Les tests pour cosmétiques se sont améliorés et reflètent mieux la réalité mais les pourcentages indiqués faussent les résultats obtenus par des méthodes modernes. 30 à 40 % de profondeur de rides en moins : cela est très prometteur mais correspond en fait à 0,001 mm (même 0,1 mm serait invisible à l'œil nu).

On teste aussi le pouvoir d'étalement : ce que l'on entend par pénétration dans la peau est en fait l'étalement sur la surface de la peau. La crème a « disparu » lorsqu'elle est répartie sur la peau ou évaporée (si elle contient des huiles de silicone très volatiles) et que le tiers supérieur de la couche cornée peut assimiler la quantité restante.

texte que les mesures sont infaillibles, les résultats « scientifiquement prouvés » sont en vogue. Ils sont généralement exacts mais toute la subtilité consiste à présenter les chiffres de manière à ce que le profane – ici l'acheteur – ne puisse savoir avec précision ce qu'ils représentent vraiment.

Chiffres et faits sont souvent tout aussi illusoires que les boniments sur les crèmes nourrissantes ou antirides. Pour le consommateur, en tout cas, la plupart de ces chiffres ne renvoient à rien. Toute préparation cosmétique digne de ce nom tend la peau, l'hydrate, la laisse moins rugueuse et moins ridée, rien de plus.

➤ **L'efficacité des cosmétiques est surestimée**

Pour obtenir de bons résultats concernant des facteurs aussi décisifs que l'hydratation, la rugosité ou l'élasticité, point n'est besoin de nouvelles formules cosmétiques. Une crème, constituée d'ingrédients de bonne qualité et de quelques actifs, fait très bien l'affaire. « C'est devenu la mode de mesurer, commente le Docteur K.-P. Wittern de Beiersdorf, et personne ne se soucie de ce qu'apportent réellement les chiffres. 22 % ou 37 % ne font pas grande différence dès lors que l'on sait que 15 % d'écart correspondent à 0,001 mm de moins de profondeur de rides. Quelle importance que ces données soient obtenues par des tests objectivés si la différence est invisible à l'œil nu ? » En conclusion, les tests sont un bon moyen de faire oublier que l'on surestime largement l'action globale des cosmétiques.

AMÉLIORATION DE L'ÉLASTICITÉ DE LA PEAU DE 50 % AVEC DES MOYENS PUREMENT NATURELS

Le mythe des mystérieux principes actifs (bénéficiant parfois d'un code secret), les prix onéreux, les procédés de haute technologie, rien de tout cela n'est indispensable! La preuve, la « cure d'hydratation intense » de Logona (10 ampoules de 1 ml pour 18 euros) donne aussi de très bons résultats par comparaison aux valeurs de départ : une amélioration de l'élasticité de la peau de 51,6 % et de l'hydratation de 30,9 %. Ce produit ne contient pourtant que des actifs de produits purement naturels : le souci des champs (taux élevé en flavonoïdes, saponines et bêtacarotène), la prêle (avec environ 10 % d'acides siliciques, d'acides polyéniques et de glucosides de flavone), le houblon (ses extraits en CO_2 ont un effet positif sur la peau), l'eau de rose (apaisante) et la spirulina (microalgue ayant un taux élevé de caroténoïdes, de zinc, de sélénium, de protéines et de vitamines).

Ces extraits sont obtenus sans solvants synthétiques. On utilise un mélange d'eau, de glycérine et d'éthanol. L'extrait de spirulina est séché par un procédé spécifique de lyophilisation, très doux, qui permet de conserver intacts tous les agents actifs. Ce soin hydratant intensif ne contient ni conservateur, ni modificateur d'odeur (pour éviter tout risque d'irritation).

➢ Les méthodes de test les plus courantes

Un fabricant de cosmétiques compétent doit posséder toutes les connaissances techniques nécessaires à la conception de formules donnant à la peau une bonne assise en eau et en lipides. Une hydratation adéquate est la condition sine qua non de la diminution sensible de la profondeur des rides. Les mesures classiques permettent d'évaluer, relativement précisément, l'élasticité de la peau, sa rugosité et son taux d'hydratation. Les tests se font sur la personne (in vivo).

➢ Mesures de la rugosité de la peau in vivo

Généralement, le test a lieu sur l'avant-bras. On procède à une première empreinte au silicone, après avoir étalé la substance, et à une seconde après avoir laissé agir comme indiqué. On travaille avec un appareil mesureur, ou sur l'image

Pour vérifier si les produits n'entraînent pas d'effets secondaires, des tests cliniques sont effectués sous contrôle dermatologique. Le test épicutané consiste à placer sur le dos des personnes testées (dont un tiers de personnes souffrant d'eczéma) un sparadrap imbibé de produit. C'est une sécurité supplémentaire.

microscopique agrandie de l'empreinte, saisie en photo numérique par un ordinateur qui analyse les pics et les creux. Car les squames donnent aux peaux rêches un profil plus marqué qu'une peau lisse.

De multiples facteurs extérieurs entrent en ligne de compte pendant les tests : si le temps est ensoleillé ou pluvieux, comment la personne s'est nourrie pendant le test, etc. C'est pourquoi on diminue systématiquement la performance de 5 %. Si l'écart de performance avant/après se situe entre 30 et 40 %, le résultat est considéré comme satisfaisant : la crème a un bon effet lissant. Une autre technique, la méthode au bleu de méthylène de Padberg, permet aussi de mesurer la rugosité : la couleur se stocke dans les lamelles de peau que l'on peut ainsi repérer et mesurer.

> ## Mesure du taux d'hydratation et de l'élasticité de la peau

Le taux d'hydratation de l'épiderme est mesuré in vivo par des appareils posés sur la peau. En appuyant la tête du corneomètre sur la peau, on place la couche cornée dans le domaine de dispersion du champ du condensateur. La capacité indiquée varie selon la quantité d'eau présente. Le temps de mesure est très court afin d'éviter au maximum les distorsions provoquées par les déformations de la peau ou une inhibition de l'évaporation. Le processus est en principe toujours le même : la personne testée s'applique un produit pendant un certain temps, puis des mesures comparatives sont effectuées sur les zones traitées et non traitées.

L'élasticité de la peau est mesurée par un « cutomètre ». Une sonde, dont l'extrémité crée le vide, est placée sur la peau qui se trouve aspirée. La profondeur de l'empreinte de la sonde dans la peau est saisie par simple mesure optique : une

---

Les tests in vitro sont un bon moyen de vérifier la tolérance aux tensioactifs. On fait couler quelques gouttes de sang de bœuf dilué dans des éprouvettes contenant différentes concentrations de tensioactifs, et la transformation du sang nous renseigne sur le tensioactif : s'il détruit les cellules, il est considéré comme agressif.

pression constante d'une seconde alterne avec une seconde de repos, et cette opération se répète une cinquantaine de fois.

> ## Les mesures in vitro

On appelle mesures in vitro, toutes les mesures qui ne sont pas effectuées sur l'organisme vivant mais dans une éprouvette. Elles sont une alternative intéressante aux expériences sur animaux de laboratoire. Les expériences in vitro sont devenues un argument publicitaire incroyablement populaire depuis le projet d'interdire les tests de produits cosmétiques sur les animaux. Elles permettent de déterminer si une substance est critique ou non, mais surtout elles sont censées fournir des preuves sur l'efficacité des agents actifs biotechnologiques. Selon Helena Rubinstein : « Si le phosphore cutané naturel n'est pas stimulé rapidement et régulièrement, la structure de la peau s'affaisse et des rides se forment. » Elle propose, à titre préventif, le pro-phosphore, substance ayant « le pouvoir de réactiver le phosphore cutané ». Il faut dire qu'activer et réactiver sont les deux mamelles de la cosmétologie moderne.

> ## Peu de substances pénètrent
>   jusqu'aux cellules

Les activateurs, comme les enzymes, sont des catalyseurs qui accélèrent les réactions biochimiques. Tous les biologistes confirment leur rôle prépondérant dans le processus de régénération de la peau. Ils sont formés de protides, et de coenzymes qui activent ou inhibent l'action des enzymes. Les coenzymes les plus employés en cosmétologie sont les vitamines.

Les activateurs testés in vitro sur des tissus isolés, structures cellulaires, fibroblastes ou cellules kératinisées, ont, à n'en pas douter, une action catalytique sur le métabolisme cellulaire.

Mais les conditions de milieu des éprouvettes sont tout autres que celles du système complexe de la peau. C'est ce que confirme K.-P. Wittern : « Il nous est impossible d'avoir accès aux cellules kératinisées de la peau pour y tester une réaction. Nous nous contentons donc des éprouvettes, sans être sûrs que les résultats des observations faites sont les mêmes que dans ce milieu bien plus complexe qu'est la peau. Un exemple : nous avons découvert in vitro une substance qui protège les îlots de Langerhans et pourrait donc jouer un rôle dans la protection solaire. Ces îlots de Langerhans ont des tentacules qui se rétractent lorsque les rayons ultraviolets atteignent la peau, réaction immunitaire face à un stress externe. Lorsqu'elles se rétractent, la peau commence à se protéger en produisant de la mélanine, protection cellulaire qui fonctionne merveilleusement bien en éprouvette. Mais dans les expériences in vivo, notre substance n'a même pas eu l'occasion de voir de près une seule cellule de Langerhans ! »

En étudiant de plus près certaines notices décrivant les performances des principes actifs, on constate que c'est de la poudre aux yeux : on y trouve quelques grandes généralités sur leur action dans l'organisme, mais rien ne nous prouve que les propriétés in vitro sont transposables au milieu cutané. C'est pourtant ce qui est sous-entendu, sans jamais être explicite. Au vu du prix des produits, le scepticisme est plus que de rigueur en matière de biologie de la peau

Le visage des personnes rondouillettes paraît plus jeune car la couche sous-cutanée, riche en lipides, donne à la peau fermeté et tonicité.

CONSTITUTION DE LA PEAU

Chez un adulte la peau mesure 1,5 à 1,8 m^2 et son épaisseur va de 1 à 4 mm. Elle est composée de différentes couches. En partant de l'extérieur vers l'intérieur, on trouve :
- l'épiderme qui peut atteindre 1 mm,
- le derme, ayant au maximum 3 mm d'épaisseur ; c'est sur le front qu'il est le plus fin et sur la plante des pieds le plus épais. Il est principalement constitué de fibres de collagène,
- l'hypoderme.

La bonne absorption des principes actifs est conditionnée par le taux d'hydratation de la peau : une peau bien humidifiée les absorbe 5 à 10 fois plus vite qu'une peau sèche. Les substances pénètrent par trois voies :
- d'une part, par l'intermédiaire des kératinocytes et de la masse intercellulaire de l'épiderme ;
- d'autre part (0,1 % de la surface de la peau n'étant pas recouvert de couche cornée), par les follicules pileux ;
- enfin par les glandes sébacées et sudoripares.

Mythe numéro 4 :
activer la régénération cellulaire

Que ce soit les enzymes ou les ATP (Adénosine triphosphates), les substances rajeunissantes censées stimuler le métabolisme cellulaire nous interrogent, à deux titres : d'une part, la probabilité qu'elles parviennent jusqu'aux cellules vivantes n'est-elle pas infime ? D'autre part, cela est-il vraiment souhaitable ?

Pour comprendre ce que signifie action régénératrice, il suffit d'observer une coupe de la peau.
- L'épiderme, composé de plusieurs couches, est le seul soumis à l'action des produits de beauté.
- Le derme sur lequel repose l'épiderme est composé de tissus fibreux qui retiennent bien l'eau quand on est jeune, mais dont la capacité de rétention diminue avec l'âge. Ces fibres, une fois mortes, ne peuvent être réactivées.
- L'hypoderme est un tissu fibreux et lâche. Lorsqu'il contient suffisamment de lipides, la peau a un aspect ferme.

La cosmétologie prétend pouvoir agir de manière appréciable sur la régénération des cellules. Or, si les crèmes peuvent effectivement rafraîchir le teint, aucune d'entre elles, la plus onéreuse soit-elle, ne permet de faire peau neuve.

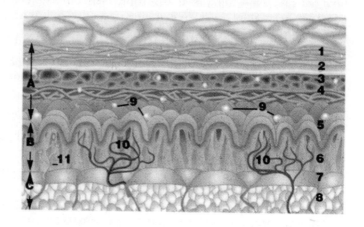

Coupe de la peau
A - épiderme ;
B - derme ;
C - hypoderme ;
1 - couche cornée ;
2 - couche claire ;
3 - couche granuleuse ;
4 - couche de Malpighi ;
5 - couche basale ;
6 - fibres élastiques et
fibres de collagène ;
7 - fibres du tissu
conjonctif ;
8 - lipides hypodermi-
ques ;
9 - cellules cutanées ;
10 - vaisseaux capillai-
res ;
11 - terminaisons
nerveuses.

➤ La peau se renouvelle en permanence

Les découvertes scientifiques concernant le phénomène de vieillissement de la peau ne sont pas très avancées. Mais une chose est certaine : l'endommagement des cellules de la peau par les rayons lumineux, le vieillissement des collagènes et la déshydratation due à l'âge sont trois facteurs qui laissent des traces visibles sur la peau.

La division cellulaire a uniquement lieu dans la couche inférieure de l'épiderme, appelée couche basale. Elle est provoquée par des hormones tissulaires au fonctionnement complexe. Si l'épiderme est intact, de nombreuses hormones remontent vers la couche basale pour empêcher la division cellulaire. Si l'épiderme n'est pas intact (en cas de blessure ou d'exposition au soleil par exemple), la production d'hormones s'arrête et la division cellulaire peut se dérouler. La conséquence : toutes les couches de l'épiderme s'épaississent, même la couche cornée. Une fois les blessures cicatrisées, les hormones tissulaires recommencent à travailler à leur rythme normal. Les cellules nouvellement formées suivent toutes le même chemin : elles se transforment en cellules cornées et migrent vers la surface.

La couche cornée de la peau se trouve sous la partie vivante du derme. Elle est constituée de nombreuses strates de cellules cornées, serrées et imbriquées les unes dans les autres. Une masse intercellulaire occupe l'intervalle entre les cellules.

Plus on s'approche de la surface, plus cette couche est lâche, et plus la masse intercellulaire se désagrège. Les cellules ne se tiennent plus et peuvent être éliminées vers la surface de la peau. Ce processus nous vaut une nouvelle peau toutes les quatre semaines environ, avec quelques variations selon les individus et le temps qu'il fait (pluie ou soleil, chaleur ou froid). Dans le cas d'une peau en bonne santé, l'ensemble du dispositif fonctionne à merveille et les diverses opérations s'enchaînent parfaitement. Si le tissu conjonctif de l'hypoderme est suffisamment rembourré, les fibres élastiques portent bien leur nom, la division cellulaire tourne au bon régime, la couche cornée a la bonne épaisseur et le film hydrolipidique est équilibré.

> ### ➤ L'action en profondeur ne serait-elle qu'une légende ?

La recherche d'actifs pouvant agir en profondeur dans les tissus a pour but d'accélérer le métabolisme. Réaction de K.-P. Wittern : « D'une part, on peut se demander comment une substance active appliquée sur la peau pourrait traverser les couches de l'épiderme et atteindre les cellules de l'organisme. D'autre part, si cela fonctionnait, les cellules se renouvelleraient bien plus rapidement par une accélération du processus de vieillissement cellulaire. Elles atteindraient plus vite la couche cornée et la division cellulaire serait stimulée. Est-ce souhaitable ? Là est la question à laquelle on ne pourra répondre tant qu'on ne connaîtra pas mieux le fonctionnement naturel de la peau et ses besoins. Une intervention externe, par l'intermédiaire de produits cosmétiques, n'a pas le pouvoir de changer fondamentalement ce système. Elle n'apporte que de faibles transformations. » L'action en profondeur est un mythe et le restera tant qu'on s'imaginera que les cosmétiques peuvent influencer de manière décisive l'activité cellulaire.

➢ Nouveau peeling aux acides de fruits

On prête aux fameux AHA (acides de fruits) non seulement des propriétés curatives mais aussi le pouvoir de stimuler la restauration de la peau. Le sigle AHA signifie Alpha-Hydroxy-Acide. Les dermatologues utilisent les acides alpha-hydroxyliques pour les traitements contre l'acné ou les dartres. Les AHA sont les successeurs du vitamine A-acide, autorisé en Europe dans les cosmétiques, mais en faible concentration. Cette concentration légalement autorisée ne permettant pas d'obtenir de desquamation, il a fallu de nouvelles armes. Les préparations aux acides de fruits sont la mode dernier cri. Considérés comme des substances « naturelles », ces acides de raisin, d'agrumes, etc., ou l'acide lactique bénéficient d'un a priori positif auprès du public. Or, s'il est vrai que la plupart d'entre eux ne sont pas synthétiques, on ne peut pas pour autant en tirer la conclusion qu'ils sont automatiquement doux pour la peau : tout est affaire de concentration.

La vitamine A (acide utilisé pour les peaux abîmées par le soleil, vieillies et ridées) a déjà fait parler d'elle. En raison des risques encourus, un peeling effectué chimiquement avec l'acide de vitamine A ne peut être prescrit que par un dermatologue.

Tout dépend du dosage

Les acides de fruits sont utilisés pour les kératolyses (terme technique qualifiant le nettoyage de la peau par exfoliation). Ils entraînent une desquamation de l'épiderme (peeling). Les AHA vendus dans le commerce ne doivent pas dépasser 40 % de concentration. Les esthéticiennes, elles, ont droit à une concentration plus élevée. Quant aux dermatologues, ils sont les seuls à pouvoir dépasser les 70 %. Ces acides sont à employer avec précaution sous peine de causer l'irréparable : utilisés trop souvent et en concentration élevée, ils risquent de provoquer de graves problèmes de peau (eczéma ou allergie de contact). Les acides de fruits existent en dosettes permettant d'augmenter progressivement la concentration. Mais selon Raab et Kindl, même utilisés correctement, ils peuvent faire naître « des irritations de la peau : rougeurs, brûlures, sensations de tiraillement ou desquamation importante. » Et de toute façon, dans le meilleur des cas, on note tout au plus un léger estompage des rides. Les acides de fruits sont également employés dans les crèmes et les produits de nettoyage de la peau. Leur performance dépend des acides utilisés, de leur concentration et du pH. Un pH faible et une forte concentration entraînent un gommage important, mais aussi les effets secondaires les plus désagréables. Si le pH est plus élevé et la concentration moindre, les acides de fruits sont moins caustiques. Dans tous les cas, inutile d'espérer un rajeunissement miracle. Par contre, les cellules cornées étant plus rapidement éliminées, l'hydratation de la peau est supérieure.

Sur la voie des « cosméceutiques »

Un nouveau terme a été créé pour qualifier les cosmétiques ayant une action en profondeur : les « cosméceutiques » (contraction de cosmétique et de pharmaceutique). En voici quelques exemples : de la vitamine A pure, utilisée avec un excipient dans une crème, censée agir jusque dans les tissus conjonctifs, là où les rides se forment ; des gels anticellulite pouvant, paraît-il, décomposer les cellules de graisse ; des crèmes avec de la vitamine A-acide – autorisée aux USA – représenteraient une alternative au lifting. Mais tout ce qui est affirmé n'est pas forcément vrai : et ces produits supposés agir en profondeur inquiètent fortement de nombreux dermatologues qui demandent expressément que des recherches plus approfondies soient entreprises.

L'action des crèmes aux acides de fruits dépend du pourcentage d'acides et de la hauteur du pH : 4 ou 5 % d'acides de fruits et un pH 5 provoquent déjà une kératolyse / un peeling.

Hygiène et soins du corps

Certes « l'eau est faite pour se laver », mais elle remplit imparfaitement sa fonction puisqu'elle n'emporte que les impuretés hydrosolubles (et non liposolubles). Par ailleurs, les « soins corporels » sont plus qu'un simple geste d'hygiène : un bain décontractant où la délicate senteur d'une lotion procurent aussi un instant de détente exceptionnel. Le plaisir de se masser de la tête aux pieds avec une huile ou une crème fait également partie des choses agréables. Mais attention au revers de la médaille, car une hygiène trop poussée peut entraîner le dessèchement de l'épiderme, et nous oblige à utiliser toujours plus de crème pour essayer de rétablir l'équilibre de notre peau.

La mousse des gels-douches et des shampooings facilite la bonne répartition du produit sur la peau. Elle est un critère de qualité indispensable aux yeux des consommateurs. Testée en eau dure et en eau douce, elle doit pouvoir – contre vents et marées – rester ferme une vingtaine de minutes.

Nettoyage de la peau et des cheveux

Les formules nettoyantes ont des propriétés et des effets secondaires très variables selon les tensioactifs employés. Pour obtenir une émulsion, il faut un émulsifiant qui mélange l'eau et les graisses. Dans les produits nettoyants, les tensioactifs ont pratiquement la même fonction qu'un émulsifiant (sauf qu'ils ne stabilisent pas l'émulsion dans la durée) : dissoudre le sébum de la peau pour pouvoir le rincer à l'eau.

D'après L. Träger : « Les tensioactifs n'ont pas tous le même pouvoir dégraissant sur la peau.

Ainsi les savons décapent parfaitement mais ne sont pas bien tolérés » car ils attaquent le film protecteur acide de l'épiderme. Composé d'acides aminés et d'acide lactique, de sébum et de kératinocytes, ce film dont le pH faiblement acide se situe entre 5,4 et 5,9, protège des agressions externes. Il est un milieu de vie optimal pour les milliards de germes qui luttent contre les ennemis de la peau, empêchant les infections et maintenant notre épiderme en bonne santé. Tant qu'il est intact et l'acidité stable, on évite que la peau trop alcalinisée ne soit la proie des micro-organismes.

Le savon est un produit nettoyant classique fabriqué à partir d'os. Ses principaux ingrédients sont le suif de bœuf, la graisse de porc, l'huile d'arachide, l'huile d'olive, ou la graisse de coco. Pour ceux qui n'apprécient pas les composants d'origine animale, il existe les savons aux huiles végétales. Quant aux savons-crèmes, ce sont des émulsions enrichies de quelques substances soignantes et adoucissantes. La plupart des savons courants sont remis en question à cause de l'agent complexant EDTA qu'ils contiennent (se reporter à la page 140). L'EDTA est une substance toxique qui s'accumule dans le corps. Un fabricant de cosmétiques naturels sérieux ne met pas d'EDTA dans ses savons.

Le savon modifie le pH de la peau qui devient alcalin : pH entre 9 et 11. Après le rinçage, le pH se stabilise autour de 7. Une peau saine s'adapte et se régénère mais une peau abîmée n'y retrouve pas son compte.

Savons, détergents synthétiques ou laits nettoyants

Dans le jargon professionnel, les nettoyants (savons ou gels-douches) sont appelés des détergents. Ils ne conviennent pas aux peaux sèches, surtout si l'on en use et en abuse. Le Professeur Eberhard

Tout comme les muqueuses, la peau est habitée par diverses colonies de bactéries. Certaines en sont les hôtes permanents, d'autres vont et viennent. Elles se nourrissent d'acides aminés ou de glycérine qu'elles transforment en substances empêchant la formation des micro-organismes (comme les moisissures). On le voit, la microflore cutanée est un bouclier très efficace.

Heymann explique : « À force de se nettoyer avec des détergents, comme cela est courant dans nos sociétés, le film protecteur naturel de la peau est régulièrement détruit. Les lipides des couches externes de l'épiderme sont dissous par les tensioactifs des nettoyants intensifs. Si la peau manque d'agents de rétention d'eau, ses couches externes se déshydratent rapidement. Le manque de substances lipophiles se solde par de fines crevasses de la couche cornée et la peau devient sensiblement plus rugueuse (une évolution mesurable). »

Les détergents synthétiques conviennent mieux à l'hygiène du visage que les savons car ils n'élèvent pas le pH de la peau et l'assèchent donc moins. Les laits nettoyants à base d'émulsion, eux, sont encore plus doux.

Chaque année, 800 000 à 900 000 tonnes de produits de beauté contenant des tensioactifs sont utilisés en Europe, savons non compris. Ces chiffres élevés montrent la nécessité d'opter pour des tensioactifs non polluants.

LES TENSIOACTIFS - TOUJOURS DANS LE COLLIMATEUR

Se laver est indispensable mais peut être nocif en même temps. C'est pourquoi les substances lavantes (les tensioactifs) doivent être aussi douces que possible. Les tensioactifs sont classés en trois groupes, en fonction de leur dureté et du potentiel d'irritation qui en découle.

- Les tensioactifs cationiques sont très irritants. On les trouve par exemple dans les produits de coiffage contre le chargement électrostatique des cheveux.
- Les tensioactifs anioniques comme le Natriumlaurethsulfosuccinate sont plus doux. On les trouve dans les shampooings.
- Les tensioactifs amphotères, comme la Bétaïne Cocamydopropyl, sont encore plus doux.
- Les tensioactifs non ioniques comme le Cocoglucoside sont particulièrement bien tolérés par la peau. Comparés à un Sodium Lauryl Sulfate, les glucosides propyliques d'alkyle (tensioactifs du sucre) sont nettement moins irritants. Ils proviennent de ressources renouvelables comme le saccharose, le glucose et l'amidon, sont très doux à la peau, et respectent parfaitement l'environnement.
- Les acyl glutamates remportent la palme de la douceur mais on ne les trouve que très rarement dans les pro-

duits de soins, du fait de leur prix élevé INCI : Disodium cocoyl glutamate, Sodium cocoyl glutamate.

Cette classification peut servir de fil directeur mais les exceptions confirment la règle : les tensioactifs répondant à la classification « durs » ne sont pas tous durs et les « doux » ne sont pas tous pareillement doux. Dans la plupart des produits, on associe divers tensioactifs ou on utilise un tensioactif issu d'un mélange. C'est le cas du Sodium Cocomonoglyceride Sulfate, une grande nouveauté en cosmétologie. Ce sulfate est un hybride de tensioactifs anioniques et de tensioactifs de sucre. Il est composé de matières premières végétales (huile de noix de coco et glycérine), produit une belle mousse et est parfaitement biodégradable. Pour notre santé et notre environnement, il est fort souhaitable que se généralise l'usage de cette nouvelle génération de tensioactifs réellement doux.

Les produits pour la douche

Du point de vue santé de la peau, les tensioactifs sont l'élément décisif dans les shampooings et les produits de douche. La subjectivité nous guide au moment de l'achat : le sentiment de fraîcheur, l'impression que le produit veloute la peau… Ces sensations ne correspondent malheureusement pas toujours à la réalité des faits : certains regraissants, qui compensent l'effet desséchant des tensioactifs, nous trompent car ils donnent l'impression de soigner la peau. Mais pour vraiment ménager sa peau, c'est un mélange très doux de tensioactifs de base et de co-tensioactifs qu'il nous faut. Par ailleurs, ce qui frappe le plus dans les produits de douche, ce sont les différences de prix parfois faramineuses. Qu'est-ce qui justifie certains prix si élevés ? Souvent, c'est la fragrance, le bel emballage, sans oublier un nom de fabricant prestigieux. La lecture des composants, elle, nous déçoit, car la différence entre les produits de luxe et les autres est minime.

Les fameux produits de douche « deux en un » sont censés à la fois nettoyer et soigner l'épiderme car ils contiennent plus de regraissants, d'agents

Les produits de douche « deux en un » contiennent toujours plus de produits chimiques irritants (tensioactifs, émulsifiants) que les gels-douches. La majorité des agents actifs soignants ne se déposent pas sur la peau mais dans le fond de la baignoire.

de maintien de l'hydratation et d'huiles. Mais malgré tout, ils ne suffisent généralement pas à compenser la déperdition en graisses (surtout en cas de peau sèche) et il est plus profitable de se passer une crème sur le corps après s'être séché.

Les produits pour le bain

➤ Les bains moussants sont à déguster avec modération

Les produits pour le bain nous procurent une voluptueuse détente. Ils prennent soin de la peau, nous enivrent de leur parfum, détendent et – ce qui n'est pas négligeable – nous décrassent. On différencie les bains moussants et les huiles de bain.

Bien que les produits de bain soient moins dégraissants qu'autrefois grâce à la présence des cotensioactifs, un séjour dans l'eau dessèche toujours durablement la peau. Certes, la plupart des bains moussants contiennent des regraissants, mais en quantité insuffisante. Eh oui, les regraissants détruisant cette chère mousse, il a fallu faire un choix ! Et comme la mousse l'a emporté, il est impératif de se passer une crème sur le corps après le bain.

Pour réussir à respecter la peau sans renoncer à un bon bain, on peut avoir recours à une huile de bain. Les huiles de bain ne contiennent pas d'émulsifiant et n'ont pas de pouvoir nettoyant (il est donc conseillé de prendre une petite douche avant). En revanche, elles flottent à la surface, se déposent comme un film sur l'épiderme. Seul inconvénient, elles peuvent laisser la peau collante et marquer les vêtements. C'est pourquoi les huiles végétales employées dans les huiles de bain sont rendues solubles dans l'eau par des tensioactifs.

On peut se préparer soi-même un bain décontractant aux huiles végétales en suivant une recette très simple : 20 g d'huile de jojoba, 3 gouttes d'huile de rose, 2 gouttes de patchouli, 3 gouttes d'huile de jasmin, 1 goutte de vétiver.

Les substances déodorantes

L'être humain possède environ deux millions de glandes sudoripares et perd un demi-litre de sueur par jour. Pourquoi dépenser des millions pour combattre cette fonction vitale qu'est la transpiration ? La raison en est très simple : la sueur, lorsqu'elle se dégrade, sent mauvais. Les déodorants s'ajoutent aux savons, gels-douches, produits de douche et de bain, pour voler à notre secours. Il en existe de toutes sortes. Les plus appréciés pour leur côté pratique sont les déodorants à bille, les sticks, et les sprays. En matière de déodorants, les spécialistes font une différence entre les antitranspirants et les déodorants.

- Les antitranspirants empêchent la sueur de perler à la surface de la peau. Les sels d'aluminium par exemple bouchent les canaux de sécrétion des glandes sudoripares. Grand inconvénient de ce type de méthode : l'inflammation des ouvertures bouchées peut provoquer de l'eczéma, voire pire (se reporter à la page 155).
- Les déodorants, eux, fonctionnent sur un autre principe. Ils luttent contre la mauvaise odeur provenant de la décomposition de la sueur en déclarant la guerre aux bactéries responsables de cette décomposition. Quelques huiles parfumées pour masquer les effluves et le tour est joué. Oui, mais attention : les bactéricides ont l'inconvénient de modifier la flore microbienne de la peau.

Les sels d'aluminium naturels (aluns)

La cosmétologie naturelle n'emploie pas de composés d'aluminium – chlorures ou chlorhydrates d'aluminium – dans les déodorants, mais leur préfère les aluns, poudre cristalline naturelle provenant de l'alumine et des schistes aluneux.

Les oxydes et hydroxydes d'aluminium sont des alumines chimiquement inertes, c'est-à-dire qu'en l'état, ils ne sont pas chimiquement réactifs. Si les aluns ne libèrent pas d'aluminium, il peut en être tout autrement des hydrates de chlorure d'aluminium.

En cosmétologie naturelle, l'alun intégré dans les déodorants pour son pouvoir antitranspirant est très doux pour la peau. Il n'est donc pas à craindre de conséquences fâcheuses pour la peau, ni de répercussions négatives dues aux pores bouchés.

Sprays, sticks ou déodorants à bille ?

Par déodorant, on entend communément des associations de substances antitranspirantes et de substances déodorantes. Dans les sprays, on trouve souvent des sels d'aluminium très fins. Les sticks et déodorants à bille ont généralement la même composition, sous forme de gel ou de bâton. Mais le risque de trouver des sels d'aluminium dans les sticks est minime car ils ne sont pas solubles dans les savons. Par contre, les personnes ayant la peau sensible réagissent mal aux stéarates alcalins contenus dans les sticks, qui attaquent le film protecteur acide de l'épiderme et provoquent des irritations. Les substances les plus douces sont les substances naturellement déodorantes.

Comme les bombes de laque, les sprays déodorants sont constitués de 90 % de gaz propulseur (propane ou butane) et de 10 % de substances actives.

MIEUX VAUT PRÉVENIR QU'ABUSER DES SPRAYS

Se laver régulièrement avec un savon doux pour la peau ou un gel-douche est la meilleure prévention contre les odeurs incommodantes. Et comme les poils sous les bras sont un foyer de bactéries, le mieux est encore de les raser. Ce geste préventif associé à l'utilisation d'un déodorant doux devrait éviter la formation des mauvaises odeurs.

Lavage et soin des cheveux

Notre tête compte 300 à 900 cheveux au centimètre carré. Les poils du corps ne poussent pas tous à la même vitesse. Le cheveu, lui, peut vivre 5 ans et atteindre environ 60 cm. Quant aux cils, ils ont besoin de 100, voire 150 jours, pour pousser.

L'offre incommensurable de produits pour les cheveux permet de mesurer la place que tient la chevelure dans le concept de soins de beauté. Des milliards sont dépensés pour obtenir des cheveux sains ou colorés, car rares sont les gens satisfaits de leurs attributs naturels : les uns trouvent leurs cheveux trop gras, les autres trop secs, trop cassants, pelliculeux, d'autres encore se plaignent du manque de brillance, de volume ou de tenue. Résultat, les shampooings sont les produits de beauté les plus vendus.

Les shampooings

Leur premier devoir est de débarrasser cheveux et cuir chevelu du sébum, de la poussière, des traces de laque et autres produits de coiffage. Mais nous attendons aussi du shampooing bien d'autres qualités : non seulement il doit laver et faire briller la chevelure, la soigner et la démêler, mais il doit aussi mousser, se rincer facilement et ne pas piquer les yeux.

➢ La mousse ne lave pas

Les shampooings sont principalement constitués d'eau, de tensioactifs et d'épaississant. Des tests comparatifs montrent que les consommateurs sont très attachés à l'effet moussant. Les shampooings qui « se font mousser » ont très nettement la préférence et l'usager est persuadé qu'ils lavent mieux (ce qui est inexact). Pas étonnant que les fabricants se donnent un mal fou pour obtenir des mousses parfaites. K.-P. Wittern de Beiersdorf explique que : « La formation de mousse est signe qu'il n'y a plus rien à laver et qu'il ne reste plus aux tensioactifs qu'à faire des bulles. Mais le consommateur, lui, est persuadé qu'un shampooing qui ne mousse pas ne lave pas bien, et il est très difficile de lui enlever cette idée de la tête. »

➤ Publicité et performance

Assourdis par le gigantesque concert publicitaire, nous oublions souvent l'essentiel : le pouvoir nettoyant. Ce qui rapporte financièrement, ce sont les formules de soins, soi-disant révolutionnaires, et les actifs en tout genre. On ne connaît désormais plus de limites à la surenchère : on encense les vitamines, les huiles naturelles et les fruits (de l'orange à la pomme). Et, vague écologique oblige, il n'y a pas un shampooing qui ne se dise doux et naturel. Pourtant, les mentions « à l'huile d'amandes », « aux actifs de citron » ou « biodégradable », nous en révèlent bien peu sur la qualité réelle d'un produit. Une giclée d'huile d'amandes n'a jamais transformé un shampooing en un produit doux et naturel. Seule la nature des tensioactifs employés fait la différence !

➤ Le rôle décisif des tensioactifs

On continue à employer des tensioactifs durs et des tensioactifs doux. Les adjectifs durs ou doux ne signifient rien en terme de pouvoir nettoyant.

Très doux, les tensioactifs modernes nettoient parfaitement mais ont « l'inconvénient » de ne pas bien mousser. Certains tensioactifs récents tiennent la route côté mousse mais sont bien plus chers que les substances classiques.

➤ À chaque type de peau son shampooing

La majorité des shampooings sont des shampooings traitants ayant pour mission de résoudre les problèmes du cuir chevelu. Si celui-ci produit trop peu de sébum, les cheveux sont secs et cassants. Si les glandes sébacées travaillent à plein régime, les cheveux sont gras. La production de sébum étant hormonale, les shampooings n'ont

En règle générale, un shampooing contient 65 à 70 % d'eau, 15 % de tensioactifs de base, 5 % de co-tensioactifs, et au maximum 5 % d'épaississant et autres auxiliaires. Les huiles parfumées, les colorants, les conservateurs et les agents actifs représentent entre 0,5 et 2 % du produit. Les gels-douche sont très proches des shampooings et peuvent être employés comme tels, surtout qu'ils sont souvent plus doux.

Les poils sont profondément ancrés dans l'épiderme et poussent par division cellulaire sous l'influence d'hormones. Les hormones androgènes (mâles) font pousser la barbe et les poils du corps mais ralentissent plutôt la pousse des cheveux.

sur elle qu'une influence mineure.

Pour les cuirs chevelus secs, il est conseillé de prendre des substances lavantes douces qui ne compromettent pas la production de sébum, déjà insuffisante. Pour les cuirs chevelus gras, on pourrait penser qu'il faut choisir des tensioactifs plus durs pour enrayer la séborrhée. Il n'en est rien, bien au contraire : supprimer la séborrhée de manière radicale entraînerait, après un premier ralentissement, une surproduction de sébum.

Pour répondre aux besoins complexes et très diversifiés des différents types de peaux et de cuirs chevelus, un shampooing doit être à la fois composé d'un bon excipient, de regraissants (qui compensent le dessèchement dû aux tensioactifs) et d'actifs. Or, bien souvent, les regards se braquent exclusivement sur les principes actifs.

L'entretien des cheveux secs

La biotine des aliments (vitamine H) fait bien plus d'effet qu'appliquée sur la peau. Elle fortifie les cheveux dont elle stimule la pousse. Pour renforcer son action on peut se faire des massages avec une lotion capillaire adaptée.

Parmi les bons agents actifs pour shampooing, on peut citer le panthénol, les extraits végétaux d'ortie ou de souci des champs (calendula) et les protéines de soie.

➢ Des actifs efficaces contre les cheveux secs

- Le panthénol, qui fait partie du groupe des vitamines B, se transforme en acide pantothénique (vitamine B5) dans l'organisme. Le manque d'acide pantothénique entraîne le grisonnement des cheveux. Dans les soins capillaires, le panthénol favorise la rétention d'eau dans les cheveux et évite leur dessèchement.
- La biotine (vitamine H) joue un rôle important. Si l'on n'en absorbe pas assez par voie alimentaire, les cheveux tombent et la peau s'enflamme facilement. Les aliments riches en biotine (lait, jaune d'œuf, levure) sont de vrais sources de beauté pour la peau, les cheveux et les ongles.

- Les protéines de soie donnent du brillant aux cheveux.
- Les shampooings traitants pour cheveux secs contiennent des tensioactifs cationiques qui ont l'avantage d'empêcher les cheveux de se charger en ions négatifs, mais l'inconvénient d'irriter le cuir chevelu.

L'entretien des cheveux gras

Seule la proportion de tensioactifs permet de distinguer un shampooing pour cheveux normaux d'un shampooing pour cheveux gras. Dans ce dernier, le mélange tensioactif doit être efficace mais très doux afin de ne pas stimuler la sécrétion des glandes sébacées. La plupart des gens pensent que le sébum monte de la racine vers la pointe du cheveu. En réalité, il se répand par contact. C'est pourquoi une permanente légère donne de bons résultats : les cheveux devenus plus rugueux gardent la distance et se séparent plus facilement.

➤ **Des actifs efficaces contre les cheveux gras**

- Les tanins, de romarin par exemple, rendent les cheveux plus toniques et évitent qu'ils se plaquent.

L'entretien des cheveux pelliculeux

Une femme sur trois et un homme sur cinq luttent contre des problèmes de pellicules. Les actifs contenus dans les shampooings antipelliculaires ont la tâche complexe d'éliminer les pellicules, de ralentir leur formation et d'apaiser les démangeaisons dues à la présence de micro-organismes (action antimicrobienne).

Si la formation de pellicules est trop importante, le shampooing à lui seul n'y peut pas grand-chose. Le problème est alors du ressort du derma-

Depuis 1997, les goudrons de houille ne peuvent plus entrer dans la composition des produits antipelliculaires. Les shampooings qui en contenaient ont dû être retirés du marché parce leurs hydrocarbures aromatiques polycycliques sont considérés comme cancérogènes.

tologue qui dispose d'une tout autre gamme d'actifs que ceux autorisés en cosmétologie pour lutter contre une inflammation chronique du cuir chevelu et les microbes. Le médecin prescrit le plus souvent des teintures pour soigner l'inflammation et des antibiotiques à large spectre contre les bactéries et les mycoses.

➢ Des actifs contre les pellicules

- Pour détacher les squames, on peut utiliser de l'acide salicylique ou du soufre, combinés à du Piroctone Olamine, qui ralentit la division cellulaire et est autorisé comme conservateur dans les produits à rincer (maximum 1 %).
- Le Zinc Pyrithione (ZPT) est l'un des plus vieux remèdes contre les pellicules. Cette substance toxique n'est autorisée que dans les produits à rincer immédiatement.
- Bien qu'ils ne soient pas toxiques, les goudrons de cade (genévrier) – qui ne contiennent pourtant pas d'alcaloïdes pyrrolicidiniques – subissent le contrecoup de la polémique autour des goudrons. On ne les emploie pratiquement plus car le consommateur, lui, ne fait pas la différence avec les goudrons nocifs.
- L'acide fumarique est un acide de fruits efficace contre les mycoses, donc contre les champignons provoquant les démangeaisons.

COMMENT ÉVITER LES PROBLÈMES DE CHEVEUX

- Dans l'ensemble, les cheveux sont lavés trop souvent et trop intensément. Même si l'on utilise un shampooing aux tensioactifs doux, il est préférable de renoncer au lavage quotidien.
- Les cheveux secs, cassants et ternes sont le résultat des mauvais traitements qu'on leur fait subir : séchage à grande chaleur, lavages fréquents avec des produits décapants, colorations ou permanentes répétées. Ménager ses cheveux est déjà le premier point important pour leur santé.

- S'il est vrai que les démêlants et les soins traitants font du bien aux cheveux abîmés, on peut obtenir le même effet lissant de manière bien plus naturelle. Voici une recette simple pour faire briller les cheveux les plus ternes : dissoudre une cuillère à café de miel dans 75 ml d'eau tiède, ajouter une cuillère à café de vinaigre de pommes, masser les cheveux avec ce mélange après le shampooing, rincer, c'est tout.
- Coiffer et brosser les cheveux gras le moins souvent possible car l'emploi du peigne et de la brosse modifie la composition chimique du sébum et augmente le taux d'acides gras insaturés. Ce sébum chimiquement modifié se dépose plus facilement sur les cheveux.

Les démêlants et les soins traitants

Tous les soins traitants et produits de coiffage après shampooing promettent de restructurer le cheveu et de le nourrir, nous faisant rêver d'une plus belle chevelure, en meilleure santé, avec toujours plus de volume et de brillance. Ces conditionneurs existent sous de multiples formes : cure, démêlant-crème, démêlant-masque, lait, cire, crème, mousse, sérum. Mais, les démêlants-masques par exemple ne sont rien de plus que des démêlants très épais qu'on laisse poser plus longtemps et qui donnent de ce fait de meilleurs résultats. Le consommateur a l'embarras du choix mais au bout du compte les produits de coiffage, aussi disparates soient-ils, agissent pratiquement tous sur le même principe.

L'efficacité des soins traitant (les démêlants par exemple) vient du fait que, si les cheveux sont abîmés, les tensioactifs cationiques y restent accrochés malgré le rinçage. Ils peuvent ainsi résister à plusieurs lavages. Par conséquent, si on les emploie trop régulièrement, les couches se superposent et les cheveux deviennent lourds et collants.

➢ Les produits de coiffage jouent en quelque sorte un rôle de mastic

C'est la couche écailleuse qui recouvre les fibres capillaires et donne son bel aspect satiné aux cheveux sains. Si elle est abîmée, le cheveu devient sec et rugueux. Lorsque les fibres se séparent à l'extrémité, les cheveux fourchent. Tous les produits de coiffage agissent comme des mastics : ils couvrent le cheveu et colmatent les brèches. Pour mieux comprendre, imaginez-vous une corde rêche recouverte d'une couche de silicone. Elle est plus lisse et a meilleure allure qu'avant, ce qui à première vue est une amélioration. Mais à l'intérieur, la corde (ou le cheveu) est toujours en aussi mauvais état. Cependant, le cheveu qui repousse sera sain.

Pour obtenir ce gainage, on peut tout aussi bien prendre des produits chimiques de synthèse que des produits naturels. La plupart des produits formant un film autour des cheveux viennent du pétrole (paraffine) mais on trouve aussi des huiles (ou corps gras) végétales, animales ou synthétiques (huiles de silicone). On utilise aussi des protéines (de soie ou de blé) et des cires de fruits (tirées de la peau de pomme). La cosmétologie naturelle, elle, mise surtout sur les matières premières végétales renouvelables comme les huiles de noix de coco, de soja et de germe de blé, le cassier (plante tropicale) ou les extraits de henné, qui sont plus écologiques et soignent parfaitement le cheveu.

> ### ➤ On ne peut pas réparer des cheveux abîmés

Il est primordial de déterminer d'abord les raisons pour lesquelles les cheveux sont abîmés. Presque tous leurs maux viennent des traitements chimiques (colorations et permanentes), des expositions prolongées au soleil et d'une mauvaise alimentation.

On ne peut nier que les produits de coiffage peuvent avoir un effet bénéfique sur le cheveu. Mais ce qui est mensonger c'est d'affirmer qu'ils vont restaurer ou restructurer le cheveu : un cheveu abîmé ne peut en aucun cas redevenir sain. Les produits font effet un certain temps, contre les fourches par exemple, mais à plus ou moins longue échéance il faut se résoudre à couper les pointes. Les conditionneurs à l'huile naturelle de noix de coco ou à l'huile de silicone (comme la Dimethicone) lissent momentanément les cheveux. Quant aux démêlants hydratants, ils donnent du volume et un aspect satiné aux cheveux secs. Mais en dépit de tout cela, les produits de coiffage ne « guérissent » pas les cheveux. Ils facilitent le coiffage, donnent brillance et volume optique, empêchent les cheveux d'être électriques, mais ils ne peuvent jamais redonner la santé aux cheveux.

Les produits de coiffage

- Les texturisants (sprays, laques...) ont pour fonction de faire tenir les cheveux, ce qu'ils font d'une manière plus ou moins douce. Les agents fixateurs employés sont des résines de synthèse (acrylates) ou des substances naturelles (gomme-laque ou chitine de la carapace des crustacés). Les laques pour cheveux gras contiennent des additifs pour fixer la graisse, les laques pour cheveux secs des regraissants.
- Le principe des laques est de former un film qui maintient la coiffure en place. Sous leur forme liquide, elles se déposent sur la chevelure puis le solvant s'évapore laissant une couche qui s'amenuise après chaque coiffage.
- Mis à part qu'elles sont très appréciées pour leur facilité d'emploi, les mousses de coiffage ne diffèrent pas des autres fixateurs.

Les colorants

Ne se considérant pas gâtés par la nature, nombre d'entre nous sont tentés de changer de tête en changeant de couleur de cheveux. Toutes les études sur les colorants mènent à des conclusions qui ont de quoi gâcher le plaisir : les coiffeuses sont plus exposées au cancer que les autres femmes et elles ne sont pas les seules. De récentes études américaines prouvent que le risque de cancer est plus élevé chez les femmes se colorant les cheveux depuis de longues années. Les premières substances incriminées sont les amines aromatiques, malheureusement cancérogènes, et fortement soupçonnées d'être aussi allergènes (voir page 143).

D'un point de vue chimique, les cheveux sont un support très arrangeant. Leur surface irrégulière permet à toute une gamme de substances chimiques de s'y accrocher (les pigments des colorations par exemple).

> **Les colorants naturels, gage de sécurité**

Une nouvelle couleur de cheveux est un moyen plus rapide d'avoir bonne mine ou de changer de « look » qu'une crème pour le visage. Alors que faire lorsqu'on sait combien les colorants sont nocifs ? La seule solution est d'avoir recours aux colorants naturels. Les risques encourus avec les colorants chimiques sont très variables, d'autant plus que l'emploi des colorants dans les produits capillaires est moins réglementé que dans les autres produits de beauté. Le cahier des charges des produits de maquillage par exemple (fonds de teint, rouges à lèvres) indique très précisément les colorants autorisés, alors que pour les produits capillaires, on peut employer tout ce qui n'est pas expressément interdit.

Voici quelques critères pour vous aider à déterminer si un colorant chimique est nocif ou non :

- Pour les teintes claires, les produits à un composant comme les crèmes ou mousses colorantes présentent peu de danger. En règle générale, plus on va vers les couleurs foncées, plus le risque qu'elles contiennent des substances nocives pour la santé est grand.
- Les produits à deux composants sont généralement accompagnés d'un avertissement à l'utilisateur et de précautions d'emploi. C'est le signe qu'ils peuvent contenir de dangereuses amines aromatiques (voir page 143).

> **Différence entre coloration fugace, coloration permanente et décoloration**

Les colorants pour cheveux se répartissent en trois groupes : colorants fugaces ou semi-permanents, colorants permanents et décolorants.

- Les colorants fugaces ne pénètrent pas dans les fibres capillaires mais se contentent de recouvrir les écailles du cheveu, formant une gaine qui s'élimine au fil des shampooings. C'est le cas du henné (colorant naturel).

- Les colorations par oxydation teintent plus durablement. Il ne s'agit pas de pigments colorés qui pénétreraient dans les fibres capillaires mais de l'association de deux produits chimiques incolores qui modifient la structure chimique du cheveu. La nuance recherchée s'obtient par oxydation en présence de peroxyde d'hydrogène (eau oxygénée).

- La décoloration des cheveux se fait à l'eau oxygénée (H_2O_2). Comme les produits à deux composants, la décoloration et les mèches blondes ne font pas entrer de pigments nocifs en jeu.

SE COLORER LES CHEVEUX AVEC DES TEINTURES VÉGÉTALES

Tout a commencé par le henné que proposaient quelques petites firmes biologiques. Aujourd'hui, les colorants végétaux nous offrent une grande variété de nuances, allant du blond au noir en passant par les reflets acajou et châtain.

Mais depuis, des voix critiques se sont élevées contre le henné, provoquant des discussions passionnées autour de ce colorant capillaire. Aux USA, les tatouages au henné firent la une des journaux, mais on s'est aperçu entre-temps que ce n'était pas le henné lui-même qui était à remettre en question, mais un additif, la paraphénylène diamine (PPD) destiné à renforcer la coloration et la tenue du tatouage et qui provoquait de graves allergies de la peau. En Europe, une expertise de l'Union Européenne datant de 2001 échauffe les esprits. Elle conclut que le henné (Déclaration INCI: Lawsone) peut présenter un danger pour la santé.

Le Lawsone (2-Hydroxy-1,4-Naphtochinon) est une substance utilisée comme coloration semi-permanente ; c'est aussi le principe colorant de la plante Lawsonia inermis dont les feuilles servent à la fabrication du colorant végétal henné.

Extrait d'un arbuste du nord de l'Afrique, le henné est utilisé depuis des milliers d'années comme colorant pour les cheveux et le corps. Depuis le rapport d'experts de l'U.E., d'autres toxicologues impartiaux, de renommée internationale, se sont emparés de la „problématique henné" pour constater que la mise en cause n'est pas justifiée. Les autorités allemandes et françaises compétentes ont elles aussi examiné les dossiers

Très en vogue, les tatouages semi-permanents au henné ne séduisent pas que les ados comme une petite fantaisie sans conséquence. Sans conséquences ? Ces tatouages temporaires peuvent déclencher des allergies graves. Ce n'est, généralement, qu'au bout de 2 à 3 semaines qu'un eczéma, parfois sévère, se déclare, laissant place à une tache dépigmentée indélébile et à une sensibilisation définitive. Ce n'est pas le henné lui-même, accusé à tort, qui est en cause, mais un colorant, la PPD (voir ci-contre) qui se révèle un puissant allergène. Les personnes sensibilisées à la PPD le restent à vie et doivent apprendre à se méfier des teintures capillaires qui peuvent en contenir ou des filtres solaires dérivés de l'acide parabenzoïque avec lesquels il existe des réactions croisées.

de sécurité et les tests génotoxiques concernant le henné. Là aussi, il a été constaté que les méthodes actuelles de tests ne permettent pas de prouver une activité génotoxique du henné.

Le rapport des experts de l'Union Européenne n'a pas pour autant été mis au placard par Bruxelles, qui ne s'est pas jusqu'ici laissé impressionner par les éléments qu'ont fournis l'industrie des colorants capillaires, les autorités nationale de sécurité et les experts internationaux.

Le grand perdant, dans ce conflit qui couve depuis quelques années, est le consommateur. Le doute a été semé dans les esprits et les responsables de cette affaire ne se donnent pas le mal de tout mettre en oeuvre pour clarifier la situation. Discréditer des substances végétales semble être une stratégie pour insécuriser le consommateur. Personne ne remet en cause le fait que les composants végétaux doivent aussi être testés pour détecter d'éventuelles intolérances, mais dans l'intérêt du consommateur, une politique plus énergique concernant l'étude des données concernant le henné devrait enfin être mise en place.

Les différents types de produits pour les soins corporels

Produits solaires et produits de soins corporels sont, pour la plupart, des émulsions : laits, lotions et crèmes. On leur attribue les mêmes critères de qualité qu'aux produits pour le visage : plus l'excipient contient d'ingrédients proches de la composition de l'épiderme, plus le produit a une action bénéfique sur la peau. La grande mode est aux produits de soins corporels contenant des liposomes (lotions pour le corps, crèmes pour les mains, etc.) Eux non plus ne peuvent pas avoir une action en profondeur. Par contre, ils permettent d'obtenir une meilleure hydratation.

Le film protecteur acide de la peau est son meilleur défenseur. S'il est trop acide, la peau est sèche, tirée et sa capacité d'absorption est faible. Si le film est plutôt basique, la peau est grasse et à la merci des agents pathogènes. Bien entretenir sa peau se résume donc à maintenir un bon équilibre acides - bases.

- Les émulsions (laits, crèmes et lotions) ont pour rôle de rétablir rapidement la protection hydrolipidique naturelle de la peau. Les laits corporels sont généralement des émulsions huile dans l'eau contenant beaucoup d'eau pour gagner en fluidité, ne pas coller ou graisser. Ils sont souvent enrichis de quelques principes actifs.

- Les huiles corporelles et les émulsions eau dans l'huile ne sont pas prévues pour des soins corporels quotidiens, mais plutôt pour lutter contre un stress cutané passager, un bain de soleil par exemple.
- Une fois par mois, un gommage pour le corps peut faire le plus grand bien. Il stimule la circulation du sang et élimine les cellules mortes. L'alternative consiste à se brosser. Après le gommage, comme après le brossage, appliquer une bonne crème sur le corps.

Tenir compte de la nature de la peau

Les soins corporels, tout comme les soins du visage, dépendent du type de peau. Une peau normale est peu exigeante et facile à entretenir. Les peaux sèches, comme les peaux grasses et impures, demandent une attention plus particulière.

➢ **Soins pour peaux sèches**

Si l'on a une peau sèche et que l'on adore se détendre dans son bain, il faut donner la préférence aux huiles de bain qui forment un film protecteur sur la peau et préviennent le dessèchement cutané. Après le bain, se sécher avec douceur pour ne pas détruire la couche protectrice de la peau. Choisir une crème de soin eau dans l'huile ou une huile corporelle. L'huile de jojoba est une merveille pour les peaux sèches. Les gels, eux, sont déconseillés aux peaux sèches car ils soignent et protègent moins bien que les émulsions.

➢ **Soins pour peaux grasses présentant des impuretés**

Ce qui convient à une peau sèche est déconseillé à une peau grasse. Plus question d'huile de bain et de crème sur tout le corps. Le choix se portera sur les détergents synthétiques pour le bain et à la sortie, une émulsion légère huile dans l'eau pour enduire le corps.

Soin des mains

Exposées aux intempéries, constamment sous l'eau, impliquées dans les travaux ménagers et de jardinage, nos mains sont très sollicitées. Pas étonnant alors que leur peau soit souvent rugueuse et abîmée. Les précautions de base consistent d'une part à les sécher en douceur en les tapotant soigneusement après lavage, d'autre part à porter des gants de ménage pour les travaux quotidiens.

Les crèmes pour les mains sont vendues sous forme de gel ou de laits qui contiennent une part importante de glycoéléments ayant la propriété de fixer l'eau. On y ajoute des principes actifs comme le panthénol ou l'allantoïne qui procurent le plus grand bienfait aux mains très abîmées.

Les produits solaires

Bien qu'ils ne représentent que 5 % du rayonnement solaire, les rayons ultraviolets B sont extrêmement nocifs. Ils traversent l'épiderme jusqu'à la couche basale, stimulent les cellules pigmentaires (qui produisent la mélanine protectrice de la peau) et sont les grands responsables des coups de soleil.

Les laits et lotions solaires pour le corps ainsi que les crèmes solaires pour le visage constituent une bonne protection de la peau. Les huiles solaires offrent une protection moins efficace que les émulsions. Elles sont totalement déconseillées aux peaux blanches, et pour les peaux déjà bronzées, elles correspondent tout au plus à un indice de protection 4.

L'action des rayons sur la peau

Les produits solaires contiennent des filtres ultraviolets B et des filtres ultraviolets A, ou des filtres à large spectre qui agissent contre les ultraviolets A et B. Qu'entend-on par UVA et UVB ?
- L'intensité des rayons ultraviolets B dépend à la fois de la position du soleil, de la latitude à la-

quelle on se trouve, du lieu (bord de mer ou montagne) et, enfin, de la couverture nuageuse. La réverbération sur l'eau, le sable ou la neige, par exemple, influence de façon considérable l'intensité de l'exposition solaire.

- Les rayons ultraviolets A sont les mêmes où que l'on se trouve dans le monde. Ils sont dangereux et traîtres. Ils pénètrent dans le derme où ils peuvent endommager les fibres de collagène et du tissu conjonctif. Ils accélèrent le vieillissement de la peau, et dans le pire des cas, peuvent provoquer un cancer de la peau.

La crème solaire ne forme pas un écran total contre les rayons solaires

Le fait que les amoureux du soleil se sentent en totale sécurité avec les produits solaires ayant un fort indice de protection constitue un danger dont on ne mesure pas encore toutes les conséquences. Beaucoup sont persuadés qu'il ne peut rien leur arriver compte tenu de leur indice de protection, ce qui est entièrement faux ! Ce qui est vrai, c'est qu'un produit solaire protège du coup de soleil, et que plus l'indice de protection est élevé, plus on peut prolonger le bain de soleil sans risquer de se brûler. Mais un long séjour au soleil, s'il ne se solde pas par un coup de soleil, ne signifie pas pour autant que l'on soit en toute sécurité.

Les laits, crèmes et lotions solaires ne protègent pas des rayons ultraviolets A, les responsables du cancer. L'indice de protection se réfère uniquement au degré d'irritation cutanée consécutif à une exposition au soleil, mais il ne nous renseigne pas sur les autres dégâts que peuvent causer les UVA. Ces dégâts restent d'ailleurs difficiles à évaluer. Pour éviter le vieillissement prématuré de la peau et diminuer le risque de cancer de la peau, il est conseillé de prendre la précaution d'interrompre

Presque tous les filtres solaires sont limités à 10 % du poids du produit solaire : Octyl Méthoxycinnamate (très couramment utilisé) peut aller jusqu'à 10 % ; 4-Methylbenzylidene Camphor jusqu'à 4 % ; Benzophenone-4 jusqu'à 5 % ; Isopropylbenzylsalicylate jusqu'à 4 %. Seuls l'oxyde de zinc et le dioxyde de titane ne connaissent pas de limitation.

son bain de soleil à la moitié du temps indiqué par l'indice de protection. Les dermatologues sont persuadés que si l'on ne réussit pas à faire comprendre à la grande masse des fanatiques du soleil qu'il faut absolument prendre des précautions, les cancers de la peau augmenteront considérablement. Tout cela est paradoxal : d'un côté, les crèmes de jour avec filtre solaire se vendent bien car les gens veulent se protéger de l'inoffensive lumière du jour, de l'autre, ils prennent des risques graves et imprévisibles lors des bains de soleil.

Utilisation abusive des filtres solaires

L'indication « photostable » nous rappelle que tous les filtres solaires ne résistent pas indéfiniment aux rayons solaires. Il faut dire que les substances filtrantes n'ont pas toutes les mêmes qualités. Une exposition prolongée s'accompagne parfois de réactions d'intolérance et d'allergie (photosensibilisation par exemple).

Pouvoir profiter du soleil sans la moindre arrière-pensée : le rêve ! Pour bon nombre d'entre nous, une peau bien bronzée paraît tellement plus chic, plus dynamique, plus sportive. Les signaux d'alarme concernant la couche d'ozone ou le cancer de la peau ont fortement choqué l'opinion publique mais l'industrie a immédiatement paré le coup en dégainant ses produits solaires à indice de protection élevé. Indice de protection 15, 30, voire 60... Pour atteindre de tels sommets, il a fallu un cocktail de taille : certains produits contiennent jusqu'à 30 % de filtres solaires (ensemble de plusieurs filtres solaires).

La course aux indices de protection élevés a fait totalement oublier que ces derniers, s'ils protègent du coup de soleil, sont aussi très malsains pour la peau. C'est pourquoi certains produits sont totalement interdits et les autres soumis à une réglementation du pourcentage. En outre, les filtres comme l'oxybenzone, doivent non seulement être notés dans la déclaration INCI mais aussi faire l'objet d'un avertissement explicite aux usagers : « Contient de l'oxybenzone ».

Dans la pratique, les fabricants ont trouvé la parade pour contourner la réglementation : ils combinent des filtres différents pour atteindre « légalement » des indices de protection élevés. À l'avenir, le législateur va devoir sévir et prévoir une réglementation concernant le pourcentage global de filtres solaires dans un produit.

COMMENT EST DÉTERMINÉ L'INDICE DE PROTECTION SOLAIRE

Les filtres solaires sont testés sur des personnes volontaires selon la méthode COLIPA qui permet d'attribuer l'indice de protection. Le dos de la personne concernée est partagé en zones sur lesquelles on étale les différents produits à tester et que l'on expose ensuite plus ou moins longtemps sous un simulateur solaire. Le temps nécessaire à l'apparition d'un érythème permet de déterminer l'indice de protection. Cet indice est à considérer comme une valeur moyenne puisque chaque peau réagit individuellement. L'égalité dermatologique n'existe pas : certains patients rougissent très rapidement, d'autres non. Par conséquent, l'indice de protection solaire n'est qu'une indication. Les personnes ayant une peau très fragile ne peuvent pas vraiment s'y fier.

Comment fonctionnent les filtres solaires

Comme leur nom l'indique, les filtres solaires font barrage aux rayons UV nocifs et protègent ainsi la peau. Il en existe de deux types. Les uns absorbent une partie des rayons, laissant passer l'autre partie (protection chimique). Les autres reflètent la lumière : appliqués sur la peau, ils repoussent une partie des rayons qu'ils dispersent et absorbent l'autre partie (protection physique).

Le risque potentiel des filtres UV de synthèse est développé page 158.

➢ Filtres minéraux et filtres organiques

Les filtres minéraux (ou écran) sont le plus souvent constitués de micropigments : dioxyde de titane (INCI : Titanium Dioxide) et oxyde de zinc

Selon l'Organisation mondiale de la santé, le nombre de cancers de la peau augmente de 5 à 10 % par an. Les coups de soleil attrapés pendant l'enfance ou la jeunesse sont un facteur de risque notable.
Selon une étude de L. Remontet *et al.*, publiée en 2003 dans la *Revue d'épidémiologie et de santé publique*, l'évolution anormale de l'incidence des mélanomes en France, pour la période 1980-2000, est de + 5,93% par an pour les hommes et de + 4,33% pour les femmes.

(INCI : Zinc Oxide). Le dioxyde de titane est une substance naturelle alors que l'oxyde de zinc est obtenu synthétiquement à partir du minerai de zinc.

Sous filtres solaires organiques, il ne faut pas s'imaginer une couche protectrice qui s'interposerait entre la peau et le soleil, mais plutôt un produit qui réagit sur et avec la peau. Ces réactions chimiques s'accompagnent parfois d'effets secondaires non négligeables. Les filtres fonctionnent par absorption des longueurs d'onde, ce qui modifie chimiquement les molécules. De nouveaux composés moléculaires naissent qui peuvent comporter un fort potentiel allergène ou provoquer une réaction phototoxique.

➤ Les indices situés au-dessus de 20 n'apportent rien de plus

Il existe déjà un indice de protection 60 sur le marché et l'indice de protection 100 (en attente dans les laboratoires) ne sortira que si le marketing l'emporte sur la raison. Les clients ont une haute opinion des indices de protection élevés bien qu'ils n'apportent rien de plus, si ce n'est une dépense supplémentaire. D'après les spécialistes, passé l'indice de protection 20, on ne remarque pratiquement plus de différences. Le Dr K.-P. Wittern signale que : « L'inflation que connaissent les filtres de protection solaire est désolante. Le consommateur s'imagine qu'un indice 100 offre une protection deux fois plus élevée qu'un indice 50. En réalité la différence de performance est de 0,1 % ! » Cette course à l'indice de protection ne s'arrêtera que si l'acheteur comprend qu'il est inutile de dépasser l'indice de protection 20.

➤ Les gels hydratent mais ne soignent pas

La mode du gel est imputable à des études ayant désigné du doigt la sacro-sainte Trinité (soleil + émulsifiant + huile) comme étant le déclencheur de

Les silicones ne sont pas des huiles mais en ont certaines propriétés ce qui présente le grand avantage pour les publicitaires de pouvoir y jouer de la mention « sans huile ». Ceci rassure les consommateurs qui redoutent l'acné de Majorque (acné cosmétique).

l'acné dite de Majorque. Cependant, d'autres recherches prouvent que les corps gras et les
émulsifiants ne peuvent être tenus pour seuls responsables de cette acné. Côté émulsifiants, il
semblerait que les PEG (Polyéthylènes Glycol qui
sont des émulsifiants éthoxilés) puissent déclencher cette acné toxique (voir page 141). Quoi qu'il
en soit, une peau normale sera mieux lotie avec
une émulsion classique (crème ou lait) qu'avec un
gel. Pour compenser les carences des gels, il existe
des produits avec composants regraissants ou des
combinaisons, gel plus émulsion. Mais, l'un et
l'autre sont des compromis.

> ### En cas d'acné de Majorque changer de produits à temps

Par prudence, il est conseillé aux personnes sujettes à l'acné de Majorque (acné de soleil) de se
rabattre sur les produits sans corps gras et sans
émulsifiant. Cependant, les dermatologues dé-
conseillent de se contenter de choisir un gel
solaire. Pour préparer des vacances au soleil et se
protéger efficacement, ce sont tous les soins de
beauté qui devraient être effectués avec des produits sans corps gras et sans émulsifiant. Dans
certains cas, il suffit d'écarter les laits solaires à
base de substances éthoxilées. Les composants
éthoxilés sont aisément reconnaissables aux lettres
PEG ou PPG, ou à la combinaison finale « -eth » et
un chiffre (par exemple Cetear**eth-20**).

CHAPITRE IV

Le maquillage

Maquillage et mode vont de pair. Les pinceaux et les couleurs sont aux visagistes ce que les tissus et les aiguilles sont aux couturiers : des instruments de création. Les uns créent des vêtements d'un coup de crayon, les autres des « looks » d'un coup de pinceau. En matière de cosmétique comme en matière de mode, le monde se transforme à chaque saison, et chaque nouvelle tendance de la mode exalte un peu plus les couleurs. Pour Margaret Astor « le maquillage a acquis son indépendance et va bien au-delà de la simple apparence. Il est un moyen d'exprimer sa fantaisie créatrice et son ouverture d'esprit. »

Peu de produits de maquillage sont élaborés à partir d'un excipient qui soigne vraiment la peau. Il est donc conseillé de passer le fond de teint sur une crème de jour (exception faite des peaux très grasses).

Les couleurs, rêves et réalités

Fred Farrugia, grande star du maquillage, a mis au point pour Lancôme le « Morphing-Effekt » ou métamorphose. Des couleurs qui racontent la transformation de la femme par la lumière et le maquillage. C'est beau de rêver et nous nous laissons volontiers séduire et tenter. Mais le réveil n'en est que plus douloureux si par malchance le rêve tourne au cauchemar, ce qui arrive assez souvent avec le maquillage. Car justement, le problème de la couleur, ce sont les pigments ! Mais tout cela ne doit pas nous gâcher le plaisir. L'essentiel est d'être informé des risques.

Le fond de teint

Crème teintée ou fond de teint, l'objectif reste le même : obtenir un teint frais et hâlé.

La poudre libre permet de fixer le fond de teint. Elle est transparente et se marie avec la carnation de la peau. La poudre compacte couvre mieux et rend la peau mate. L'application se fait à la houpette en tapotant sans frotter.

- Le plus simple des fonds de teint est la crème de jour teintée, qui ne se différencie de la crème de jour que par la dose de pigments qu'elle contient. On l'applique directement sur la peau mais elle n'a pas d'effet couvrant (qui cache les imperfections).

- Le fond de teint, lui, est appliqué sur la crème de jour, et doit être couvrant. Comme dans les autres types de crème, l'excipient est une émulsion d'huiles, de graisses et de cires, enrichies de poudres (talc ou autres) et de pigments. Il n'aura donc de propriétés soignantes que si ses ingrédients sont de qualité (et la comparaison en vaut la peine.

- L'effet couvrant dépend de la consistance du produit. Plus le fond de teint est fluide (émulsion eau dans l'huile) plus il est léger. En revanche, s'il est crémeux, il couvre mieux. S'il est épais, il permet le camouflage comme c'est le cas des maquillages de théâtre.

La poudre

La poudre remplit plusieurs fonctions : couvrir, absorber le sébum et l'humidité, bien adhérer, tout en restant si possible douce comme de la soie. La matière première utilisée pour chaque poudre est très finement broyée, puis tamisée et enrichie de composants liquides ou semi-liquides.

- Le talc et le kaolin sont les bases naturelles les plus souvent utilisées. Le talc est un produit blanc, inodore, qu'il faut soigneusement nettoyer et désinfecter, après avoir vérifié qu'il ne contient pas d'amiante. Il est très agréable à la peau car c'est une roche grasse. Ce n'est pas le cas du kaolin que l'on doit pulvériser d'huile de jojoba pour lui donner de la douceur.

- Les poudres bon marché sont à base de matières synthétiques, comme la poudre de polyéthylène et la poudre de nylon, qui permettent d'obtenir une consistance ultra-fine. La poudre de soie est principalement constituée de fibroïnes de soie provenant des cocons de vers à soie.
- On ajoute souvent de l'amidon aux poudres (amidon de riz par exemple). Il a l'inconvénient de coller puisqu'il absorbe l'humidité ambiante. Beaucoup plus onéreuse mais plus exceptionnelle aussi, la Lauroyl Lysine (un ester d'acide aminé ajouté à raison de 1 à 2 %) confère au produit une merveilleuse douceur.

Le rouge à lèvres

Dépourvues de glandes séborrhées, les lèvres sont constituées d'une fine couche cornée et contiennent peu de mélanine (protection naturelle contre le soleil). Constamment humectées de salive, elles sont souvent crevassées et sujettes aux infections microbiennes. Un bon soin des lèvres les rend plus douces et combat les infections. S'il contient un filtre U.V., il protège aussi des méfaits du soleil.

Les rouges à lèvres diffèrent plus par la variété de leurs coloris que par leur composition. À chaque saison arrivent sur le marché des douzaines de nouvelles nuances à la mode, car le rouge à lèvres est par excellence le produit qui doit suivre la mode pas à pas. La formule de base, elle, peut rester inchangée pendant des années. À partir d'une seule formule, on a déjà fabriqué des milliers de bâtons différents (environ 2 000).

Cette recette de base comprend une vingtaine de composants (graisses, cires et huiles). La cire apporte la consistance désirée, et plus il y en a, plus le rouge à lèvres est ferme. Par contre, s'il y a plus de graisses, le rouge est crémeux et mou, et tient moins bien. Les huiles, quant à elles, assurent une meilleure répartition des pigments et apportent aux lèvres le brillant souhaité.

Les bons composants

L'O.M.S. (Organisation Mondiale de la Santé) a les preuves que les huiles minérales peuvent être stockées dans l'organisme et endommager le foie, ou entraîner une inflammation des valvules du cœur (due aux cires de paraffine par exemple). Actuellement, seuls quelques huiles minérales et quelques produits pétroliers ont été testés, mais les résultats alarmants devraient d'ores et déjà nous engager à renoncer à ces produits, au moins dans la fabrication des rouges à lèvres.

- Les meilleurs ingrédients de base sont l'huile de ricin, la cire d'abeille, les cires de Carnauba, de Candelilla, et la lanoline. Les huiles de paraffine sont de moindre qualité et, en quantité importante, elles sont rejetées par les lèvres qui se dessèchent de plus en plus. Il faut constamment remettre de la crème. Pour éviter de tomber dans cette spirale infernale, l'idéal est de mélanger de petites quantités d'huile de paraffine à des ingrédients de qualité nettement supérieure.
- Les rouges à lèvres contenant une quantité importante de corps gras soignent et protègent mais ne tiennent pas bien. Pour éviter d'être barbouillée, il est conseillé d'utiliser un crayon spécial contour des lèvres avant d'appliquer le rouge, ou de poudrer légèrement le rouge après l'application.
- Pour que les lèvres paraissent plus charnues, utiliser des tons clairs ; les rouges à lèvres foncés, en couche épaisse, rapetissent la bouche.

Des rouges à lèvres assurés tous risques

Les attentes concernant les rouges à lèvres ont changé. Ils doivent non seulement soigner et embellir mais aussi tenir longtemps. Le rouge à lèvres « résistant au baiser » est totalement à la mode. Cent dix ans après sa création, il est temps que le rouge à lèvres sache enfin rester là où il se doit : sur les lèvres. Le créateur de rouges à lèvres

Chicogo a effectué un sondage : presque une femme sur deux (49 %) en a assez des traces de rouge sur les dents, le bord de la tasse ou la serviette ! La formule qui ne file pas est un mélange de pigments et d'huiles volatiles à la température des lèvres qui mettent les couleurs « sous scellés » au bout d'une minute. Les huiles et les céramides garantissent aux lèvres leur élasticité, mais à dire vrai, le rouge à lèvres qui soigne et tient bien à la fois n'a pas encore été trouvé.

Ce sont les couleurs qui font la différence

Plus que l'excipient, ce sont les filtres solaires et les colorants qui différencient les qualités de rouges à lèvres. Les colorants contenant de dangereux métaux lourds ont été interdits mais les colorants azoïques (voir page 144) et les colorants aux composés organo-halogénés restent la cible de la critique. La teneur en pigments des rouges à lèvres varie selon les modes, et peut atteindre 10 %. La coloration, argument de vente décisif, est le dernier maillon de la chaîne de fabrication. Les pigments sont soigneusement incorporés dans la masse encore chaude à l'aide de machines ultramodernes qui garantissent une bonne répartition des particules.

Le mascara

Il est un fait qu'un œil bien maquillé est plus expressif. Les cils sont sa meilleure protection contre les intrus. Hélas, se maquiller les yeux et les cils va totalement à l'encontre de la nature car poudres à paupières et mascara augmentent le risque qu'un corps étranger pénètre dans l'œil. Si ces particules se placent au coin de l'œil, elles s'éliminent facilement, mais si l'une d'entre elles se coince sous la paupière inférieure et forme une

Les femmes allergiques aux bijoux de pacotille réagissent souvent au mascara. Le grand responsable en est le nickel. Si les produits de maquillage sont infestés de métaux lourds, cela vient de leur taux important de pigments et de colorants. Les allergies de contact sont dues aux impuretés contenues dans ces derniers.

petite tumeur (orgelet), il faut consulter un oph-talmologue. Il est donc conseillé de manier avec précaution le maquillage pour les yeux afin d'éviter le passage de substances indésirables dans le corps, par la voie du canal lacrymal ou de la couche cornée de l'épiderme.

Pour appliquer le mascara, il est préférable de regarder vers le bas en entrouvrant légèrement la paupière (placer son miroir en conséquence). Pour celles qui portent des lentilles de contact, éviter de placer la brosse à mascara à la base des cils, ou ne maquiller que le dessus des cils.

Colorants et conservateurs irritent la peau

Les produits de maquillage déclenchent souvent des allergies dues à leur pourcentage important de colorants.

- Le mascara contient souvent du nickel auquel de nombreuses femmes sont allergiques. Il provient de l'oxyde de fer employé en particulier dans les mascaras noirs. L'oxyde de fer naturel est souvent souillé, et même l'oxyde de synthèse n'est pas 100 % pur. Les mascaras colorés ont un potentiel allergène encore plus important.

- Les poudres à paupières contiennent un taux élevé de pigments (30 %) et sont, par conséquent, elles aussi, potentiellement allergènes. En comparaison, les mascaras et les fonds de teint en contiennent moins : 5 et 8 %.

- Des auxiliaires de conservation doivent être ajoutés aux fonds de teint et aux mascaras, comme, par exemple, les libérateurs de formaldéhyde. Pourtant couramment utilisés, ces derniers peuvent provoquer des irritations.

CHAPITRE V

Effets secondaires et risques

Les additifs et les substances odorantes

Toute une gamme d'additifs entre dans la composition d'un produit de beauté pour lui donner la bonne consistance et en assurer la finition. Les colorants et les conservateurs sont les plus importants mais aussi les plus critiques du point de vue santé. Les parfums (dont on pourrait se passer) présentent aussi des risques.

Les conservateurs : un danger pour la santé ?

Pour que les produits de beauté ne contaminent pas les utilisateurs, ils doivent bien se conserver. Un produit de beauté altéré peut provoquer, outre le risque infectieux lui-même, une irritation de la peau due aux déchets métaboliques des microbes. Par ailleurs, les produits de la décomposition des substances, comme les aldéhydes ou les hydroperoxides qui peuvent se former par auto-oxydation lors du stockage, risquent, eux aussi, d'être mal tolérés. Une bonne conservation est un exercice sur le fil du rasoir : le formulateur oscille entre agir et ne pas agir, partagé entre le souci d'empêcher les microbes de proliférer et le souhait de détruire le moins possible de bactéries naturelles protectrices de la peau. Un

Les savons ne renferment généralement pas de conservateurs puisque leur pH les rend microbiologiquement stables. Les huiles de bain et les poudres pour le visage non plus, si elles ne contiennent pas, ou très peu, d'eau.

bon conservateur doit être stable, irréprochable d'un point de vue toxicologique (ne déclencher ni irritation ni allergie), compatible avec les autres composants, et ne pas avoir une odeur désagréable.

Les conservateurs

Le potentiel allergène élevé de nombreux conservateurs de synthèse pose problème. C'est le cas des libérateurs de formaldéhyde comme Bronopol, Hydantoïne DMDM ou Isothiazolinon. La polémique autour des conservateurs a pour conséquence que les consommateurs les rejettent souvent en bloc. Une réaction extrême qui risque d'entraîner des infections avec des produits altérés !

Pour H.-J. Weiland-Groterjahn, l'extrême inverse est la surconservation : « Sous prétexte de lutter contre un seul germe qui, de plus, est extrêmement rare, on emploie encore des composés de mercure très toxiques. »

La conservation est assurée par un ensemble de conservateurs qui luttent contre les levures, les moisissures et les bactéries. Le phénoxyéthanol, par exemple (voir page 162), est couramment utilisé contre les levures. Le pyrithion de zinc, lui, est un produit très fort (un « tueur total ») qui ne peut être employé que dans les produits à rincer.

Une chose est certaine, un produit doit être irréprochable en matière de conservation. Mais savoir jusqu'où aller pour être en sûr est affaire de croyance. K.-P. Wittern insiste pour que toutes les précautions soient prises afin de protéger le consommateur : « Beiersdorf est très conscient de la problématique. Les conservateurs, c'est bien dommage, ont des effets secondaires. Ils tuent les bactéries mais réagissent aussi avec les cellules. Les conservateurs sont retenus ou éliminés en fonction de tests microbiologiques pendant lesquels on simule une contamination (c'est-à-dire une infection par bactéries ou germes) pour pouvoir déterminer en combien de temps elle sera jugulée. Nous ne voulons prendre aucun risque d'infecter le consommateur. Chaque produit est soumis à des tests minutieux permettant de déterminer les conservateurs qui lui conviennent. » Si la peau réagit mal à un produit, il est préférable, par précaution, de renoncer tout de suite à son emploi.

Les huiles se conservent différemment

Les détracteurs des huiles végétales leur reprochent de rancir facilement et de devoir être stabilisées, ce qui n'est pas le cas des huiles minérales. Argumenter qu'il est ennuyeux de conserver des substances naturelles biodégradables avec des substances pouvant présenter un danger n'est pas valide puisque les huiles minérales, elles-mêmes, contiennent généralement des conservateurs très forts. Et de toute manière, pour élaborer les produits de beauté, on donne la préférence aux huiles riches en acides gras saturés qui se conservent nettement mieux que celles à taux élevé d'acides gras polyinsaturés. C'est le cas des huiles de jojoba et d'avocat qui ne rancissent pratiquement pas.

Des conservateurs doux

Tout comme pour les tensioactifs et les émulsifiants, il est important de rechercher des conservateurs ou des associations de conservateurs doux. Plusieurs facteurs ont un rôle à jouer dans ce domaine : le choix des matières premières, les procédés de fabrication et le type d'emballage.

- Des matières premières exemptes ou pauvres en germes nécessitent moins de précautions de conservation.
- Un procédé de fabrication parfaitement hygiénique est déterminant pour la nature et la quantité de conservateur à employer.
- Un conditionnement qui évite le contact des doigts avec le reste du produit permet d'éviter une forte dose de conservateur. C'est d'ailleurs pour éliminer cette source d'infection que de nombreux produits naturels se vendent en tubes.

Raison supplémentaire d'utiliser des vitamines comme principes actifs, elles stabilisent les préparations. On emploie la vitamine E (Tocophérol) et la vitamine C comme antioxydants pour éviter que des quantités, même minimes, d'oxygène de l'air ne puissent déclencher de vraies réactions de décomposition en chaîne.

- Les alcools et certaines huiles essentielles sont une alternative naturelle aux conservateurs de synthèse.
- Certaines substances naturelles comme l'acide sorbique et l'acide benzoïque sont des agents de préservation peu offensifs. Bien que ces acides soient présents dans la nature, on les obtient généralement de façon synthétique.
- Dans certains cas, les co-émulsifiants contribuent à la conservation : le Sodium Lauroyl Lactylate ou le Glyceril Caprylate par exemple.

Sans conservateur, est-ce possible ?

Certaines affirmations apparemment explicites concernant les conservateurs méritent tout de même quelques explications.

« *Sans conservateur* » : la formulation est trompeuse car tous les éléments aqueux d'une formule ont besoin d'un ou de plusieurs conservateurs. Cette mention signifie généralement que ce produit ne contient pas de substance appartenant à la liste des conservateurs du cahier des charges des produits cosmétiques.

Certains constituants, comme le Pentylène Glycol par exemple, ne sont pas répertoriés dans les conservateurs et sont employés à d'autres fins, mais ils ont cependant des propriétés stabilisantes. C'est ainsi qu'un cosmétique contenant du Pentylène Glycol pourra être déclaré « sans conservateur ».

« *Ne contient pas de conservateur de synthèse* » : cette formulation est certes plus précise, mais les personnes allergiques auront tout intérêt à demander au fabricant le nom du conservateur car celui-ci peut faire partie des substances odorantes.

Aujourd'hui, seulement une petite dizaine de laboratoires en Europe relève le défi de proposer des produits sans conservateurs de synthèse. Leur part de marché est certainement loin en dessous de 1 %.

Les colorants

Les colorants autorisés en cosmétologie sont classés en quatre domaines d'utilisation. Certains d'entre eux ne doivent pas dépasser un taux préalablement fixé. Pour en savoir plus sur les colorants posant problème, se reporter à « Colorants azoïques » (page 144) et à « Amines aromatiques » (page 143).

- Les colorants de la catégorie 1 sont les seuls à pouvoir entrer dans la composition de tous les produits cosmétiques.
- Les colorants de la catégorie 2 ne peuvent pas être utilisés dans les produits entrant en contact avec les muqueuses oculaires.
- La catégorie 3 rassemble les colorants ne devant entrer en contact avec aucune muqueuse.
- Les colorants de la catégorie 4 ne sont autorisés que dans les produits restant seulement un court laps de temps en contact avec la peau.

Les substances odorantes

Le consommateur, c'est bien connu, achète à l'odeur. Les produits dont la senteur séduit se vendent bien. La fragrance d'un produit de beauté est donc de la plus haute importance. En conséquence, toute une palette de substances naturelles ne peuvent être utilisées dans les produits car on n'a pas réussi à couvrir leur odeur par un parfum. Inversement, une note parfumée peut fidéliser le client et lui faire acheter plusieurs produits de la marque, uniquement pour leur senteur, le parfum étant alors associé à la marque. Fidéliser les consommateurs par l'intermédiaire des fragrances est une opération lucrative pour le fabricant. Mais attention, le parfum, s'il peut faire la force d'un produit, est aussi son talon d'Achille : bon nombre de substances odorantes ne sont pas inoffensives

Les colorants sont rangés en deux groupes, les solubles et les insolubles. Les colorants solubles servent entre autres à teindre les textiles, les insolubles (appelés pigments) colorent par la dispersion de leurs particules microscopiques dans un produit. Les fonds de teint, ombres à paupières, mascaras, crayons à sourcils et la plupart des rouges à lèvres contiennent des pigments.

La plupart des parfums ont été d'abord connus sous leur forme naturelle d'extraits de plantes, puis plus tard synthétisés. Depuis, il existe une kyrielle de notes parfumées introuvables dans la nature. Le musc xyléné est un exemple de ces parfums artificiels. Les substances odorantes synthétiques peuvent être fabriquées à peu de frais et leur senteur est stable.

pour les personnes sensibles ou allergiques. Les composés musqués, par exemple, sont regardés d'un œil très critique. Mais toute modification de la formulation coûte beaucoup d'argent et modifie « l'image de marque olfactive » d'une gamme de produits. On comprend que l'industrie cosmétique oppose une résistance farouche. La nouvelle réglementation de l'utilisation des parfums, est évoquée à partir de la page 183.

LES ADDITIFS COSMÉTIQUES DE A À Z

- **Antioxydants** : ils préservent huiles et corps gras du rancissement.
- **Antimoussants** : ils suppriment la mousse qui se forme lors de la fabrication ou empêchent un certain produit de mousser lorsque la mousse n'est pas souhaitable.
- **Antistatiques** : ils évitent que les cheveux ne se chargent d'électricité.
- **Agents de consistance** : ils permettent de fluidifier ou d'épaissir l'excipient.
- **Exfoliants** : appelés abrasifs par les professionnels, ils sont les constituants principaux des peelings (son de blé ou d'amandes) et des dentifrices (nettoient et font briller les dents).
- **Gaz propulseur** : substances gazeuses des sprays déodorants ou des laques qui propulsent les substances à l'extérieur du contenant (ce peut aussi être de la mousse).
- **Matières filmogènes** : on les utilise lorsque le produit doit former un film.
- **Régulateurs de viscosité** : la viscosité nous indique si une matière est molle, cireuse ou se présente comme un gel. Un cosmétique à forte viscosité est généralement très collant et adhère aux surfaces. Un liquide peut devenir très épais si on lui ajoute un gélifiant qui joue ici le rôle de régulateur de viscosité.
- **Solvants** : ils ont le pouvoir de dissoudre d'autres substances.
- **Stabilisateurs d'émulsion** : ils favorisent la formation et la stabilisation de l'émulsion.
- **Substances tampon** : elles stabilisent le pH à une valeur bien tolérée par la peau.

La toxicologie est la science qui permet de juger si une substance est bienfaisante ou nocive. Mais où commence et s'arrête chacune de ces catégories ? Le débat s'enflamme quand il s'agit de déterminer à partir de quand s'alarmer : lorsqu'il a été démontré de manière irréfutable qu'une substance est cancérigène, ou dès qu'il y a des indices qu'elle pourrait l'être ? Étant donné qu'il faut souvent des années avant que les études scientifiques ne puissent tirer de conclusions, nous sommes partisans du « principe de précaution ». Mieux vaut rester prudent et n'employer que des substances dont l'absence de nocivité a été prouvée. Le passé nous sert de leçon et nous a, hélas, déjà montré qu'un soupçon initial débouche assez souvent sur la confirmation de la nocivité. Quelques études récentes sur le risque de cancer lié à certains composants cosmétiques ont eu un écho médiatique important (voir aussi page 145, Épée de Damoclès).

Allergies et irritations de la peau

Les critiques concernant les constituants des produits de beauté dépassant parfois les limites, il n'est pas facile de trouver un juste milieu entre une mise en garde légitime, et la minimisation des dangers par les fabricants ou leurs organisations. On passe d'un extrême à l'autre : d'un côté la croyance qu'un produit ne peut être que bon et inoffensif puisqu'il est autorisé à la vente ; de l'autre, la dramatisation des dangers, comme par exemple le fait de brandir le « risque d'intoxication » par un certain ingrédient. Ce risque existe peut-être, mais, dans la grande majorité des cas, si l'on en fait un usage normal, la faible concentration des composants ne constitue pas un danger, même lorsqu'il s'agit d'une substance considérée comme potentiellement toxique.

Les dermatologues font une différence entre allergie et intolérance. En cas d'allergie, c'est le système immunitaire qui réagit à un allergène spécifique (par ex. du nickel ou du formaldéhyde). Une intolérance est une manifestation cutanée en réponse à une agression de la peau.

RÉACTIONS INDÉSIRABLES POUVANT PROVOQUER DES RISQUES CHEZ LE CONSOMMATEUR

Dans le cadre de la mise en place de la cosmétovigilance à l'Afssaps, le groupe de travail sur la sécurité d'emploi des produits cosmétiques s'est attaché à définir les réactions indésirables aux produits cosmétiques pouvant provoquer des risques chez le consommateur et donc nécessitant d'être déclarées à l'Afssaps.

On distingue trois types de réactions aux cosmétiques :

- les réactions locales qui peuvent être immunologiques (eczéma allergique de contact, urticaire de contact, photosensibilisation...) ou non immunologiques (dermite d'irritation, phototoxicité, comédogénèse, troubles de la pigmentation...) ;
- les réactions à distance : asthme, rhino-conjonctivite, urticaire ;
- les réactions générales : effets systémiques.

La différence « de risque » entre ces réactions réside dans leur fréquence d'apparition.

Concernant les réactions non immunologiques locales, ce sont les réactions d'irritation et de phototoxicité qui se trouvent être les plus fréquentes ; ce sont aussi celles qui se gèrent le plus facilement au niveau quotidien. Ces réactions dépendent le plus souvent des conditions d'utilisation du produit cosmétique. Rapporter ce type de réactions est donc important, car il peut suffire d'adapter les conditions d'utilisation, de mettre de nouvelles mises en garde... pour réduire de manière significative le risque d'effets indésirables.

En ce qui concerne les réactions immunologiques locales, elles sont moins fréquentes que les réactions précédentes, mais aussi beaucoup moins faciles à gérer au quotidien. Il n'est pas « possible » de perdre sa sensibilisation. Ces réactions sont donc très importantes à rapporter pour déterminer les ingrédients potentiellement sensibilisants qui peuvent se trouver dans les produits cosmétiques concernés et permettre la mise en place rapide de mesures correctives adaptées (retrait de ces ingrédients, réglementation de ces ingrédients, précautions d'emploi...)

Les autres types de réactions comme les réactions à distance ou encore les réactions générales sont des réactions entraînant des risques importants pour le consommateur.

(Source : Vigilances n° 13, janvier 2005)

Que les cosmétiques puissent provoquer des effets secondaires indésirables est une certitude. Mais l'ampleur du phénomène est difficilement mesurable. Parallèlement aux faits dûment établis (comme les allergies), on rencontre une multitude de dysfonctionnements cutanés consécutifs à l'emploi de cosmétiques. Ceux-là n'apparaissent dans aucune statistique et les effets systémiques sont encore plus mal évalués. Le Pr W. Raab, dermatologue, et Ursula Kindl, pharmacienne, en sont arrivés à la conclusion suivante : « Pas de doute, ce sont les produits de soin pour le visage qui déclenchent le plus souvent les réactions indésirables. Dans le domaine du maquillage, les produits pour les yeux battent tous les records d'intolérance. »

« Réactions indésirables » est l'appellation commune pour les irritations de la peau et les réactions allergiques (allergies de contact). En Allemagne, une personne sur trois souffre de symptômes d'allergie, et les experts craignent que les chiffres ne doublent dans les dix prochaines années. En France, la situation n'est guère meilleure, mais l'écho médiatique est plus faible...

La Fédération pour l'information des cliniques dermatologiques de Göttingen publie annuellement un « palmarès » des 20 allergènes les plus courants, liste établie sur la base des données recueillies par 24 cliniques dermatologiques. Il en ressort que le nickel est toujours l'allergène de contact n° 1. Et comme de nombreux produits de maquillage pour les yeux contiennent du nickel, ils sont souvent responsables d'allergies.

Des marques importantes dans la région du cou et des taches blanches et rêches sur le haut des bras indiquent une prédisposition à la névrodermite. On peut également procéder à un test simple : si on irrite la peau de l'intérieur du bras en se grattant, et que celle-ci ne se décolore pas en rouge mais en blanc, on peut y voir un signe de prédisposition aux allergies.

Pouvoir allergène des substances odorantes

D'après l'I.V.D.K., les parfums – qu'ils soient naturels ou synthétiques – occupent la deuxième place de la liste des allergènes. On peut les trouver dans un dentifrice, sous forme d'aldéhyde cinnamique, dans l'huile d'une lampe odorante ou comme « fraîcheur citron » dans un produit de nettoyage. Prenons l'exemple du baume du Pérou : une personne sur deux réagit allergiquement à son parfum. Que les hommes ne se croient pas à l'abri ! Il suffit qu'ils utilisent un rasoir électrique et appliquent quotidiennement une lotion après-rasage pour s'exposer à un risque d'allergie deux à trois fois plus élevé que ceux qui se rasent au savon à barbe et ne sont pas exposés aux parfums des lotions. Dans toutes les études menées sur les déclencheurs d'allergies cutanées, que ce soit aux Pays-Bas, aux États-Unis ou en Allemagne, les parfums occupent toujours la première ou la deuxième place. Cette tendance va en augmentant du fait que nous sommes exposés à un nombre croissant de produits parfumés. Les phénomènes de sensibilisation sont de plus en plus fréquents chez les femmes qui, outre les nombreux produits de beauté, sont aussi en contact avec les produits ménagers parfumés (détergents et lessives).

Toute réaction allergique doit être examinée de très près par un spécialiste, seul apte à tirer les bonnes conclusions. En cas d'allergie, il ne suffit pas toujours d'abandonner un produit précis car il n'est pas rare que la personne soit allergique à tout un groupe d'allergènes. Les anticorps peuvent entrer en action au contact d'un colorant (par exemple le p-phénylènediamine), d'un filtre solaire (p-acide benzoïque aminé) ou de conservateurs (nipa-esters / parabènes).

Les atopiques, personnes ayant un terrain familial prédisposant à l'asthme, aux rhinites allergiques ou à la névrodermite (ou lichénification), sont un groupe à problèmes. Leur peau très sèche supporte généralement bien les crèmes hydratantes à l'urée et les produits à base de graisses douces (par ex. l'huile de jojoba).

Pouvoir allergène des conservateurs

Grande-Bretagne, Suède et USA n'obtiennent pas les mêmes résultats statistiques concernant les substances directement responsables des allergies aux conservateurs. Selon Raab et Kindl : « En Europe, ce sont les chloracétamides et le quaternium 15 qui sont en tête dans le déclenchement des réactions d'incompatibilité. Ces derniers temps, on dénombre de plus en plus fréquemment des réactions indésirables à la méthylechlorisothiazolinone et à la méthylisothiazolinole. Aux USA, par contre, ce sont les allergies de contact aux nipa-esters (parabènes) qui posent le plus problème. » Les parabènes et leur risque potentiel sont évoqués page 155.

En cas d'allergie, la réaction cutanée apparaît 24 heures au plus tôt après le contact et atteint son point culminant après deux jours environ. Elle déborde la zone de contact. Une intolérance en revanche se déclenche rapidement (au plus tard dans les 24 heures) et s'apaise relativement vite.

ALLERGIES ET IRRITATIONS DE LA PEAU

On fait souvent un amalgame entre les différents types de réactions de la peau qu'on désigne globalement par le terme « allergie », alors qu'elles ne sont pas toutes de nature allergique. Les allergies de contact (souvent déclenchées par les conservateurs et les parfums) se distinguent des réactions photo-allergiques (comme par exemple celle à l'huile de bergamote combinée au soleil), des irritations comédogènes et des eczémas proches de l'acné (en cas de peau sèche, pauvre en graisses). Toutes ces irritations sont le signe qu'on a affaire à une peau sensible probablement soumise à des produits non appropriés.

Les personnes sujettes aux allergies peuvent, entre autres, réagir aux substances naturelles suivantes :

- l'arnica et le millepertuis,
- l'huile de bergamote et l'huile de romarin,
- l'extrait de mille-feuille,
- l'huile de thym,
- l'huile de camomille et l'huile de girofle,
- l'huile de cannelle et l'huile de citron,
- la propolis, la lanoline,
- le baume du Pérou.

En Allemagne, l'Institut fédéral pour la protection de la santé des consommateurs et la médecine vétérinaire publie régulièrement des mises à jour de l'ouvrage de référence « Substances Chimiques et allergies de contact – une compilation évaluative ». Les substances y sont classées par groupes : A (allergène de contact redoutable), B (nombreux indices permettant de penser qu'il s'agit d'un allergène de contact) et C (allergène de contact insignifiant aux effets non prouvés). Ce classement place le conservateur formaldéhyde dans la catégorie A.

Les excipients et agents actifs sont peu irritants

Les réactions allergiques aux excipients (graisses, cires, huiles) et aux agents actifs sont particulièrement rares, exception faite de la vaseline et de la propolis qui possèdent un potentiel allergique non négligeable. La recherche du déclencheur est une entreprise laborieuse : il a fallu identifier 50 composants de la propolis, avant de trouver enfin l'origine des allergies. Dans le cas de la lanoline, ce sont des traces de nickel qui étaient responsables des réactions allergiques. Cette souillure par le nickel vient de l'utilisation de catalyseurs au nickel dans l'hydratation de la lanoline. La formation de comédons (points noirs) et, pire encore, les eczémas comparables à de l'acné, sont un indice d'intolérance aux produits de soin. Même une préparation douce peut déclencher une irritation si elle n'est pas adaptée au type de peau. C'est pourquoi, les personnes ayant une peau sensible doivent veiller à ce que la composition de leurs produits de soin, les crèmes en particulier, soit la plus proche possible de celle de l'épiderme quant au type d'émulsion et aux corps gras employés. En effet, le potentiel d'irritation est d'autant plus faible que le mélange d'ingrédients s'apparente à la composition de la peau (ce qui est le cas de l'huile de jojoba ou du beurre de karité) et que le type d'émulsion correspond au film hydrolipidique de l'épiderme traité.

Certaines substances ne supportent pas le soleil

Les rayons du soleil déclenchent des réactions dites photosensibles et phototoxiques. S'exposer au soleil après s'être enduit d'huile de bergamote entraîne l'apparition de taches brunes dues aux furocoumarines, substances photodynamiques contenues dans cette huile essentielle. Les huiles de bergamote marquées « FeF » sont distillées et ne contiennent pas de furocoumarines. Elles sont donc inoffensives. Mais les conservateurs et les parfums, dont la composition n'est pas soumise à l'obligation de déclaration, peuvent très bien contenir des substances photodynamiques.

Raab et Kindl signalent que : « Les conservateurs du type salicyl-anilides halogénées et le musc synthétique couramment utilisé dans les parfums, font partie des substances photosensibles. C'est le cas du musc ambré souvent utilisé pour parfumer les lotions après-rasage. »

Huiles essentielles, une mauvaise utilisation augmente le risque d'allergie

Vouloir déterminer si les substances chimiques possèdent un pouvoir allergène plus élevé que les composants végétaux ou animaux est un débat stérile : toute substance, chimique ou naturelle, peut déclencher des allergies. En revanche, les mises en garde insistantes concernant les risques d'allergie à des substances pourtant naturelles sont justifiées par le fait que l'on croit pouvoir abuser plus facilement d'un produit lorsqu'il est naturel. En agissant ainsi, on court au-devant de

Les huiles essentielles ne sont pas des produits naturels anodins et doivent être choisies et dosées avec le plus grand soin, à une goutte près. Trop concentrée, une huile essentielle peut provoquer des irritations de la peau, des allergies ou des maux de tête.

problèmes, surtout avec les huiles essentielles. Leurs qualités (absorption rapide et action en profondeur) peuvent se retourner contre nous en cas d'utilisation non appropriée et provoquer des réactions indésirables.

LES COSMÉTIQUES HYPOALLERGÉNIQUES

Les cosmétiques commercialisés en pharmacie portent souvent la mention « Hypoallergénique » qui garantit l'absence de substances connues pour leur pouvoir de sensibilisation élevé. De plus en plus de fabricants tiennent compte du fait que de nombreuses personnes possèdent une peau très fragile et mettent au point des gammes de produits pauvres en composants irritants. Les producteurs dignes de ce nom ont toujours soumis leurs produits à des tests dermatologiques très stricts.

À ma connaissance, le laboratoire allemand LAVERA est le seul à faire tester par des dermatologues et allergologues ses produits hypoallergéniques (appelés « NEUTRAL ») sur des personnes (volontaires !) qui souffrent elles-mêmes d'une maladie de la peau comme des psoriasis ou des eczémas. Avec ce protocole de tests unique le laboratoire s'assure de l'innocuité de ses produits, même (et surtout !) sur des personnes déjà sensibilisées et fragilisées.

L'appréciation portée sur les composants

L'exemple des colorants montre que l'évaluation n'a pas de valeur universelle : une multitude de colorants interdits aux USA sont encore autorisés dans l'Union européenne. L'échelle de mesure utilisée dans ce livre, tout au long du glossaire « Les composants de A à Z », tient compte de quatre critères. Les deux premiers sont décisifs : le composant ne doit présenter aucun danger pour la santé et doit avoir des propriétés soignantes et protectrices de la peau. Les deux critères supplémentaires sont l'impact sur l'environnement et le problème des tests sur les animaux.

Lourde responsabilité des fabricants

L'évaluation de la nocivité ou de l'innocuité d'une substance est une étape fondamentale dans l'élaboration d'une formule, mais ce n'est pas la seule. D'autres facteurs très importants entrent en ligne de compte, qui ne peuvent être appréciés par le simple consommateur. Ce dernier dépend entièrement de la conscience professionnelle et du sens des responsabilités du fabricant (choix des matières premières, conditions irréprochables d'hygiène lors de la production, contrôles microbiologiques du produit fini). Les critères de qualité qui l'emportent sont les suivants.

- *La pureté des substances* : les résidus de synthèse, les pesticides ou les traces de solvants ne peuvent malheureusement pas être décelés à partir de la déclaration INCI. L'importance de l'engagement des fabricants est soulignée par le responsable du développement de la société Beiersdorf, Dr. Klaus-Pater Wittern : « Si une matière première a été soumise à une catalyse, nous contrôlons les traces de catalyse restant dans le produit, car aucun catalyseur n'entre ou

Pour obtenir des matières premières saines pouvant entrer dans la composition des cosmétiques, il est nécessaire de purifier avec soin les adjuvants utilisés dans les procédés d'affinage et les produits de synthèse intermédiaires. Cette règle vaut également pour les constituants naturels, comme la lanoline, qui peuvent contenir des pesticides. L'alternative pour la lanoline existe : se procurer la lanoline (plus chère) en provenance d'Australie ou de Nouvelle Zélande, pays où les moutons ne sont pas traités par des bains de pesticides.

ne sort sans laisser de traces. Certains fournisseurs ne procèdent pas à ces vérifications et l'on trouve 10 p.p.m. de résidus d'un catalyseur de plomb dans une matière première. Il faut impérativement changer de catalyseur car personne ne veut de ce plomb ! Ce n'est qu'en posant des questions précises que l'on peut être sûr de ces matières premières. »

- *La garantie microbiologique d'un produit* : la microbiologie a un rôle particulièrement important à jouer dans la fabrication des produits naturels ayant un mode de conservation doux.
- *La concentration de certains composants* : l'exemple des filtres dans les produits solaires montre que les limitations censées protéger le consommateur peuvent être contournées.

Premier critère : la garantie sanitaire

Un cosmétique (s'il a été utilisé de manière convenable) ne devrait provoquer aucun effet secondaire pouvant nuire à la santé ou la mettre en danger. Mais la réalité montre que la gamme des effets secondaires va des éruptions cutanées aux allergies. Sans parler des substances potentiellement cancérigènes, c'est-à-dire soupçonnées de pouvoir déclencher des cancers ou susceptibles d'induire d'autres effets systémiques graves.

La majorité des informations toxicologiques et dermatologiques sur une substance proviennent des tests sur les animaux de laboratoires. Mais souvent, les avis concernant l'interprétation des données divergent. D'un côté, on peut considérer que la probabilité qu'un produit cosmétique contenant une substance potentiellement cancérigène déclenche vraiment un cancer est mince. De l'autre, des études montrent que se colorer régulièrement les cheveux avec des substances douteuses augmente significativement les risques

Les personnes les plus sensibles à la qualité des composants sont celles qui ont la peau fine, car les substances traversent plus facilement leur couche cornée. Mais les autres peaux peuvent aussi devenir plus sensibles à force d'être « lessivées » par une hygiène trop poussée.

de cancer. Quoiqu'il en soit, il faut systématiquement se méfier des substances fortement réactives car leur action sur les cellules et leurs interactions sont imprévisibles. Lorsque les allergies se déclenchent ou que le pouvoir cancérigène est confirmé, il est trop tard !

Il faut savoir que la France dispose depuis cinq ans d'une cellule de cosmétovigilance qui comble un vide sanitaire.

Créée par arrêté du 23 juin 2000, la « Commission de Cosmétologie » dépend de l'Agence Française de Sécurité Sanitaire des Produits de Santé (Afssaps).

Elle a pour mission principale d'émettre des avis sur la fixation des listes de substances autorisées ou interdites dans la composition des produits cosmétiques ; listes prévues à l'article L 5263-3 du Code de la santé publique et qui correspondent aux annexes de la directive 76/768/CE.

Cosmétovigilance : par référence à la pharmacovigilance, activité qui consiste à surveiller et analyser les effets délétères ou toxiques des cosmétiques.

Elle peut, en outre, sur demande du ministre chargé de la Santé, du directeur général de l'Afssaps et, dans certains cas de sa propre initiative, formuler des avis sur :

- la sécurité des produits cosmétiques,
- leur composition,
- la toxicité d'ingrédients entrant ou susceptibles d'entrer dans la composition des cosmétiques,
- les demandes de dérogation d'inscription d'ingrédient sur l'étiquetage des produits cosmétiques en vertu de l'article L 5263-7 du Code de la santé publique,
- les informations relatives aux effets indésirables liés à l'utilisation des produits cosmétiques dont l'Afssaps a connaissance.

À noter que de nouvelles dispositions visant à améliorer le système de cosmétovigilance ont été prévues dans le cadre de la loi n° 2004-806 du 9 août 2004 relative à la politique de santé publique.

Ces dispositions concernent essentiellement, d'une part la mise en œuvre du signalement, par les professionnels de santé, des effets indésirables graves dus aux produits cosmétiques ; d'autre part, le contenu des informations demandées aux fabricants – censés, désormais, « participer au système national de cosmétovigilance » – ainsi que le délai de réponse et la sécurisation des données transmises (art. L-5131-9 ; L 5131-10 et L 5131-11).

Le texte est actuellement en cours de consultation entre les différents partenaires (Afssaps et syndicats de l'industrie cosmétique, notamment). Sa parution est prévue fin 2005 [1].

Deuxième critère : les propriétés soignantes

Dans notre lexique, les ingrédients présentant des risques d'effets secondaires élevés ont obtenu la note « insuffisant ». Évaluer les propriétés soignantes donne naissance à des conflits d'intérêts : il arrive encore assez souvent que des substances ayant de bonnes propriétés soignantes posent problème d'un point de vue écologique.

C'est le cas des silicones qui ne sont pratiquement pas biodégradables. Mais comme elles ont des propriétés soignantes tout à fait correctes, elles ont tout de même reçu la mention « satisfaisant ». Comme les silicones, les paraffines ou les huiles et corps gras naturels se taillent la part du lion dans la plupart des crèmes et laits, il est important de savoir ce qu'ils valent : sont-ils bien tolérés par l'épiderme et soignent-ils la peau ? Les paraffines (huiles et cires) dérivées de l'industrie pétrolière reçoivent la mention « insuffisant » dès lors qu'elles constituent la partie principale de l'excipient d'un produit pour le visage. En effet, elles n'ont aucune propriété soignante. Une crème de jour pour le visage principalement composée d'huile de paraffine (Paraffinum liquidum) ne

Les responsables d'impuretés et de points noirs sont nombreux : l'alcool cétylique, le stéarate butylique, l'isopropylmyristate, le glycol hexylique, le sulfate laurique de sodium, le polyéthylèneglycol-300 ou les pigments rouges du fard à joue. Tous sont connus pour déclencher des réactions d'intolérance.

peut pas se mesurer à une crème dont l'excipient est en grande partie à base d'huiles naturelles.

Troisième critère : la protection de l'environnement

La beauté a son importance mais ne justifie pas qu'on lui sacrifie sa santé, les animaux, les habitants d'autres pays et notre environnement. De nombreux consommateurs en sont conscients et leur comportement en tant qu'acheteurs influe positivement sur la politique commerciale des industries cosmétiques. Ils refusent de « donner leur argent à n'importe qui » et pensent que « on peut joindre l'utile à l'agréable, c'est-à-dire à la fois se faire plaisir et faire une bonne action ». On voit bien, et c'est heureux, que les consommateurs accordent de l'importance à l'environnement puisque les étiquettes « biodégradable » fleurissent sur les shampooings et autres produits de beauté. Mais on n'a pas encore suffisamment progressé dans le renoncement aux substances écologiquement douteuses.

Les produits solaires ne se volatilisent pas dans la station d'épuration. De grandes quantités atterrissent dans la nappe phréatique. On peut d'ailleurs mesurer l'étendue du désastre en observant les lacs de baignade à la lumière du crépuscule : de gros yeux de graisse flottent à la surface de l'eau.

➤ **Protection de l'environnement et comportement du consommateur**

Les quantités époustouflantes de produits solaires achetés par des millions de personnes sont un des exemples les plus visibles des tonnes de produits (dont certains ne sont pratiquement pas biodégradables) que nous déversons sur notre planète. Les silicones et les quats sont les plus durs à digérer pour l'environnement. Or, on les trouve dans presque tous les produits traditionnels pour la peau et les cheveux. Devant ce désastre écologique, l'industrie cosmétique explique qu'il ne faut pas dramatiser les choses, qu'il y a pire. Leur stratégie de longue date, au détriment de l'environnement, consiste à se renvoyer la balle et à attendre que les autres fassent le premier pas de renoncer aux matières premières polluantes, aux procédés chimiques et aux emballages inutiles. Rien ne changera si l'on ne fait pas pression. Et cette pression peut venir du consommateur : c'est de son comportement au moment de l'achat que dépend la protection de l'environnement.

> **Protection de l'environnement par la loi :
>   une taxe sur les VOC (ou COV)**

Ces derniers temps, les VOC sont dans le collimateur des administrations protectrices de l'environnement. Les VOC sont des hydrocarbures organiques volatiles entrant dans la composition des peintures, des détergents et de certains produits cosmétiques. Font partie des VOC certaines substances utilisées en cosmétologie : l'acétone (des dissolvants pour vernis à ongles), le butane (gaz propulseur couramment utilisé), l'éthanol ou encore les éthers de glycol. D'après le ministère de l'Intérieur suisse : « Sous l'influence du rayonnement solaire, les émissions de VOC et les émissions d'oxyde d'azote contribuent à la formation d'une couche d'ozone excessive au ras du sol (smog estival). Ces importantes quantités d'ozone sont nocives pour la santé et l'environnement. » Les obligations et les interdictions étaient jusque-là les principaux instruments de défense de l'environnement. Avec sa taxe sur les VOC, la Suisse innove en utilisant pour la première fois le levier économique : une régulation (des émissions de VOC) par le prix. Cette taxe sur les VOC a été collectée à partir de janvier 1999, sauf pour les produits qui en contiennent moins de trois pour cent. La Californie a lancé le mouvement anti-VOC qui va probablement s'étendre en Europe, car on peut escompter que l'augmentation des prix aura l'effet attendu : le remplacement des VOC par d'autres composés. Si l'on suit les traces de la Californie, ils seront remplacés par les silicones volatiles qui ne sont pas non plus la solution idéale : elles n'entraînent pas la formation d'ozone mais sont malheureusement très peu biodégradables.

LE RISQUE D'ESB EST RELATIVEMENT FAIBLE

Depuis 1994, un décret contraint les fournisseurs de matières premières pour cosmétiques à fournir un certificat de garantie prouvant que leurs matières ne présentent aucun risque d'encéphalopathie spongiforme bovine (ESB). Même si le risque de contracter l'ESB par les produits de beauté semble minime, il est préférable, pour plus de sûreté, de renoncer aux ingrédients provenant des bovins ou de demander au fournisseur l'origine de son thymus, son collagène ou son glycogène. Suite à la polémique sur l'ESB, certaines grandes entreprises de cosmétiques utilisent des collagènes d'une autre provenance (poisson par exemple).

Quatrième critère : la protection des animaux

Le rapport que les sociétés ont envers les animaux révèle le degré de leur caractère humain et de leur éthique. Après avoir osé regarder en face un lapin de laboratoire aux yeux brûlés par les expériences, on se pose des questions sur ce que l'on a le droit de faire ou non au nom de la beauté. Si l'on se penche sur la protection des animaux, deux problèmes se posent : trouver une alternative aux expériences sur les animaux et décider de l'attitude à prendre envers les composants d'origine animale. Les avertissements concernant le risque d'ESB montrent que les hommes et les bêtes pourraient bien se partager un même cruel destin. Utiliser ou non des substances provenant d'animaux abattus est une question d'ordre moral à laquelle chacun de nous apporte une réponse personnelle. Ces substances ont généralement de très bonnes propriétés. Même les défenseurs des animaux engagés ne savent pas toujours quelle est la limite entre le défendable et l'indéfendable. Les fabricants de produits cosmétiques naturels appliquent la règle suivante : ils n'utilisent que des

Hélas, on ne peut encore espérer que les tests sur les animaux soient remplacés dans les années à venir par d'autres types de tests en ce qui concerne les domaines suivants: l'irritation des yeux, les irritations et sensibilisations de la peau, la toxicité et le potentiel cancérigène.

matières organiques prélevées sur animaux vivants par des méthodes garantissant que l'animal pourra continuer à vivre normalement. La lanoline, par exemple, provient de la laine des moutons. La tonte des animaux est un acte utile et normal qui ne met en danger ni la vie ni le mode de vie de l'animal.

Les substances à risques

On trouve encore et toujours des substances douteuses pour la santé dans les cosmétiques : les dangers qui en résultent vont de la simple irritation de la peau au risque de cancer. Les exemples de composants qui, après de longues hésitations, ont fini par être classés cancérigènes puis par être retirés de la circulation ne manquent pas. Ainsi, le Journal Officiel de la Communauté européenne, du 24/07/1997, traite du caractère cancérigène des goudrons minéraux (si longtemps utilisés en cosmétologie) : « Les données scientifiques disponibles indiquent que les hydrocarbures aromatiques polycycliques (HAP) contenus dans le goudron de houille raffiné atteignent la même concentration que celle du goudron de houille brut. Plusieurs études permettent de conclure que les HAP peuvent pénétrer dans la peau et y déclencher une carcinogenèse dermale ou systémique. Un grand nombre de HAP sont des carcinogènes génotoxiques, et par conséquent aucune concentration ne peut être considérée comme inoffensive. C'est pourquoi l'utilisation de goudrons de houille bruts ou raffinés devrait être interdite pour les cosmétiques. » En clair : les goudrons de houille sont cancérigènes, et l'on comprend qu'ils soient maintenant interdits. Mais il subsiste toute une série de substances encore autorisées dont l'innocuité n'est pas prouvée de manière irréfutable.

➢ Il est inacceptable de prendre le moindre risque

Dans la même édition du Journal Officiel de l'UE, on peut lire ces lignes : « Une évaluation toxicologique du chlorure de benzethonium sur la base des nouvelles données fournies par l'industrie fait apparaître que la marge de sécurité est suffisante si l'utilisation se limite aux conservateurs, et si la concentration et le temps d'application sur la peau restent limités. » Quand bien même cela serait exact, pourquoi le consommateur devrait-il « se frotter » à des substances mettant en péril sa santé, nécessitant une marge de sécurité, et dont les proportions utilisées donnent lieu à d'âpres négociations, alors qu'existent des alternatives ne présentant pas le moindre risque ?

➢ Les substances hautement réactives sont imprévisibles

La revue *Der Unternehmenstester* énumère une série de substances problématiques contenues dans les cosmétiques : les EDTA (le trisodium EDTA, le tetrasodium EDTA), les composés nitro-musqués et les composés musqués polycycliques, le butylhydroxytoluène, les composés organo-halogénés (par ex. le triclosane), le toluène, les trialkamines, les colorants pour cheveux, ainsi que les amines aromatiques ou colorants à base d'amines aromatiques. Ces substances et celles discréditées dans notre « Lexique des composants » ont un dénominateur commun qui est leur haute réactivité : non seulement elles interagissent très vite entre elles mais aussi dans le corps. Or, tout ce qui réagit rapidement, et peut se fixer, est aussi capable de détruire les cellules.

En ce qui concerne l'innocuité des produits, le Dr. K.-P. Wittern précise la ligne directrice de la société Beiersdorf : « Nous combinons des matiè-

Les huiles de parfum sont des mélanges complexes dont la composition n'est pas toujours connue des fabricants. Or, elles entrent elles aussi en compte dans l'évaluation d'un produit. Le producteur de matières premières devrait être contraint de fournir un certificat attestant que les exigences de sécurité sont satisfaites.

res premières qui, autant que possible, ne peuvent plus réagir ensemble. Elles se côtoient, ne se font pas de tort, et remplissent leurs fonctions respectives. En fait, personne ne sait ce qui se passe vraiment sur la peau de l'utilisateur. Employer des agents hautement réactifs augmente le danger de réaction des composants avec de quelconques substances se trouvant sur la peau. »

BHT et BHA

Le BHT (butylhydroxytoluène) et le BHA (butylhydroxyanisole) sont employés comme antioxydants pour prévenir le rancissement des produits. D'après H.-J. Weiland-Groterjahn : « Ils sont encore utilisés dans bon nombre de matières premières lipophiles (huileuses) alors qu'on pourrait les éviter ; mais de nombreux acheteurs de matières premières ne s'intéressent pas à ce qui a été utilisé pour stabiliser les produits qu'ils commandent. »

Les tensioactifs doivent être scrupuleusement testés pour évaluer leur action irritante. Selon le Pr Heymann, « Les tensioactifs des dentifrices, par exemple, peuvent pénétrer dans le tissu conjonctif par la muqueuse buccale, favorisant ainsi la parodontose ».

Le BHT et le BHA ont été abondamment étudiés pour les dangers qu'ils présentent et sont sur la corde raide en ce qui concerne l'évaluation de leur potentiel cancérigène. Consommés à haute dose, ils ont des effets cancérigènes sur l'estomac ce qui explique qu'ils soient interdits dans les produits alimentaires. Cependant, malgré toutes les réserves toxicologiques, ils sont toujours autorisés dans les cosmétiques, alors qu'ils pourraient parfaitement être remplacés par un antioxydant naturel, le tocophérol (vitamine E).

Composés organo-halogénés

Les composés organo-halogénés sont devenus tristement célèbres par les tests qu'a publiés le mensuel *Öko-Test*. Cette revue de consommateurs avait mis au point une méthode d'analyse très simple permettant de déceler les conservateurs de synthèse (qui sont, dans 80 % des cas, des substances halogénées). D'un point de vue chimique, l'halogénation consiste à introduire dans les molécules, du chlore, du brome ou de l'iode. Donc, si l'on trouve des halogènes dans un produit cosmétique, on peut en déduire la présence d'un conservateur de synthèse.

Les traces d'organo-halogénés (rares à l'état naturel) permettent généralement de déceler la présence de conservateurs chimiques ou de souillures, qui n'ont pas leur place dans une crème pour la peau. Cependant, H.-J. Weiland-Groterjahn met un bémol à cette affaire : « Si cela est vrai dans 90 % des cas, des études scientifiques – que l'on ne peut donc pas balayer d'un revers de la main – ont entre-temps établi que les composés organo-halogénés ne sont pas si rares dans la nature. »

Finalement, on peut se demander si les composés organo-halogénés sont nocifs ou non, puisqu'ils sont présents dans la nature. Une question à laquelle il n'est pas simple de répondre. D'une part l'adjectif « naturel » ne veut pas automatiquement dire « sans danger », et de l'autre l'indication « chimique » ne signifie pas systématiquement « dangereux ». Il y a, par exemple, des conservateurs chimiques acceptables : ce sont principalement des substances synthétisées mais « identiques à la nature », comme l'acide sorbique ou l'aminoacide. Mais les substances halogénées, elles, doivent être regardées d'un œil plus critique : d'une part, elles ont un potentiel allergène substantiel ; d'autre part, elles sont hautement réactives. Si elles parviennent dans les tissus, elles peuvent s'y décomposer, se fixer et les endommager.

Certaines indications se présentent sous la forme d'informations apparemment neutres et ne jouent donc pas leur rôle de mise en garde auprès du consommateur. C'est le cas de cette petite phrase apparemment banale : « Contient de l'oxybenzone. » Ce filtre solaire n'étant pas du tout indispensable dans les crèmes normales, on devrait renoncer aux préparations contenant de l'oxybenzone.

Formaldéhydes et libérateurs de formaldéhyde

Pour déclencher une allergie, une substance doit se lier à des protéines. La probabilité d'allergie devient d'autant plus grande que cette liaison est solide. C'est le cas des aldéhydes, des libérateurs d'aldéhydes (nombreuses substances odoriférantes et certains conservateurs) et des produits pour permanentes.

Après des années de querelles, le formaldéhyde est maintenant pratiquement banni car désormais classé substance cancérigène. Dans les préparations cosmétiques, par exemple, son taux ne doit pas dépasser 0,2 % pour la conservation, 0,1 % dans les produits de soins buccaux, et 5 % dans les durcisseurs d'ongles.

Quant aux libérateurs de formaldéhydes, ils sont actuellement sujets à polémique car ils libèrent des formaldéhydes lors d'un contact prolongé avec l'eau. Parmi ces substances, on compte le formaldéhyde lui-même, mais aussi le DMDM hydantoïne et le bronopole. Raab et Kindl ont une position claire concernant les libérateurs de formaldéhyde : « Toute substance capable de dénaturer des protéines est à éviter ; ceci est également valable pour les conservateurs qui libèrent le formaldéhyde. » Le Pr Heymann qualifie ces substances de cheval de Troie : « Les libérateurs de formaldéhyde sont encore plus antimicrobiens que le formaldéhyde lui-même. Ceci est probablement dû au fait qu'ils introduisent l'aldéhyde dans les cellules comme le ferait un cheval de Troie, alors que, de par sa réactivité, le formaldéhyde à l'état libre, lui, est détruit de diverses manières avant d'atteindre les cellules. »

MIEUX UTILISER LES ALTERNATIVES

Toute une série de composants critiques pourrait sans problème être remplacée par d'autres produits. C'est le cas des alkanolamides et de la triéthanolamine, pourtant si souvent utilisées. Cette dernière, soupçonnée de favoriser la formation des dangereuses nitrosamines, a d'ailleurs fini par être classée dans la catégorie « substance critique ».

Pour ne prendre qu'un exemple, la glucamine, un dérivé du glucose ayant des vertus curatives pour la peau, possède les mêmes propriétés sans former de nitrosamines. Elle est totalement inoffensive, et par-dessus tout entièrement biodégradable.

Chaque nouvelle substance pose question

Malgré tout, il y a toujours des experts sérieux qui considèrent le formaldéhyde comme l'un des conservateurs les plus sûrs. C'est sans doute parce qu'il n'y en a aucun autre qui soit aussi bien testé et connu. Le Dr Wittern précise : « Depuis que le formaldéhyde, utilisé à petites doses comme conservateur, a été remplacé à grande échelle par d'autres conservateurs, le nombre de réactions (allergiques) aux conservateurs a augmenté de manière significative. » Le débat chargé d'affectivité autour des formaldéhydes est révélateur du principal dilemme de la chimie : lorsque l'on remplace une substance connue pour son potentiel critique par une autre, les experts se trouvent confrontés à de nouveaux problèmes.

Cependant, même si seul un petit nombre de tests au formaldéhyde a entraîné la formation de cancers chez les rats, cette substance est à considérer comme douteuse. En effet, le formaldéhyde et les libérateurs de formaldéhyde font partie des substances qui – il n'y a cette fois aucun doute – sont hautement réactives et peuvent endommager les cellules.

La formation de nitrosamines

Toute personne ayant fait des barbecues sait que les nitrosamines se forment lorsque la graisse tombe sur le charbon de bois. Des études poussées ont montré que les nitrosamines pénètrent dans les cosmétiques par l'intermédiaire de matières premières souillées et qu'elles peuvent se former pendant la période de stockage. Or, il est indéniable que les nitrosamines sont cancérigènes. Sachant que la formation de nitrosamines suppose la rencontre de deux substances, on devrait éliminer des produits cosmétiques toute substance

L'acide urocaïnique, filtre de protection solaire, a été autorisé un temps pour être ensuite interdit. Une nouvelle réglementation a dû être mise en place pour l'utilisation d'hydroxyde de lithium et d'hydroxyde de calcium dans les produits défrisants. Plus on veut augmenter les performances des cosmétiques par la chimie, plus les risques pour la santé sont importants.

susceptible d'entraîner la formation de nitrosamines : renoncer aux substances halogénées comme conservateur par exemple, c'est déjà faire un pas de plus vers la sécurité du consommateur.

EDTA

L'EDTA a toujours été très prisé pour ses qualités d'agent complexant. Il est principalement employé dans les savons. Mais l'EDTA, et son ersatz l'Etidronic Acid, ont la propriété de se fixer et sont donc critiques du point de vue toxicologique. De plus, ils sont difficilement dégradables. Après avoir longtemps cherché des alternatives, on a fini par en trouver et, désormais, on peut facilement se passer d'eux. L'acide phytique obtenu à partir de l'enveloppe du grain de riz représente, par exemple, une alternative naturelle que l'on rencontre désormais dans de nombreux produits.

Composés musqués

On possède des informations inquiétantes concernant les composés musqués. Ces substances odorantes artificielles très stables se fixent dans les tissus et l'alarme a été donnée lorsque des recherches ont prouvé la présence de Moschus Xylol dans le lait maternel. Depuis, le musc ambrette, le musc moskène et le musc tibétène ont été interdits. Actuellement le Comité scientifique auprès de la Commission européenne se penche sur tous les composés nitromusqués et les composés musqués polycycliques. Les composés nitromusqués sont cancérigènes pour de multiples raisons. Par contre, la toxicité des composés musqués polycycliques n'est pas encore fermement établie. Ce que l'on sait, c'est qu'ils se fixent dans les tissus et cela devrait déjà suffire pour prendre la décision de stopper leur utilisation.

Puisque les substances odorantes des cosmétiques sont en contact permanent avec la peau (qui les absorbe), il faudrait qu'elles soient toxicologiquement inoffensives. Or, les crèmes et les lotions contiennent en moyenne jusqu'à 0,8 % de parfum, les shampooings jusqu'à 1 %, les savons jusqu'à 4 % et les préparations pour le bain entre 4 et 5 %.

Substances obtenues à partir de PEG et PPG

Parmi les composants classés dans la catégorie « insuffisant » (voir INCI), ceux qui sont élaborés à partir de polyéthylèneglycol (PEG) et de polypropylène-glycol (PPG) forment un cas à part. Leur discrédit n'est pas dû à leur nocivité pour la santé, mais au fait qu'ils sont obtenus à partir de gaz employés comme gaz de combat, des gaz extrêmement réactifs et particulièrement toxiques.

Ces dangers sont bien connus et l'on emploie aujourd'hui divers procédés de purification pour obtenir un PEG sans oxyde d'éthylène libre. Mais même si les procédés employés garantissent la production d'un composant propre et inoffensif, pourquoi utiliser des gaz de combat comme matière première et avoir recours à des procédés chimiques durs, comme l'éthoxylation ? L'éthoxylation est une affaire hautement explosive qui exige des conditions de sécurité maximale. La substance de base, l'oxyde d'éthylène, est un liquide toxique dont le point d'ébullition se situe à 10,7°C. Très inflammable, il peut exploser en se dissociant. Les réacteurs (généralement des cuves en inox) sont protégés de la surpression par des plaques de rupture spéciales. Pendant la dangereuse réaction de l'oxyde d'éthylène avec les alcools, les amines ou les acides gras (en présence d'un mini catalyseur, 0,1 à 1 %), il faut remuer et refroidir intensément. Autre cible de la critique, les résidus, qui ont rendu tristement célèbres les substances éthoxilées. Dans le sulfate d'éther laurique, par exemple, on a trouvé d'importantes quantités de dioxane (500 p.p.m. = partie par million), nocive pour la santé. La publication de ces informations a permis de diminuer le taux à 50 p.p.m. Ce chiffre tourne aujourd'hui autour de 10 p.p.m., ce qui est tout de même plus rassurant.

Pour obtenir un bon émulsifiant à partir du sucre, il ne faut ni cuve sous pression, ni gaz de combat, mais seulement un acide gras naturel, du sucre et de la chaleur. Ce procédé très doux, permettant d'obtenir des émulsifiants écologiques de grande qualité à partir d'acides gras et d'alcool, s'appelle une estérification

➤ Dans quoi utilise-t-on encore les PEG ?

Les PEG ont la consistance d'un liquide ou d'une cire. Ils sont souvent employés comme émulsifiants et tensioactifs car ils aiment aussi bien l'eau que la graisse, ce qui leur permet de lier ces deux substances. On les trouve dans des produits pour les soins de la peau, les shampooings, les crèmes à raser et les savons pour peau grasse (en cas de séborrhée ou d'acné juvénile par exemple). Mais ils sont aussi présents dans les dentifrices (comme épaississant), dans les sprays pour cheveux (comme agent antistatique) ou sous forme plus consistante dans les rouges à lèvres.

➤ Les alternatives aux PEG et PPG

Il est vrai qu'un Laureth Sulfat (PEG) a l'avantage d'être plus doux qu'un sulfate laurylique (qui n'est pas un PEG). Si l'on veut tout de même renoncer au Laureth Sulfat, le sulfate laurylique pourra être « adouci » en étant associé à d'autres tensioactifs. Le résultat est tout à fait satisfaisant. Depuis environ cinq ans, il existe tellement d'émulsifiants alternatifs que l'on peut renoncer sans difficulté aux substances éthoxilées. Le Dr. K.-P. Wittern le confirme : « Il existe une offre intéressante de substances non-éthoxilées. » Le consommateur a le choix et peut faire en sorte que les PEG et PPG dans les cosmétiques ne soient bientôt plus qu'un vieux souvenir.

Sels d'aluminium et triclosane

Les sels d'aluminium (sels inorganiques) sont employés dans les déodorants. Ils calfeutrent en quelque sorte les pores pour empêcher la sueur d'accéder à la surface de la peau. Il peut en résulter des réactions inflammatoires. Raab et Kindl conseillent : « Ne pas utiliser les préparations à base de complexes d'aluminium plus d'une fois par jour, les glandes sudoripares pouvant être endommagées par une utilisation répétée. » Autre substance critique souvent employée dans les déodorants (contre les bactéries), le triclosane, produit chloré hautement réactif. Il s'agit d'un bactéricide qui peut aussi empêcher le bon fonctionnement du foie. De plus, il est souvent souillé par la dioxine, très dangereuse, qui même en infime quantité peut déjà déclencher « l'acné du chlore ». Des informations complémentaires à propos du risque potentiel des sels d'aluminium se trouvent page 157.

Colorants cosmétiques et colorants pour cheveux

Se colorer les cheveux n'est malheureusement pas sans risques pour la santé, surtout quand on aime les couleurs foncées. Et même si les fabricants font valoir qu'ils utilisent exclusivement des colorants autorisés, cela ne garantit pas l'absence de risques. Ainsi la phénylediamine (PDA), interdite pendant des dizaines d'années, a été de nouveau autorisée en 1985, malgré tous les risques existants. Seule contrainte, le colorant doit être accompagné d'une mise en garde « Produit pouvant déclencher une réaction allergique ».

Puisque les colorations comportent des risques pour la santé, il faut éviter de se laver les cheveux avant de les teindre pour que le sébum protège le cuir chevelu des substances nocives.

Amines aromatiques

Les diamines aromatiques et les aminophénoles (appellation commune : amines aromatiques) sont les substances de base des colorants d'oxydation. Comme ils sont nécessaires à l'obtention de la coloration, on les appelle aussi « développeurs ». Les phénols ou amines aromatiques sont des « coupleurs » qui permettent d'obtenir différentes nuances de couleurs. Comme le dit le Professeur Heymann : « À l'exception du H_2O_2, tous les dévelopeurs et coupleurs sont des substances toxiques qui peuvent être absorbées par la peau. Les diamines aromatiques possèdent aussi un potentiel non négligeable de sensibilisation. »

Colorants azoïques des produits de maquillage

La majeure partie des colorants actuellement employés sont des composés azoïques. Dans les cosmétiques, on utilise le plus souvent des « monoazos » qui ne sont pas considérés comme nocifs pour la santé par l'Union européenne. Par contre, aux USA, la plupart des colorants azoïques ne sont pas autorisés ou avec d'importantes restrictions. Ce sont des colorants à base de goudron synthétique avec des groupes amino, particulièrement critiques sur le plan toxicologique. Dans l'Union européenne, une grande partie d'entre eux est classée dans la catégorie 4 (substances ne devant pas rester en contact prolongé avec la peau).

Les quats et les polyquats

Les quats (composés d'ammonium quarternaires ; INCI : Quaternium plus un chiffre) sont employés comme antistatiques dans les produits capillaires pour éviter que les cheveux ne soient électriques et pour faciliter le coiffage. Selon H.-J. Weiland-Groterjahn : « Les quats classiques les plus couramment utilisés sont le CTAC (Cétyletriméthyleammoniumchlorure) et le DSDMAC (Quaternium 5). Tous les quats simples ne sont pas biodégradables et ont, pour la plupart, un léger effet irritant sur la peau. Ceci est également vrai pour les polyquats (Polyquaternium plus un chiffre). Il s'agit de composés complexes ayant comme molécule centrale des sels d'ammonium quaternaires. » On emploie ces polyquats car leurs polycations s'accrochent mieux à la surface des

Des chercheurs américains ont constaté que l'utilisation de colorants pour les cheveux multipliait par cinq le risque de cancer du sein. Dans un cabinet de New York, parmi cent patientes atteintes du cancer, quatre-vingt-sept avaient utilisé des colorants pendant plus de cinq ans.

cheveux que les cations simples. Souvent, ils contiennent des composants naturels comme par exemple le Polyquaternium 4 ou 10, qui sont tous les deux des composés complexes contenant de la cellulose. Ces composants naturels sont en règle générale biodégradables, contrairement à la molécule centrale.

> **Les esters de quats, produits naturels et doux pour le soin des cheveux**

Les quats et les polyquats ont été classés dans la catégorie « substances critiques » pour leur effet irritant et leur mauvaise dégradabilité. On pourrait se passer d'eux puisque les quats estérifiés représentent une excellente alternative (Distéaroyléthyle Hydroxyéthylemonium Métho-sulfate et Dipalmitoyl Hydroxyéthylemonium Méthosulfate). Ces esters de quats ont de multiples avantages : ils sont facilement biodégradables, très doux pour la peau et, de surcroît, la plupart d'entre eux peuvent être élaborés à partir de matières premières végétales.

Le cancer, cette épée de Damoclès

La beauté justifie-t-elle toutes les prises de risques ?

Depuis des décennies, le spectre du cancer lié à l'utilisation des cosmétiques déchaîne les passions. Les champs de bataille sont d'une part les laboratoires, dans lesquels les scientifiques sont à la recherche des substances nocives (ou tentent au contraire de prouver qu'une substance ne l'est pas), et d'autre part des débats où s'affrontent violemment deux types de combattants : des scientifiques critiques et les représentants des lobbies. Compte tenu de la complexité du sujet, le consommateur concerné hésite entre la panique et le fatalisme, considérant dans ce dernier cas que le problème n'est pas si grave que certains voudraient bien le faire croire.

Les discussions autour des risques de cancer dus aux cosmétiques ne sont-elles qu'une tempête dans un verre d'eau ? Une campagne montée en épingle par les médias et à laquelle le consommateur ne doit pas prêter attention ? Certes non ! Et même s'il est vrai que l'industrie cosmétique combat énergiquement les études qui mettent en garde contre le potentiel cancérogène de certains composants, les arguments avancés ne sont pas toujours faits pour nous rassurer.

Examinons l'un de ces arguments : « Nous n'employons que des substances autorisées. » Ceci porte à croire que tout ce qui est autorisé ne s'accompagne d'aucun inconvénient. Erreur ! La preuve en est, des ingrédients autrefois employés ont dû disparaître des produits, suite au dossier accablant les concernant.

Le fait qu'une substance ne soit pas interdite ne signifie en aucun cas qu'elle n'est pas dangereuse. Et ce, pour la simple raison que la plupart des substances ne sont pas, ou pas encore suffisamment étudiées. « Environ 80 000 substances chimiques circulent dans le monde et sont produites en quantité toujours croissante. Mis à part ce qui concerne les substances utilisées en pharmacologie, les recherches concernant la toxicologie sont insuffisantes d'un point vue moderne » concluent les scientifiques M. Schlumpf, W. Lichtensteiger et H. Frei dans leur livre *Kosmetika* [2].Le Dr M. Schlumpf, de l'Institut de pharmacologie et de toxicologie de l'Université de Zürich, est bien placé pour le dire.

Face à cette situation, les consommateurs de produits cosmétiques ne seront jamais assez méfiants et nous allons voir pourquoi. On ne peut pas vraiment compter sur la protection du législateur puisqu'il autorise, encore et toujours, dans les tubes et petits pots de crème, des substances qui ne sont rien moins que bénignes. Qu'il le veuille ou non, le consommateur se retrouve dans la position du cobaye pour une multitude de substances fabriquées en laboratoires et utilisées dans les cosmétiques.

Qui se doute, lorsqu'il achète un produit, de la menace qui pourrait planer sur lui une fois ce produit analysé ? Est-on conscient, lorsqu'on achète un déodorant, qu'il contient des sels d'aluminium qui – les tests sur animaux le prouvent – « peuvent transiter dans le corps pour se fixer dans le cerveau et même dans le lait maternel » ? [3] Achèterait-on ce produit si l'on avait conscience de cela ? D'autre part, il ne nous vient pas à l'esprit qu'un des composants de nos produits de beauté (parabènes ou conservateurs) puisse se retrouver dans une tumeur cancéreuse du sein.

« Tout cela ne prouve rien », réplique Unilever, le plus important fabricant d'antitranspirants de la planète. Et la firme, interrogée sur les parabènes retrouvés dans une tumeur cancéreuse, cite Patrick Borgen, chirurgien en chef du Département cancer du sein du centre anticancéreux de New York, le Memorial Sloan Kettering : « La présence de parabènes dans une tumeur est sans importance. Les tumeurs du sein étant des tissus richement vascularisés, il est normal qu'elles contiennent des traces de toutes les substances contenues dans le sang du malade. Si l'on injectait un colorant bleu dans le pied d'un malade avant d'opérer sa tumeur, le tissu tumoral serait bleu. » Et de conclure : « Cela ne voudrait pas dire pour autant que le colorant bleu a provoqué la tumeur. » [2]

« Cela ne voudrait pas dire pour autant... », est-ce un argument suffisamment rassurant ? Pas pour un consommateur qui veut être certain – et c'est son droit – de ne pas prendre de risque. Il n'existe actuellement pas de réponses claires et convaincantes sur la question des incidences que pourrait avoir sur la santé la présence de sels d'aluminium dans le cerveau et le lait maternel, ou de parabènes dans les tumeurs du sein.

Et ce ne sont que quelques exemples parmi d'autres de « phénomènes » non encore clarifiés. Se pose alors la question de savoir si le consommateur, pour des raisons d'esthétique, doit prendre des risques qui pourraient être évités. Car enfin, il existe aussi des alternatives, des produits qui ne contiennent pas ces substances potentiellement dangereuses ! Les risques de santé ne sont-ils pas déjà suffisamment grands ? Les fines particules polluantes de l'air que nous respirons, les scandales dans les élevages, les composants problématiques utilisés dans les produits alimentaires, le cancer cause de mortalité de plus en plus fréquente... Le mot d'ordre actuel ne devrait-il pas être d'éviter tout risque supplémentaire ?

Risque de cancer par la coloration des cheveux

Les colorants pour cheveux sont très prisés car les jeunes ont plus que jamais envie de suivre les modes. Mais, les plus de quarante ans aussi se tournent volontiers et souvent vers les colorants. Le gris n'est plus à la page. La couleur est signe de dynamisme, de succès, de jeunesse prolongée. La mise en garde contre les dangers des colorants capillaires n'est pas un fait nouveau. Le sujet est encore revenu à la une des journaux suite à une étude de l'Université de Californie du Sud prouvant l'existence d'un lien entre l'utilisation de colorants pour cheveux et le cancer de la vessie. Selon cette étude, se teindre les cheveux tous les mois pendant un an double le risque d'avoir un cancer de la vessie. Au bout de 15 ans de teintures régulières, le risque triple même. L'étude portait sur 1 514 patients souffrant du cancer de la vessie, dont 879 utilisaient des colorants pour cheveux.

Les scientifiques pensent que ce sont les arylamines des colorants à oxydation qui provoquent le cancer. Ces arylamines arriveraient dans la vessie par l'intermédiaire de la peau. Cependant, la publication de cette étude n'a rien changé. Ces résultats ne suffisent pas à la *Food and Drug Administration* américaine (FDA) pour retirer les produits du marché. Du côté des pays européens, on se justifie en s'appuyant sur les normes nationales et sur celles de la réglementation européenne pour les cosmétiques. Le consommateur n'est pas beaucoup plus avancé.

Cela fait déjà soixante-dix ans que l'on se penche sur les risques cancérogènes que présentent les colorants capillaires. Les premiers résultats alarmants furent ceux du scientifique américain Bruce Ames, qui constata que la majorité des colorants les plus couramment employés entraînaient des modifications génétiques. Une étude danoise révéla que les coiffeuses souffraient deux fois plus du cancer que la moyenne de la population. Ces études se sont étendues sur une période d'une trentaine d'années (1943-1972). Des recherches entreprises dans d'autres pays ayant donné des résultats comparables, on finit par interdire le 2,4-Diaminoanisole et le 2,4-Toluylènediamine (TDA), formellement reconnus comme cancérogènes.

Pouvoir se teindre sans risque est une illusion

Et qu'en est-il des colorants toujours utilisés ? Le problème semble réglé par le fait qu'en l'état actuel des choses, il n'est pas possible de tirer une conclusion définitive concernant ces risques. Cette phrase exprime le sentiment d'impuissance face à des études et expertises prouvant tout et son contraire. Des débats scandaleux au sujet de certaines substances sont régulièrement ranimés. Au milieu des années 80, on a même vu réapparaître dans les colorants capillaires la PDA (phenylènediamine), pourtant interdite des dizaines d'années auparavant à cause de ses effets néfastes. En ce qui concerne ces amines aromatiques fortement critiqués, la revue de consommateurs allemande *Öko-Test* (numéro spécial 23, Cosmétiques, 1re partie, 1997) constate : « Les fabricants ne voient pas en quoi le fait d'utiliser les amines aromatiques décriés pose problème. » Et elle cite Thomas Ölschläger, chef du développement chez Schwarzkopf : « Nous n'utilisons que ce qui est autorisé par la réglementation sur les cosmétiques. » Est-ce là une protection suffisante pour le consommateur ?

Mais même sans aller jusqu'à la crainte du cancer, il serait bon d'avoir un esprit plus critique face aux colorants. Une réaction allergique à un colorant n'est déjà pas une mince affaire pour le consommateur. Alors qu'il est prouvé que le 2,5-Tolylènediamine provoque des allergies chez les coiffeuses, on prend le risque de l'utiliser sur les clients.

En France, 55% des femmes de 18 ans et plus se colorent les cheveux, 38% utilisent des teintures à appliquer soi-même et les hommes ont de plus en plus recours à la coloration (selon l'INC).

Et qui plus est, les fabricants vantent leurs colorations dans des termes plus que flatteurs. Ainsi, chez L'Oréal : « Alors que dans le monde entier le cheveu est depuis toujours l'objet d'attentions, de croyances et de traditions très variées, celui qu'on a considéré autrefois comme une espèce de plante qui croît sur la tête de l'homme est resté trop longtemps un oublié de la science. Aujourd'hui, ces temps sont révolus : sous l'impulsion de grands groupes comme L'Oréal, le cheveu est entré dans les laboratoires et, jour après jour, au terme d'aventures parfois très longues, les découvertes sur le cheveu et les inventions fascinantes se succèdent.

Curieusement, de par ses propriétés et sa structure, le cheveu semble s'offrir comme un matériau idéal pour des transformations de couleurs et de formes infinies par lesquelles nous nous racontons tant à nous-mêmes qu'à l'autre. »

Les cheveux, « un matériau idéal pour des transformations de couleurs » ? La réalité est qu'à long terme, des femmes et des hommes prennent de grands risques avec les colorations chimiques. Ce sont les femmes qui représentent la cible principale. « Et les femmes, constate Garnier sur son site Internet allemand, particulièrement réceptives aux progrès technologiques, ont permis le développement rapide et innovant des produits de coloration » [4]. Il est à espérer que ces femmes puissent être tout aussi réceptives à la prise de conscience des risques liés à ces produits.

Que se passe-t-il lorsqu'on se colore durablement les cheveux chimiquement ?

« Au fond, le processus chimique de fabrication des colorants subit juste un déplacement : c'est comme si nous avions un réacteur chimique sur la tête », dit le chimiste et expert en colorants, Dr. G. Prior (cité d'après *Öko-Test* [5]). Savoir quels produits ce *réacteur chimique* nous place sur la tête n'est pas une mince affaire. Mais un signe ne trompe pas : les produits à deux composants, qu'il faut mélanger avant utilisation, sont potentiellement dangereux et réservent des surprises, malgré tout l'éloge qu'on en fait.

Ainsi, Garnier fait l'apologie de son produit *100 % COLOR* dans des termes très laudatifs : « Véritable innovation, GARNIER 100 % COLOR est une coloration crème-gel brevetée, aux colorants purs extra-longue durée et aux micro-minéraux. » [3] Mais, un clic de souris plus loin, en bas de l'écran, c'est la désillusion : la mention

« Précautions d'emploi », petite mais visible, donne accès à un texte de 58 lignes où l'on peut lire, entre autres : « Recommandations importantes : ce produit peut provoquer une réaction allergique qui, dans de rares cas, peut être grave… » Et l'on recommande : « Faites le test de sensibilité 48 heures avant l'utilisation de ce produit, même si vous avez déjà utilisé auparavant un produit de coloration de cette marque ou d'une autre. »

Les produits à deux composants

Les produits à deux composants contiennent généralement une crème dite colorante faite de « précurseurs de couleur », de « supports de couleur » et d'un « coupleur de couleurs ». Le second composant, le « révélateur », contient un agent oxydant. Le problème crucial de ces produits, ce sont les amines aromatiques qui se trouvent dans tous les colorants capillaires en tant que précurseurs ou supports de couleur. Et à ce propos, comme le constate le magazine *Öko-test* de janvier 2004 sur les colorants capillaires [4] : « Dans la majorité des colorants, on utilise entre autres le 2,5-Toluyènediamine. Cette substance est une variante du 2,4-Toluyènediamine, interdit depuis les années 80 comme cancérogène. D'un point de vue chimique, le 2,5-Toluyènediamine employé est très proche de la substance interdite et un effet cancérogène ne peut pas être exclu. » Par contre, en ce qui concerne les produits testés en 2004 par *Öko-test*, on enregistre aussi une bonne nouvelle : le fait que les colorants soient testés à l'échelle européenne porte ses premiers fruits puisqu'on ne trouve plus, par exemple, de phénylediamine (PDA).

Entre-temps, un nombre non négligeable de consommateurs se détourne des produits faisant mention de précautions à prendre avant l'emploi car, à juste titre, ils interprètent cet avertissement comme signe de la présence de composants dangereux. Ils préfèrent se tourner vers les shampooings colorants que l'on considère comme plus inoffensifs.

Mais attention, les shampooings colorants sont souvent un loup déguisé en berger.

Les messages publicitaires (« enrichi de substances naturelles, au pouvoir soignant, formules douces, substances qui soignent le cheveu ») s'adressent surtout aux très jeunes femmes qui constituent la clientèle principale pour ce type de coloration. Mais il est vivement conseillé de regarder de plus près. Lorsqu'on utilise un shampooing colorant, on omet souvent de lire la notice d'accompagnement car il ne nous vient pas à l'idée que ce type de colorant puisse être aussi problématique qu'une « vraie » coloration. C'est pourtant le cas et l'avertissement sur la notice prouve bien que l'appellation est trompeuse.

Les composés contenant du plomb : autorisés malgré l'interdiction

Des millions d'hommes et de femme ne veulent plus subir leur destin et voir leurs cheveux grisonner. Ils représentent un marché juteux pour l'industrie des colorants, qui s'empresse autour d'eux pour les servir. Arme miraculeuse contre les cheveux gris, les produits contenant de l'acétate de plomb. En Allemagne, il existe depuis de nombreuses années une interdiction d'utiliser dans les cosmétiques des composés du plomb. Mais grâce à la Directive européenne sur les cosmétiques qui tolère son utilisation, l'industrie des produits de beauté peut continuer à employer l'acétate de plomb. Selon *Öko-test*, « Des études scientifiques montrent que l'acétate de plomb peut augmenter le taux de plomb dans le sang et s'est montré cancérogène dans les expériences sur des animaux ». (N° spécial 23, Cosmétiques, 1re partie, 1997).

La couleur obtenue avec les colorants qui se posent sur le cheveu et l'enrobent dépend de l'état initial du cheveu : sur un cheveu abîmé, la couleur prendra plus à la pointe qu'à la racine. Le colorant se combine à la teinte du cheveu pour donner une nouvelle nuance plus foncée. Pour obtenir une couleur plus claire que la couleur d'origine, il faut d'abord décolorer les cheveux.

Enfin active, l'UE se préoccupe des colorants

Le comité scientifique de la Commission européenne souhaite qu'à l'avenir, seuls des colorants non nocifs pour la santé soient utilisés. Cependant, cet objectif louable n'est pas encore devenu réalité, et de l'eau pourrait bien couler sous les ponts avant que les fabricants ne fassent tester leurs colorants et ne soumettent leurs résultats au comité scientifique. Reste à savoir aussi comment ces données vont être évaluées et si des décisions seront prises pour protéger efficacement le consommateur contre de graves effets secondaires.

Le journal allemand *Süddeutsche Zeitung* (du 5 avril 2005) relate que : « À Copenhague, une Danoise atteinte d'une maladie chronique due aux colorants veut, par un procès exemplaire, tirer au clair la responsabilité du fabricant. Ce procès unique en son genre serait très important pour tous les citoyens européens souffrant d'une allergie aux colorants », confie un porte-parole du Service de conseil aux consommateurs de Copenhague au journal *Politiken*. D'après l'article, le cas s'était déjà présenté auparavant, mais le fabricant avait payé des dommages et intérêts, et l'affaire n'était pas passée en justice. S'il est souhaitable que le procès de Copenhague fasse jurisprudence, l'expérience nous a montré que la procédure judiciaire pourrait bien durer des années.

Actuellement, un acheteur de colorants qui ne veut courir aucun risque n'a qu'une solution : en cas de doute, opter pour la santé. Tant que plane au-dessus des débats la phrase : « Nous ne sommes actuellement pas en mesure de nous prononcer de façon définitive sur les risques », il est préférable de se replier en terrain sûr, c'est-à-dire de renoncer au moins aux produits qui contiennent des amines aromatiques.

Risque de cancer du sein dû aux déodorants et aux parabènes ?

Dans les années 90, suite à une étude portant sur 437 femmes ayant survécu à un cancer du sein, se répandit la nouvelle que « les déodorants provoqueraient des cancers du sein ». Kris McGrath, chef du projet de recherche et responsable du département « Allergies et Immunologie » au St. Joseph Hospital de Chicago, venait en effet de publier le résultat de sa recherche : les femmes qui utilisent au moins deux fois par semaine des déodorants et se rasent au moins trois fois par semaine sont touchées environ 15 ans plus tôt par le cancer du sein que celles qui ni ne se rasent ni n'utilisent de déodorant.

Selon McGrath, l'une des explications plausibles est que les sels d'aluminium contenus dans les déodorants pourraient pénétrer dans le corps par la peau rasée et modifier l'ADN des cellules. Des expérimentations animales ont montré que les sels d'aluminium peuvent traverser le corps et parvenir jusqu'au cerveau, voire jusqu'au lait maternel.

Bien entendu, les recherches de McGrath déclenchèrent une levée de boucliers des fabricants d'antitranspirants, qui objectèrent que :
• si les expérimentations animales sont utiles pour avancer des hypothèses, elles ne peuvent constituer une preuve suffisante ;
• le nombre de patients sur lequel porte l'étude est trop faible et qu'il manque les groupes de contrôle réglementaires.

Une autre étude, publiée, elle, en 2002 et portant sur 1 600 femmes, arrive à la conclusion que l'utilisation de déodorants (que ce soit sur peau rasée ou non) ne peut être mise en corrélation avec le cancer du sein.

Une nouvelle série d'études britannique [6], publiée en 2004, indique qu'on a trouvé dans les

Les parabènes constituent un groupe de substances chimiques largement utilisées comme conservateurs dans l'alimentation, les produits cosmétiques et pharmaceutiques. Certains parabènes sont aussi retrouvés dans la nature à l'état de traces. « Parabènes » est le nom courant d'une classe de produits chimiques qui sont, cependant, connus sous d'autres dénominations comme « esters d'acide p-hydroxybenzoïc ». Le moyen le plus sûr de les identifier est de connaître leur n° CAS. Voici les principaux : benzyparabène (n° CAS 94-18-8) ; isobutylparabène (n° CAS 4247-02-3) ; butylparabène (n° CAS 94-26-8) ; n-propulparabène (n° CAS 94-13-3) ; éthylparabène (n° CAS 120-47-8) ; méthylparabène (n° CAS 99-76-3). *Source NICNAS (Department of Health and Aging Australian Government).*

tumeurs cancéreuses du sein des conservateurs (parabènes) dont on sait qu'ils imitent les estrogènes. Les parabènes sont utilisés comme conservateurs dans les sprays déodorants et de nombreux autres produits cosmétiques pour empêcher la détérioration par prolifération microbienne.

Comment le consommateur de cosmétiques peut-il se situer face à ces affirmations et contre-affirmations ? Comme il n'est pas en mesure de vérifier quoi que ce soit, il ne lui reste qu'à faire appel à son bon sens, et il a de quoi rester interloqué. En effet, d'un côté, l'étude de McGrath est contestée sous prétexte que les expérimentations animales ne peuvent constituer des preuves. De l'autre côté, dans le cas de l'étude sur les parabènes, on s'appuie justement sur des expérimentations animales pour prouver qu'ils ne sont pas dangereux. Selon les besoins, les expérimentations animales peuvent être ou non une preuve. Tout ceci est loin d'être convaincant.

Examinons les faits. Alors que les parabènes ont longtemps été classés dans les substances non toxiques, non mutagènes et non cancérogènes, de nouvelles recherches sur des systèmes cellulaires isolés (cellules cancéreuses du sein de l'être humain) montrent qu'ils peuvent se fixer sur les récepteurs d'estrogènes. Mais selon l'Action contre le Cancer d'Autriche, dans un communiqué de presse du 16 février 2004 : « La fixation du composé de parabène le plus actif (le butylparabène) est 10 000 fois plus faible que celle de l'hormone naturelle alors que le parabène méthylique, la substance la plus utilisée dans les cosmétiques, est environ 10 millions de fois plus faiblement active que l'hormone naturelle. » (d'après *Oestradio 1*).

La concentration anormalement élevée du parabène dans les tissus cancéreux (cancer du sein) – 20 ng de parabène par gramme de tissu, dont

12,8 ng/g de parabène méthylique – laisse penser qu'il pourrait s'agir d'une accumulation. Les détracteurs de cette interprétation rétorquent qu'il manque des données comparatives d'animaux et d'autres tissus humains.

En ce qui concerne le risque de cancer dû au parabène, l'Action contre le Cancer d'Autriche fait remarquer : « Parmi les études sur la cancérogenèse dont nous disposons, une seule mentionne une augmentation sensible des tumeurs mammaires chez les rats (Mason, 1971, d'après Kirschstein, 1973). Dans cette étude, on a injecté dans la peau du parabène méthylique deux fois par semaine pendant 52 semaines. Dans une étude comparable dans laquelle le traitement était d'une seule injection par semaine, sur un an, il n'est pas question de développement de tumeur (Kirschstein, 1973). Toutes les autres études portant sur une prise orale de la substance ne montrent pas de développement de cancer. »

Le Centre de recherche sur le cancer de Heidelberg et l'American Cancer Society des USA ont également mené des recherches portant sur la relation entre l'utilisation de déodorants et le risque de cancer du sein. Ils ont conclu à une absence de corrélation entre les deux phénomènes.

À quels résultats le consommateur peut-il se fier ? Il a l'embarras du choix : croire les affirmations selon lesquelles les déodorants et les parabènes sont inoffensifs ou choisir des produits ne contenant ni sels d'aluminium ni parabènes. Il est à noter que même l'Action contre le Cancer d'Autriche (*Krebshilfe Österreich)* conseille de renoncer aux parabènes, par prudence : « Il n'est pas possible d'évaluer le risque réel par manque d'éléments. Nous demandons donc, par mesure de précaution et pour minimiser les risques, de ne plus employer des parabènes pour les sprays ni dans tous les autres produits cosmétiques utilisés sur le torse. »

Le discours toujours rassurant des autorités...
La prise de position rassurante des autorités européennes et le communiqué, daté du 21/02/05, émanant de l'European Public Health Aliance : « Les experts européens n'établissent pas de lien entre les parabènes et le cancer du sein. »

Les filtres anti-U.V. :
un traitement hormonal involontaire ?

Depuis la publication de l'étude sur les filtres anti-ultraviolets menée par l'Institut de Pharmacologie et de Toxicologie de l'Université de Zürich, il est difficile de regarder (sans appréhension) les publicités qui montrent des enfants jouant au soleil avec insouciance. Ces scènes font passer le message que les produits solaires protègent les petits des conséquences néfastes du soleil des vacances. Personne n'aurait pu imaginer que ces produits de protection puissent eux-mêmes représenter un danger.

La peau claire des enfants est particulièrement sensible et doit être protégée du soleil. Mais il faut avant tout tenir compte du fait que c'est l'ensemble de l'organisme de l'enfant qui se trouve en plein développement et qui doit être protégé de toute influence néfaste pour sa croissance. Dans cette perspective, les résultats de l'étude suisse sont alarmants. Ils constatent que certains filtres anti-U.V. entrant dans la composition de produits solaires et de cosmétiques possèdent une activité estrogénique, les estrogènes étant des hormones sexuelles féminines.

D'après le *New Scientist Print Edition* d'avril 2001 [7]: « L'ensemble des 5 filtres anti-UVB testés : Benzophéone-3, Homosalate, 4-Methybenzylidène camphor (4-MBC), Octyl-methoxy-cinnamate et Octyl-dimithyl-PABA réagissent dans les tests de laboratoire comme des estrogènes, or ces derniers peuvent accélérer la croissance de cellules cancéreuses. »

Selon le numéro spécial « Petits enfants » d'*Öko-test* de 2005, deux des filtres cités plus haut (Benzophènone-3 et Octyl-methoxy-cinnamate) ont été détectés dans les produits de protection solaire pour enfants.

Que penser des résultats des scientifiques zurichois ? Un communiqué de presse de l'Université de Zürich, du 9 mai 2001, précise que : « Les résultats obtenus jusqu'à ce jour ne fournissent pas encore assez d'éléments pour permettre d'évaluer les risques. On ne peut pas en tirer de conclusions sur les risques de cancer ou de troubles de la croissance. Des recherches plus poussées seront nécessaires pour évaluer les risques de certains filtres anti-UV. »

En 2003, M. Schlumpf, W. Lichtensteiger et H. Frei (dir. d'édition) présentaient toutes leurs recherches dans un livre de 196 pages [8]. Qu'y apprend-on sur les effets des filtres anti-U.V. analysés ? Que nous y sommes doublement exposés : non seulement par la peau mais aussi par la chaîne alimentaire. En effet : « Ces composés se fixent facilement dans les corps gras, c'est pourquoi on les retrouve dans les aliments gras comme le poisson par exemple et dans le lait maternel. »

Depuis que l'on a détecté des filtres anti-U.V. dans le lait maternel (en 1995 déjà) et dans les poissons en 1997, les scientifiques zurichois ont analysé des substances en vue de leur effet hormonal potentiel. Voici les grandes lignes de leurs conclusions (page 116 du livre) :

• « Différents filtres anti-U.V. fréquemment employés déclenchent une activité de type hormonal ;

• l'étude toxicologique concernant l'utilisation du filtre anti-U.V. 4-MBC pendant la croissance montre que cette substance peut agir sur le développement de l'axe hypothalamus-hypophyse-gonades, aussi bien au niveau du cerveau qu'au niveau des organes reproducteurs (testicules et ovaires) et peut les modifier ;

• comme on les emploie de plus en plus dans les produits cosmétiques (augmentation de l'indice de protection, utilisation comme conservateurs), il faudrait tenir compte des conséquences de l'introduction de ces substances dans l'environnement et de leur accumulation dans la chaîne alimentaire (poissons et lait maternel). »

Même si, comme cela est souvent le cas, on ne peut pas encore tirer de conclusion définitive sur l'action globale, voyons les enseignements que tire le Dr M. Schlumpf des recherches sur certains filtres anti-U.V. dans les crèmes solaires. Notre expert se prononce pour un « code de bonne conduite », un changement de mentalité afin que l'être humain et son environnement soient protégés. La clé de voûte de ce code de conduite serait une modification des comportements menant à une réduction substantielle de l'utilisation des produits de protection solaire.

À la plage, les vacanciers qui passent leur temps à entrer et sortir de l'eau, et qui appliquent du produit solaire à chaque fois, laissent la moitié de ce produit dans l'eau de baignade, polluant la nature, mais aussi l'homme par l'intermédiaire de la chaîne alimentaire (la consommation de poissons pollués expliquant comment les polluants se retrouvent dans le lait maternel).

Trouver d'autres moyens de se protéger des méfaits du soleil permet d'économiser de l'argent (car les produits solaires ayant un indice de protection élevé sont chers), de ne pas prendre de risque de santé et de réduire la pollution. Le Dr. Schlumpf préconise de « se couvrir la peau au maximum, quand on fait un jogging par exemple » et de ne passer de crème solaire que sur les parties restantes.

Alors, les bains de soleil tant appréciés sont-ils désormais tabous ? Pas du tout, mais se faire rôtir trop longtemps sous un soleil brûlant représente une terrible agression pour la peau. Et si celui qui profite du beau temps à l'ombre d'un parasol ou d'un arbre bronze moins vite, son bronzage sera plus durable, plus beau et moins nocif. Et côté produit solaire, l'économie est substantielle !

Même si le comité consultatif de la Commission européenne en matière de produits cosmétiques (SCCNFP – Comité scientifique pour les produits cosmétiques et les produits non alimentaires) n'exprime aucun doute en ce qui concerne les filtres anti-U.V. et la santé, il semblerait que certaines questions restent posées. En 2001 et 2003, par exemple, il a indiqué que les filtres solaires en question n'avaient pas d'effet estrogènique pouvant porter atteinte à la santé des utilisateurs. Mais comment expliquer alors, si cette affirmation repose sur des résultats scientifiquement reconnus, qu'il y ait encore des programmes européens de recherche pour clarifier la situation ?

Le consommateur attend en vain des réponses claires concernant les filtres anti-U.V. de synthèse. Le marché des cosmétiques propose comme solution alternative des produits contenant des filtres minéraux. On ne les trouve plus seulement chez de petits producteurs de produits naturels mais aussi dans la crème solaire pour bébé d'une marque mondialement connue : Nivea. Mais même ces produits ne justifient pas les bains de soleil excessifs. Pour garder la santé et avoir une belle peau, il faut s'exposer modérément. C'est en tout cas le meilleur moyen de profiter du soleil sans avoir à le regretter.

Malheureusement, dans les produits de soin pour le visage aussi, la présence de filtres anti-U.V. de synthèse est de plus en plus fréquente. Les slogans publicitaires promettent une protection accrue et les fabricants présentent ce « plus » comme un avantage pour l'utilisateur. Étant donné les résultats problématiques de la recherche, concernant les filtres employés, il serait préférable de parler de risque plus élevé. Et ce risque est fa-

Une chemise à manches longues, un chapeau à large bord, des sorties et activités de plein air programmées avant 11 h ou après 16 h, la consultation de la météo solaire en été qui donne un indice de l'intensité du rayonnement... sont autant de moyens simples d'éviter les expositions solaires à haut risque.

cile à éviter car les filtres anti-U.V. sont totalement inutiles dans les crèmes pour le visage. Dans la vie quotidienne, rien ne justifie leur présence. Quant à ceux qui s'exposent plus intensément au soleil ou font de la randonnée en montagne, ce n'est pas une crème de jour, même avec filtre, qui peut les protéger mais une vraie protection solaire (vêtements appropriés, protection de la tête, produit solaire).

Les éthers de glycol

La raison pour laquelle le sujet des éthers de glycol fait autant de vagues en France depuis des années est également mise en avant par le destin d'enfants handicapés, marqués à vie. Est-ce que ce sont des victimes des éthers de glycol ? Est-ce que le fait que la mère ait été exposée aux éthers de glycol a provoqué les terribles maladies et malformations de ces enfants ?

Depuis le début de l'année 2005, les procès autour de l'évaluation du risque pour la santé des éthers de glycol ont de nouveau jeté la lumière sur un problème brûlant, qui existe néanmoins depuis des années. Ce problème n'est toujours pas résolu, on peut donc tout à fait le catégoriser comme « scandale ».

Des composants appartenant aux groupes des éthers de glycols sont toujours utilisés également dans les produits cosmétiques.

➢ Que sont les éthers de glycol ?

Les éthers de glycol (EG) sont des solvants dérivés soit de l'éthylène, soit du propylène : on parle, selon le cas, de la série « E » ou de la série « P ». Ils sont présents dans une très large gamme de produits de consommation courante (produits ménagers, peintures, vernis, colles, agents d'entretien de la voiture, désodorisants, produits cosmétiques et médicaments…). Cette famille de substances regroupe plus de 80 dérivés, mais environ 40 seulement ont donné lieu à une exploitation industrielle. La raison pour laquelle on utilise autant d'éthers de glycol dans les peintures et laques, vernis et vitrificateurs, décapants, dégraissants, fluides de coupe, produits d'entretien, phytosanitaires et cosmétiques, s'explique grâce à leurs propriétés. Ils sont « amphiphiles », c'est-à-dire qu'ils sont solubles à la fois dans l'eau et dans les graisses, ce qui leur confère des propriétés intéressantes pour les formulateurs de l'industrie. On les retrouve essentiellement dans les produits dits « à l'eau », car ils permettent la solubilisation de produits organiques dans les matrices aqueuses.

LE MARCHÉ DES ÉTHERS DE GLYCOL

Le marché européen des éthers de glycol a représenté environ 400 000 tonnes en 2000 : la production européenne est estimée entre 350 000 tonnes par an (source : CEFIC/OSPA) et 500 000 tonnes par an (source : SICOS, qui distingue 300 000 tonnes pour la série E et 200 000 tonnes pour la série P). En France, la proportion a fortement évolué en faveur de la série P (18 000 tonnes pour la série E et 21 000 tonnes pour la série P), de manière plus nette que dans les autres pays européens. L'usage professionnel de l'EGME, de l'EGEE et de leurs acétates a chuté de 90 % en France depuis 1992 ; les deux seuls producteurs français ont cessé leur production en 2002.

Source: www.sante.gouv.fr/htm/pointsur/ethersglycol (01.07.05)

> ## Les risques sont connus depuis longtemps

En France, les éthers de glycol font scandale depuis des années, ce qui n'est pas le cas en Angleterre ou en Allemagne. Mais ce débat n'a pas lieu uniquement en France ; au Canada et aux USA on mène également des discussions virulentes au sujet des risques des éthers de glycol.

L'utilisation des éthers de glycol n'a pas été sujette à controverse jusqu'en 1970.

Des scientifiques du monde entier (Suisse,

Mexique, Japon, USA/Californie) ont, en revanche, trouvé des résultats alarmants entre 1971 et 1982. Les études qu'ils fournissaient indiquaient clairement un lien entre les éthers de glycol et des malformations chez des enfants dont la mère avait été exposée aux éthers de glycol. Il était nécessaire d'agir et de réagir rapidement.

Il fallait néanmoins attendre 10 ans avant que la communauté européenne ne décide de classer quatre molécules de la série E dans la catégorie « toxiques avérés chez l'animal ». L'ignorance des autorités face à des problèmes identifiables et la lenteur des processus de décision font monter les consommateurs au créneau, et pour cause. Des actes plus déterminés et rapides auraient pu éviter à des millions de personnes l'exposition aux éthers de glycol et leurs risques pour la santé.

➢ Quelle est la toxicité des éthers de glycol ?

Voici la question essentielle, qui n'a pas encore été éclaircie de manière complète. Un communiqué officiel décrit la situation actuelle de la manière suivante :

Lundi 3 janvier 2005, s'est tenue à Paris la première audience de plaidoirie du procès d'une mère qui a été exposée à des éthers de glycol, à l'encontre de son ex-employeur. L'Association des victimes d'éthers de glycol (Aveg) soutient les victimes.

« Il est très difficile de décrire la toxicité des éthers de glycol car chaque dérivé possède des propriétés particulières qui lui confèrent une toxicité propre. La différence de métabolisme, c'est-à-dire la transformation dans l'organisme entre les éthers de glycol est un élément clé pour expliquer les différences de toxicité. Les aldéhydes et acides, métabolites de certains éthers de glycol, semblent responsables de la plupart de leurs effets toxiques, tout particulièrement de leur toxicité pour la reproduction. De manière générale, certains éthers de glycol (environ 15) sont irritants et certains (9) possèdent une toxicité sur la fonction de la reproduction ; toutefois ces derniers ne sont plus que très faiblement, voire plus du tout, utilisés. »

Source: www.sante.gouv.fr/htm/pointsur/ethersglycol (01.07.05)

ABRÉVIATIONS

- EGEE : Ethylene Glycol Ethyl Ether / 2-éthoxyéthanol
- EGME : Ethylene Glycol Methyl Ether / 2-méthoxyéthanol
- EGDME : Ethylene Glycol Dimethyl Ether / 1,2 diméthoxyéthane
- EGBE : Ethylene Glycol n-Butyl Ether / 2-butoxyéthanol
- DEGDME : Diethylene Glycol Dimethyl Ether / oxyde de bis (2-méthoxyéthyle)
- TEGDME : Triethylene Glycol Dimethyl Ether / 2,5,8,11-tétraoxadodécane
- 1PG2ME : 1-Propylene Glycol 2-Methyl ether / 2-méthoxy-1-propanol (isomère ß)
- 2PG1ME : 2-Propylene Glycol 1-Methyl Ether / 1-méthoxy-2-propanol (isomère a)
- DEGME : Diethylene Glycol Methyl Ether / 2-(2-méthoxyéthoxy) éthanol

> ## La raison pour laquelle les éthers de glycol sont si dangereux

Les éthers de glycol passent à travers la peau dix fois plus facilement que la plupart des autres solvants. Ils sont absorbés de façon plus importante par une peau humide (c'est évidemment le cas lorsqu'on utilise un gel-douche, un shampooing, ou encore une crème après la toilette du corps ou du visage). Contrairement aux idées reçues, les éthers de glycol pénètrent plus rapidement lorsqu'ils sont dilués (des concentrations relativement faibles en valeur absolue, dans un produit, peuvent conduire à une pénétration conséquente). Enfin, leur pénétration peut se trouver majorée lorsqu'ils sont associés à d'autres solvants comme le propylène glycol très souvent présent dans les formulations de cosmétiques.

> ## Le long combat pour une interdiction des éthers de glycol

En 1997, l'utilisation de 4 composants de la série E dans les produits cosmétiques a été interdite en France. Ces composants ont été remplacés par d'autres composants de la série P.

En 1999 une expertise de l'Institut National de la Santé et de la Recherche Médicale (Inserm) se conclut par une série de recommandations. Il comporte 4 types de mesures.

- La réglementation relative à la protection des travailleurs a été renforcée vis-à-vis des agents cancérogènes, mutagènes ou toxiques pour la reproduction. Elle couvre les 9 éthers de glycol classés reprotoxiques et elle est désormais la plus contraignante d'Europe. Elle impose en particulier l'obligation de substituer ces agents par des agents non ou moins dangereux, lorsque c'est techniquement possible. Il est en outre interdit d'exposer des femmes enceintes ou allaitantes aux agents toxiques pour la reproduction et les mesures garantissant la rémunération des femmes concernées ont été prises.
- Dans un souci constant d'efficacité, des mesures d'accompagnement et de contrôle sont menées.
- La révision de classification européenne de plusieurs éthers de glycol a été effectuée, après un important travail technique complémentaire (si certains ont été classés en catégorie 2 ou 3, d'autres n'ont pas donné lieu à une classification) et l'évaluation des risques de 4 éthers de glycol, dans le cadre de la réglementation européenne, a été entreprise par la France.
- D'autres travaux de recherche ont été suscités. Le ministère du Travail finance, depuis 2001, deux études épidémiologiques sur les éthers de glycol en milieu professionnel réalisées par l'Inserm, pour évaluer le risque d'anomalies du développement intra-utérin chez les femmes exposées aux éthers de glycol pendant la grossesse et mesurer les conséquences de l'exposition sur la fertilité masculine. Il a demandé à l'INVS de coordonner la veille scientifique sur le sujet.

Source : http://www.sante.gouv.fr/htm/pointsur/ethersglycol/

Un rapport du Centre de toxicologie et d'écologie de l'industrie chimique européenne avait déjà précisé, en 1983, que la série E des éthers de glycol pouvait avoir des effets délétères sur l'embryon. Ce rapport a été traduit en français la même année et publié dans la revue de l'Institut de recherche et de sécurité au travail (INRS). Une interdiction plus rapide aurait pu préserver la santé d'un grand nombre de personnes.

Allant au-delà des recommandations de l'expertise collective de 1999, une réglementation renforcée a été mise en œuvre par le ministère chargé du travail par l'adoption du décret du 1er février 2001 relatif à la protection des travailleurs exposés à des agents cancérigènes, mutagènes ou toxiques pour la reproduction (ou agents CMR).

« Cette réglementation est désormais, se vantent les autorités concernées, la plus contraignante en Europe. » Le problème des éthers de glycol ne peut, par contre, pas être considéré comme classé, car le consommateur reste toujours exposé aux éthers de glycol.

LES ÉTHERS DE GLYCOL LES PLUS DANGEREUX

À ce jour, 9 éthers de glycol de la série E sont classés « Toxiques pour la reproduction de catégorie 2 » suivant la classification européenne des produits chimiques dangereux (c'est-à-dire que des effets ont été démontrés chez l'animal et une toxicité est probable pour l'espèce humaine). Il s'agit de l'EGEE, de l'EGME, de leurs acétates (EGEEA et EGMEA), de l'EGDME, du DEGDME et du TEGDME, la plupart d'entre eux n'étant actuellement plus commercialisés. Par ailleurs, un dérivé de la série propylénique, le 1PG2ME (isomère bêta) et son acétate (1PG2MEA), sont également classés reprotoxiques de catégorie 2 mais il s'agit d'une impureté produite lors de la synthèse du 2PG1ME et présente en très faible quantité. Rappelons qu'aucun éther de glycol ne fait partie de la catégorie « Toxique pour la reproduction de catégorie 1 », la seule pour laquelle il y ait des preuves certaines d'effets chez l'homme (« toxique pour l'espèce humaine »). Un éther de glycol a été classé « toxique pour la reproduction » de catégorie 3 (« toxicité possible pour l'espèce humaine », il s'agit du DEGME. Une quinzaine d'autres éthers sont classés dans les catégories « nocif » ou « irritant ».

Source : www.sante.gouv.fr/htm/pointsur/ethersglycol (01.07.05)

➢ **Il est encore beaucoup trop tôt pour signaler la fin de l'alerte**

Malgré les restrictions d'usage, les éthers de glycol Ethoxydiglycol (INCI), Phenoxyethanol (INCI), Butoxyethanol (INCI) ou 2-Butoxyethanol et Butoxydiglycol (INCI) ou 2-(2-Butoxyethoxyethanol) sont toujours utilisés.

Ethoxydiglycol comme solvant dans des crèmes pour le visage ou le corps, reste présent dans beaucoup de produits de soin (maquillage/ démaquillage, traitements capillaires, certains parfums et eaux de toilette…), le Phenoxyethanol comme conservateur (soins du visage, crèmes pour le corps, produits de maquillage/ démaquillage, gels douche, produits capillaires à usage grand public et professionnel…), le Butoxyethanol et Butoxydiglycol dans des colorations capillaires.

➢ **Les consommateurs ne seront jamais assez prudents**

Est ce que ces éthers de glycols – autorisés – sont sûrs ?

Malgré les affirmations de l'industrie : des doutes subsistent.

Si ces éthers de glycol étaient sûrs, les mises en gardes émises actuellement par les autorités concernées seraient inutiles. « À l'heure actuelle – on informe le consommateur – il est très difficile de savoir si un produit donné contient des éthers de glycol et lesquels, à partir de l'étiquetage. Les précautions à prendre sont les mêmes pour la plupart des produits chimiques :

- le port de gants est toujours recommandé pour toute manipulation de produits chimiques,
- concernant l'application de peintures ou de vernis, il est recommandé de bien aérer les locaux,
- les femmes enceintes doivent éviter dans la mesure du possible de s'exposer aux produits

chimiques, que ce soit par voie cutanée ou respiratoire, et ce surtout de façon répétée ou prolongée.

Par ailleurs, des pictogrammes de risque réglementés figurent sur les emballages, il faut les lire et en tenir compte. »

Source : www.sante.gouv.fr/htm/pointsur/ethersglycol (01.07.05)

Est-ce que l'on peut déduire de ces avertissements que les produits cosmétiques, qui détiennent des éthers de glycol, représentent un danger ? Non. Ces mises en gardes en disent néanmoins long. Elles indiquent clairement que les éthers de glycols sont nocifs pour la santé. Si les éthers de glycols ne l'étaient pas, les précautions seraient superflues.

➤ Les industries de la parfumerie défendent les éthers de glycol

La Fédération des industries de la parfumerie défend l'utilisation des 4 éthers de glycol cités ci-dessus avec deux arguments :

1. Ils seraient tous autorisés par les législations européenne et française.

2. Certains éthers de glycol utilisés en quantités importantes, comme le butyglycol, ne sont pas considérés comme cancérigènes par l'Organisation mondiale de la santé, l'Union européenne et le Centre international de recherche sur le cancer.

Les 9 éthers de glycol, par exemple, qui sont aujourd'hui catégorisés comme « Toxique pour la reproduction de catégorie 2 » étaient autorisés jusqu'au milieu des années 90.

L'Agence française de sécurité sanitaire des produits de santé (Afssaps) a procédé en août 2003 à une « réévaluation » de ces quatre substances. Elle a formellement confirmé que, utilisées conformément aux règles en vigueur, elles étaient sans danger pour les consommateurs.

Comme le montre l'exemple de l'interdiction par la Communauté européenne de certains composants plastifiants qui assouplissent des matières plastiques dans les jouets pour enfants (tétines, jouets pour le bain, etc.), les consommateurs sont toujours exposés à de nombreuses substances nocives. Il a fallu attendre 8 ans avant que les dangereux phtalates soient enfin interdits. Un changement radical serait nécessaire pour éviter de réagir uniquement quand des personnes ont déjà été exposées pendant des années à des substances toxiques.

« Utilisées conformément aux règles en vigueur ». On ne peut pas déduire de cette phrase que les 4 éthers de glycols sont sans risque d'un point de vue toxicologique. Le développement des 20 dernières années au sujet de l'évaluation toxicologique des éthers de glycol donne raison à une vision critique de ces affirmations. Le consommateur a heureusement le choix ; il peut décider ce qu'il achète. La déclaration des composants d'un produit indique s'il s'agit d'un produit avec ou sans éthers de glycol.

➢ **En cas de doute, toujours opter pour la sécurité**

Chacune des études mentionnées ci-dessus peut faire douter, ou peut susciter des critiques, mais elles permettent toutes de tirer la conclusion suivante : il est grand temps de protéger le consommateur des substances dont les effets ne sont pas suffisamment étudiés et évalués.

Les filtres anti-U.V. qui agissent comme des hormones et que nous consommons involontairement en croyant déguster un délicieux poisson, ou les bébés qui ingurgitent une « petite dose » de filtre anti-UV au moment de la tétée, sont des perspectives qui ont de quoi nous mettre très mal à l'aise. Compte tenu de la présence d'autres polluants posant déjà problème dans notre environnement, une contamination supplémentaire par l'intermédiaire des produits de beauté n'est sûrement pas ce que le consommateur s'attend à avoir pour son argent.

Face à cette situation, les consommateurs de produits cosmétiques ne seront jamais assez méfiants, et nous allons voir pourquoi. On ne peut pas vraiment compter sur la protection du législateur puisqu'il autorise, encore et toujours, dans les tubes et petits pots de crème, des substances qui ne sont rien moins que bénignes. Qu'il le veuille ou non, le consommateur se retrouve dans la posi-

tion de cobaye pour une multitude de substances
fabriquées en laboratoires et utilisées dans les
cosmétiques.

CHAPITRE VI

Les cosmétiques naturels

Qu'est-ce qui différencie les conceptions des fabricants de produits naturels de celles de l'industrie cosmétique classique ? Si la différence se résumait à « composants naturels versus composants chimiques », la question serait rapidement élucidée. Mais les choses ne sont pas si simples.

Au commencement était l'alchimie

A priori, rien ne justifie la mauvaise réputation de la chimie, définie par le dictionnaire comme « science de la constitution des corps gazeux, liquides et solides, de leur structure et des transformations qu'ils peuvent subir ». Le domaine des soins de la peau et du corps ne peut pas se passer de la chimie, bien au contraire, puisqu'il s'agit justement de préserver la saine « chimie » de la peau.

C'est à son précurseur, l'alchimie, que la chimie doit de nombreux procédés et découvertes, comme la fusion, l'alliage, la distillation, la filtration ou la coloration des substances, pour ne citer que quelques unes de ces opérations. Toutes les formes de médecine ainsi que la cosmétologie naturelle puisent leurs racines à la fois dans l'alchimie et la chimie.

Depuis les temps les plus reculés, l'être humain, animé par un esprit de recherche concernant, entre

Grâce à la chimie, il est possible de transformer du sucre de bois, issu de déchets de scieries, en alcool de sucre pour cosmétiques ou même en arôme valable de fraises.

autres, sa santé et sa beauté, a découvert dans la nature quantité de substances actives dont il a su tirer profit en variant les procédés, les dosages et les combinaisons. Quelle évolution entre les débuts chimiques, mais naturels, de la cosmétologie, et la conception des produits de soins haute technologie du 20e siècle – deux périodes que des milliers d'années séparent ?

Alors pourquoi vouloir revenir en arrière, nous dira-t-on ? Les allergiques le savent bien, eux qui ont perdu confiance en de nombreux composants modernes responsables de leurs maux. Mais ils ne sont pas les seuls à chercher une alternative aux produits cosmétiques conventionnels. Beaucoup de gens dont l'équilibre naturel de la peau a été détruit par les cosmétiques savent en tirer les conséquences. Leur retour à la nature est le signe d'une perte de confiance en un soi-disant progrès, dont les effets néfastes et secondaires sont désormais considérés comme plus graves que les bienfaits qu'il faisait miroiter.

Une approche holistique de la cosmétologie et non une simple cosmétologie des symptômes

Après des décennies de croisade victorieuse, où la chimie – en l'espace d'un siècle – a offert au monde 60 000 substances synthétiques, 50 000 insecticides et engrais, 30 000 médicaments chimiques, et un arsenal phénoménal de produits de soins corporels les plus divers, les années soixante-dix/quatre-vingt ont vu renaître, dans tous les domaines, les concepts de « nature » et de « protection de la nature ». Et, bien entendu, la cosmétologie fut l'une des premières concernées.

On devrait juger les cosmétiques à leur capacité de stimuler les fonctions naturelles de la peau et à leur pouvoir de la régénérer. En effet, plus la peau

Dans le courant des années 1970 et 1980, la mouvance écologique et biologique a œuvré en faveur d'une véritable prise de conscience. Cette mouvance est également le point de départ pour de nombreux fabricants de cosmétiques naturels.

Le Petit Larousse donne d'holistique la définition suivante : « qui se rapporte à l'holisme ». Holisme : (du gr. Holos, entier). En épistémologie ou en sciences humaines, doctrine qui ramène la connaissance du particulier, de l'individuel à celle de l'ensemble, du tout dans lequel il s'inscrit.

peut compter sur elle-même, mieux elle se porte. Or, de nombreux cosmétiques ne permettent pas d'avoir une peau en bonne santé car ils ne traitent que les symptômes apparents au lieu de s'attaquer à la racine des problèmes.

Une peau sèche, par exemple, sur laquelle on appliquerait quotidiennement et depuis le plus jeune âge une crème grasse, serait saturée et donc paresseuse. La peau s'habitue à un apport extérieur de graisse et cesse d'en produire elle-même. Elle s'assèche de plus en plus et devient dépendante des apports extérieurs. Il est beaucoup plus judicieux d'avoir recours à des préparations qui permettent à la peau de remplir elle-même son rôle.

Le mot « cosmétique » vient du grec « kosmein » qui signifie mettre de l'ordre, harmoniser. « Cosmos », dans le sens d'univers, de système qui englobe tout, a la même racine étymologique. Ces définitions montrent à la cosmétologie naturelle la voie à suivre pour atteindre son objectif, qui est de maintenir les choses en ordre, voire de rétablir l'ordre des choses, dans une conception holistique des problèmes : agir à la fois de l'intérieur, en menant une vie saine, et de l'extérieur, par l'intermédiaire de préparations cosmétiques stimulant le métabolisme de la peau, le but étant de favoriser et optimiser ses fonctions essentielles.

Les esthéticiennes entendent de plus en plus fréquemment leurs clientes se plaindre : « Je n'avais jamais eu de problèmes de peau avant, mais aujourd'hui je ne supporte plus rien ! » Et de nos jours, qui dit « peau à problèmes » n'évoque généralement pas une peau à boutons ou à comédons, mais une peau hypersensible à tendance allergique.

En matière d'acné par exemple, les personnes qui se sont soignées des années durant avec des produits très agressifs souffrent souvent de graves irritations de la peau. Or, bon nombre de gens

Une maxime populaire estime « qu'à 40 ans, on a le visage que l'on mérite. » Ce n'est certainement pas très flatteur, mais révèle une certaine vérité. Le visage de chacun reflète les expériences marquantes et les convictions profondes face à la vie.

Quand on demande à des top models ou d'autres beautés de dévoiler leurs secrets de beauté, elles dévoilent souvent des recettes étonnamment simples. Leurs armes secrètes sont par exemple : boire beaucoup d'eau minérale, des rinçages au lait, suffisamment de sommeil et des activités en plein air.

ayant des problèmes cutanés sont persuadés qu'un traitement drastique s'impose. Les esthéticiennes ont du mal à faire passer l'idée que moins on intervient, mieux on accompagne le processus réparateur de la peau.

Il semblerait que, même en matière de produits de beauté, « l'arme chimique » soit encore considérée comme la plus efficace : entre une crème naturelle aux amandes et un produit de haute technologie, c'est souvent ce dernier qui l'emporte. Cependant, une fois la confiance rétablie, même les gens atteints d'affections graves de la peau (comme la névrodermite) sont vite convaincus, car la nature, contrairement aux produits conventionnels, leur offre des produits utilisables à long terme. La simplicité n'est pas une faiblesse mais constitue, au contraire, la grande force des cosmétiques naturels.

Qu'entend-on par cosmétiques naturels ?

Les ingrédients des cosmétiques naturels sont principalement des composants familiers, bien connus, utilisés en phytothérapie dans nos contrées, mais aussi dans d'autres cultures du monde. Cette forme de cosmétologie s'appuie sur les richesses naturelles : à elle seule, une substance active végétale peut se composer de 50 éléments de base. Devant un tel miracle de la nature, la chimie est forcée de jeter l'éponge devant son incapacité à reproduire une telle complexité. Et d'ailleurs pourquoi vouloir le faire alors que l'on a déjà ce qui convient à portée de main ?

L'avantage des substances naturelles tient à leur nature. Sur la peau, une huile végétale naturelle, par exemple, se comporte très différemment de la paraffine employée dans les cosmétiques d'usage courant. Cette dernière est une huile minérale dérivée du pétrole. Or, les huiles minérales, constituées de chaînes d'hydrocarbures sans molécule d'oxygène, sont résistantes aux transformations par des processus vitaux et ne peuvent être assimilées par l'organisme humain.

Les huiles végétales, en revanche, proviennent de graines et de fruits. Produites sous l'action de la chaleur et de la lumière, elles sont le résultat d'un processus biologique. Par conséquent, elles favorisent les processus vitaux de la peau. Elles lui conservent sa souplesse et facilitent la formation du film naturel qui la protège. De plus, elles créent une saine enveloppe chaude autour du corps.

On est en droit d'attendre une excellente qualité des matières premières utilisées dans la fabrication des produits cosmétiques naturels. Malheureusement « naturel » et « bio » ne sont pas toujours synonymes de « bon » et « sans risque ». Au grand dam des consommateurs, certains fabricants de cosmétiques surfent sur la vague du naturel alors que leurs produits sont tout sauf naturels.

Qu'entend-on par qualité d'un produit de beauté naturel ? Les trois principaux critères sont :

- la nature des substances employées ;
- la pureté des matières premières ;
- les vertus réparatrices du produit.

Entrent aussi en ligne de compte d'autres critères, indépendants du produit lui-même, comme l'emballage, l'aspect écologique de la fabrication et la question de l'expérimentation sur les animaux.

La philosophie sous-jacente

En principe, les fabricants de produits de beauté naturels sont plus que de simples producteurs de crèmes et de lotions, et la grande majorité d'entre eux sont animés de convictions profondes et d'un grand engagement. Voici quelques exemples parmi bien d'autres pour nous faire comprendre qui sont ces concepteurs de produits

La recherche de substances bénéfiques pour la peau dans la nature représente souvent un équilibre précaire. Car ce qui est favorable à la beauté peut être nuisible à l'environnement. Le rhassoul par exemple est une base lavante parfaitement protectrice de la peau, mais les réserves naturelles du rhassoul sont limitées. C'est pour cela que le rhassoul ne devrait pas être exploité en trop grande quantité

de beauté naturels, sachant que chaque entreprise a sa propre histoire, son propre style. Le laboratoire Logona, par exemple, a été fondé par le naturopathe Hans Hansel, en 1977. Très rapidement, elle développa elle-même les formules de ses produits qu'elle fabriquait à partir d'huiles et de plantes naturelles sans conservateur de synthèse.

Derrière les 400 produits que Logona propose aujourd'hui, se retrouve toujours la même philosophie.

- La formulation et la fabrication des produits cosmétiques tiennent compte de critères de qualité très exigeants. Ces produits contiennent uniquement des matières premières naturelles (huiles végétales, graisses et cires, extraits de plantes et eaux florales, huiles essentielles et arômes), provenant essentiellement de l'agriculture biologique contrôlée (AB) ou de cueillettes sauvages.

- Tous les extraits de plantes utilisés sont obtenus sur place dans une unité d'extraction à ultrasons spécialement conçue pour l'entreprise.

- Logona est aussi l'une des premières marques ayant développé un savoir faire concernant la fabrication de produits de beauté sans conservateurs de synthèse.

La production des extraits : comment obtenir la meilleure qualité ?

Les extraits, ou drogues, jouent un rôle décisif en cosmétologie naturelle. Ils sont à la fois la base et « l'âme » de la plupart des produits. Dans la profession, le terme de drogues est employé pour les extraits de plantes. Comme ces derniers sont un des piliers de la cosmétologie naturelle, les fabricants ont développé des procédés spécifiques d'extraction. H.-J. Weiland-Groterjahn, ingénieur en technologie des cosmétiques et directeur du département scientifique de la Sarl Logocos précise : « Ces procédés ont été rôdés au fil des années et constituent souvent la colonne vertébrale de l'entreprise. » Ces préparations liquides prennent des formes différentes : les décoctions (obtenues en faisant bouillir), les infusions (par trempage dans un liquide bouillant) et les macérations. En voici quelques exemples.

Processus d'extraction de Logocos (Logona + Sante)

On utilise une unité d'extraction spécialement conçue pour l'entreprise et dans laquelle les plantes séchées sont extraites grâce à un mélange éthanol-eau. Les drogues sont brassées avec le solvant pendant 6 à 8 heures tout en étant soumises à des ultrasons à intervalles réguliers. Ensuite, les matières restantes sont pressées et la solution saturée est filtrée. Le soluté obtenu est mis au frais.

Processus d'extraction chez Wala (Dr. Hauschka)

Pour obtenir ses essences, Wala utilise des plantes broyées provenant de son propre jardin biodynamique ou de cueillettes sauvages contrôlées. Une fois triturées, on laisse macérer les plantes dans un récipient.

Côté extraits huileux, les plantes médicinales séchées sont placées dans de l'huile d'olive ou de l'huile d'arachide. Ces extraits huileux sont chauffés à 37°C et maintenus à cette température durant une semaine. Ils sont brassés matin et soir. Lorsque le processus est arrivé à sa fin, la mixture est pressée et la solution filtrée.

Processus d'extraction chez Weleda

Pour ses cultures de plantes médicinales, Weleda suit les préceptes de la biodynamique. En ce qui concerne les cueillettes sauvages, la firme prend garde à la sauvegarde des espèces et respecte toutes les règles écologiques et de protection de la nature.

Les plantes fraîches sont soigneusement triées, nettoyées et broyées avant d'être déposées dans un pot de terre, dans un mélange d'eau et d'alcool.

Ce mélange reste quatre semaines dans le pot, puis la teinture obtenue est pressée à l'aide d'un pressoir spécial avant d'être filtrée.

La philosophie anthroposophique du Dr Rudolf Steiner a donné naissance à une constellation de trois entreprises de produits de soins qui peuvent s'enorgueillir d'une solide tradition : Wala, Weleda et Speick. « Qu'est-ce que la vie ? » demandait en 1924 le chimiste Dr Rudolf Hauschka. Et Rudolf Steiner, père de l'anthroposophie, de répondre : « Étudiez les rythmes, c'est le rythme qui porte la vie ». En 1935, le Dr Hauschka suivit la doctrine de R. Steiner, selon laquelle c'est le rythme qui porte toute vie, en créant la SARL Wala, une firme de remèdes et soins naturels. Pendant vingt-sept ans, il mit toute son énergie dans ses recherches pour trouver un moyen de concevoir des produits thérapeutiques à base de plantes sans utiliser d'alcool pour l'extraction.

« Ce n'est pas au patient que l'alcool nuit, mais à la qualité du produit », écrivait R. Hauschka

Rudolph Steiner, le fondateur du mouvement de l'anthroposophie, est né en 1861 en Croatie et fut un excellent chercheur, spécialisé dans l'œuvre de Goethe et d'autres écrivains philosophes. De 1889 à 1896, il fut l'éditeur de publications scientifiques au sujet de Goethe et rédigea des articles tels que *La philosophie de la liberté ; Le christianisme en tant que fait mystique* ou *Théosophie : les questions essentielles de la question sociale.*

dans son traité sur les remèdes (*Heilmittellehre*). « Si l'on essaie d'aller au fond du problème, on remarque très vite que, dans la pratique, il s'agit d'un problème de conservation », disait-il. Un problème encore tout à fait d'actualité ! Ce scientifique d'inspiration anthroposophique cherchait des solutions « pour réussir à consolider un complexe vivant de manière à ce qu'il ne se dissocie pas et ne puisse former un substrat pour les micro-organismes. »

La tentative fut couronnée de succès. Le Docteur Hauschka mit au point un procédé pour obtenir des extraits de végétaux dans de l'eau de source pure, sans alcool ni autres types de conservateurs. Les extraits clairs gardent leur fraîcheur pendant sept ans environ, même à l'état pur, sans que leurs propriétés ne soient altérées. La transformation manuelle des plantes prend sept jours et respecte des processus soumis à un certain rythme.

Weleda, fondée en 1921, et Speick fondée en 1928 par Walter Rau – compagnon de route de Rudolf Steiner – se sont appuyées, elles aussi, quoique de manière différente, sur les principes de la médecine anthroposophique. Chez Weleda, les produits de beauté sont fabriqués selon les mêmes exigences d'hygiène que les remèdes naturels, le concept de « produit cosmétique » incluant lui aussi les préceptes de la médecine naturelle.

La provenance des matières premières

Les principes actifs naturels des produits de beauté sont en grande partie de nature organique ou inorganique.

- L'huile d'avocat, l'azulène, la cire d'abeille, le collagène, l'élastine, l'allantoïne, le miel, l'huile de jojoba, l'huile de vison, l'huile de sésame, l'huile d'amande, la vitamine E et la lanoline sont d'origine organique.

Le miel est une des recettes de beauté les plus anciennes de l'humanité. Il préserve l'hydratation de la peau et la rend lisse. Un masque idéal pour la peau sèche se compose d'une cuillère à café de miel, une cuillère à café d'huile d'olive, une cuillère à café de farine de seigle et un jaune d'œuf.

- Le soufre, le talc ou le kaolin sont des matières inorganiques.

Quant aux matières d'origine animale (cire d'abeille et suint par exemple), l'éthique des fabricants de cosmétiques naturels veut qu'on ne les utilise que si leur prélèvement n'empêche pas les animaux de continuer à vivre comme tout animal de leur espèce.

Les ingrédients naturels présentent beaucoup d'avantages par rapport aux substances de synthèse.

- Utilisés depuis des siècles, ils ont déjà fait leurs preuves.
- Ils ne nécessitent pas d'expérimentation sur les animaux.
- Ils ne polluent pas l'environnement.
- Ils n'exposent pas la peau à des risques, bien au contraire : leurs nombreuses propriétés lui permettent de se régénérer de façon naturelle.

Cependant, les produits cosmétiques cent pour cent naturels sont plutôt une exception. Pour le soin de la peau et des cheveux, les fabricants misent sur les bienfaits de la nature associés à un cocktail très doux de composants synthétiques.

L'Anglais John Gerard, pharmacien et botaniste le plus réputé de son époque, rédigea en 1597 le livre des plantes de référence intitulé *Herbal*. Gerard avait ramassé des plantes du monde entier pour les faire pousser dans son jardin.

Un produit naturel est-il toujours doux et de qualité ?

Tout ce qui est utile peut aussi être nuisible. Cette vérité s'applique aussi aux composants naturels. C'est le mode d'utilisation de l'ingrédient naturel qui en fait un remède ou un poison. La clé de voûte de la médecine naturelle, et des cosmétiques naturels par conséquent, est contenue dans la phrase du grand médecin et philosophe, Paracelse (1493-1541) : « Tout est poison et rien n'est exempt de poison. Seul le dosage fait la différence. » Tout dépend donc des proportions, et également de la condition physique de chacun. Une personne qui utiliserait une huile essentielle hautement active et qui considèrerait que « puisque c'est naturel, quelques gouttes de plus ne peuvent être que bénéfiques », se conduirait de manière imprudente.

Le débat passionné autour de l'éventuel potentiel allergène des ingrédients naturels n'est pas exempt d'un certain aveuglement idéologique. Parmi les 26 substances odorantes soupçonnées de posséder un potentiel allergène – et qui doivent désormais être déclarées – se trouvent des substances naturelles. Au risque de desservir leur cause, un nombre non négligeable de partisans des cosmétiques naturels s'insurge contre cette décision.

Extrêmement courantes, les allergies aux parfums

Les fabricants de cosmétiques naturels qui agissent de façon responsable se préoccupent en permanence des effets produits par les ingrédients employés, attirent l'attention sur les risques éventuels et se penchent sur les sources de danger. Mettre un nom sur les problèmes est tout à leur honneur. Cela permet de jouer la carte de la transparence et de la confiance, et de séparer le bon grain de l'ivraie.

- Fabricants et consommateurs n'utilisent pas toujours les substances naturelles à bon escient. C'est le cas de certaines cures dites *d'exfoliation phytothérapeutique en profondeur*, dans lesquelles on utilise un extrait d'ananas, la bromelaïne. Ces cures représentent une grave immixtion dans le fonctionnement de la peau qu'elles peuvent agresser, de même que les muqueuses. Elles sont incompatibles avec le concept de « soin doux et naturel ».
- Le cas de la lanoline prouve aussi que les ingrédients naturels ne sont pas dispensés d'analyse et de tests poussés. En effet, le suint de mouton traité avec un pesticide peut déclen-

cher des allergies. Cet exemple montre bien l'importance toute particulière à accorder à la pureté des ingrédients. Les fabricants sérieux consacrent d'ailleurs beaucoup d'énergie et d'argent à ces contrôles de pureté.

- L'exemple de la propolis (le mastic des abeilles) montre aussi que, qui dit substance naturelle ne dit pas automatiquement substance inoffensive. Beaucoup de personnes fabriquant elles-mêmes leurs préparations cosmétiques utilisaient la propolis, persuadées de n'en tirer que des bienfaits, jusqu'à ce que les dermatologues constatent une très nette augmentation du nombre de personnes allergiques à cette substance.

La recherche du déclencheur d'une allergie s'avère généralement assez compliquée. Cinquante composants avaient été testés sans succès avant d'identifier la propolis comme élément « coupable ».

Cela dit, il faut se garder d'en conclure abusivement que les substances naturelles ne sont pas en mesure – elles non plus – de nous protéger. En effet, la médecine naturelle reposant sur une expérience longue de plusieurs siècles, les ingrédients qu'elle emploie sont généralement bien connus et l'on sait faire la différence entre ceux qui sont bénéfiques et ceux qui nécessitent des précautions.

NOUVELLE RÉGLEMENTATION
CONCERNANT LES SUBSTANCES ODORANTES

Depuis mars 2005, La 7e Directive européenne pour les cosmétiques exige que les substances odorantes, dont la liste INCI suit, soient déclarées, si elles dépassent une certaine concentration (0,001 % pour les produits « lean-on » qui restent sur la peau, et 0,01 % pour les produits « rinse-off », destinés à être rincés).
Amyl cinnamal, Amylcinnamylalcohol, Anisyl alcohol, Benzyl alcohol, Benzyl benzoate, Benzyl cinnamate, Benzyl salicylate, Cinnamyl alcohol, Cinnamal, Citral, Citronellol, Coumarin, Eugenol, Farnesol, Geraniol, Hexyl cinnamaldehyde, Hydroxycitronellal, Hydroxymethylpentylcyclo-hexenecarboxaldehyd, Isoeugenol, Lilial, d-Limonene, Linalool, Methyl heptin carbonate 3-Methyl-4-(2,6,6-trimethyl-2-cyclohexen-1-yl)-3-buten-2-one, Oak moos (Evernia Prunastri Extract), Tree moos (Evernia Furfuracea Extract).

Parmi les composants susceptibles de déclencher une allergie, et qu'il est désormais obligatoire de déclarer, se trouvent aussi des substances naturelles, comme par exemple le citral, le citronellol, la coumarine, l'eugénol, le géraniol, le d-limonène et le linalool. Le citral et le géraniol, par exemple, sont des substances odorantes présentes dans de nombreuses huiles essentielles ; quant aux limonènes et au linalool, on les trouve pratiquement dans toutes. Impossible de les éviter dans les produits parfumés exclusivement aux huiles essentielles.

• La coumarine est une substance végétale à l'odeur épicée que l'on trouve dans les graminées, ou les papilionacées comme l'aspérule odorante, les dattes, et la fève tonka. Fortement diluée, elle sent le foin ou l'aspérule.

• L'eugénol se trouve dans l'huile de clou de girofle, l'huile de piment ou de feuilles de piment, mais aussi dans le laurier sauce, le basilic et la muscade. On l'emploie plus particulièrement pour les parfums épicés auxquels on souhaite donner une note orientale.

Parmi ces 26 substances odorantes à déclarer, seules 7 sont synthétiques. Quant aux autres, bien qu'existant à l'état naturel, elles sont le plus souvent employées sous leur forme synthétisée. H.-J. Weiland-Groterjahn, expert en cosmétiques, précise : « Les fabricants de cosmétiques naturels utilisent généralement les substances odorantes des huiles essentielles sous leur forme complexe naturelle. Mais des isolats naturels sont également autorisés, comme par exemple le linalool pur issu des graines de coriandre. »

Les potentiels allergènes ne sont pas tous identiques

Pour pouvoir porter un jugement équitable concernant les substances odorantes à déclarer, il est nécessaire d'en étudier la liste de plus près. On trouve côte à côte de vrais allergènes et des substances ayant un potentiel allergène infime. Les dermatologues testent généralement les intolérances aux composants de l'« IS 19 Mix » ou « Fragrances Mix » (un mélange de substances odorantes composé d'alcool cinnamique, de cinnamaldéhyde, d'eugénol, d'isoeugénol, d'hydroxycitronellal, d'amylcinnamaldéhyde, de mousse de chêne et de géraniol). Cependant, il n'est pas dit qu'une personne allergique à ce mélange soit allergique à l'une de ces substances prise isolément.

Lorsque quelqu'un se révèle être allergique au mélange, le fabricant tient l'ensemble des composants à la disposition du médecin pour qu'il puisse faire faire au patient des tests plus différenciés.

Quelles sont les substances odorantes pouvant poser problème ?

On peut classer les 26 substances en trois groupes :

1. Très peu problématiques (termes INCI)

Amyl cinnamal, Amylcinnamylalcohol, Anisyl alcohol, Benzyl alcohol, Benzyl benzoate, Benzyl cinnamate, Benzyl salicylate, Citral, Citronellol, Coumarin, Eugenol, Geraniol, Hexyl cinnamaldehyde, Limonene, Linalool, 3-Methyl-4-(2,6,6-trimethyl-2-cyclohexen-1-yl)-3-buten-2-one

2. *Problématiques (termes INCI)*

Hydroxycitronellal, Cinnamyl Alcohol, Hydroxy-methylpentylcyclohexenecarboxaldehyde, Lilial, Methyl Heptin Carbonate.

3. *Très problématiques (termes INCI)*

Cinnamal, Isoeugenol, Oak Moos (Evernia Prunastri Extract) et Tree Moos (Evernia Furfuracea Extract).

La nature à l'état pur est mieux tolérée

Est-ce que les huiles essentielles qui contiennent du géraniol et/ou du citral sont mieux tolérées que le géraniol et le citral purs ? On dispose des résultats d'une étude sur la tolérance de la peau aux huiles essentielles, étude qui compare les effets des composants de ces huiles (le géraniol et le citral) avec les effets de ces mêmes substances à l'état pur.

Toutes ces recherches sont conformes aux normes GLP (Good Laboratory Practise) et tiennent compte des recommandations du groupe de travail Colipa [9]. Ont été testées 50 personnes de 18 à 63 ans qui présentaient une réaction allergique à 1 % de géraniol et à 1 % de citral. Les tests montrent clairement que toutes les huiles essentielles qui contiennent du géraniol ou du citral sont nettement mieux supportées par la peau que les substances sous leur forme pure. En conclusion, une huile essentielle a un potentiel allergène inférieur à celui d'un de ses composants isolé.

Une seule plante procure souvent plusieurs composants de soin pour les cosmétiques. La rose fournit non seulement de l'huile essentielle mais également une cire. Cette cire, utilisée dans une crème, dépose sur la peau une fine couche de protection.

La transparence engendre la confiance

Pour les huiles, justement, la qualité est un facteur essentiel. Il y a de réelles différences entre une huile issue de récolte sauvage, d'agriculture biologique contrôlée ou d'une production de masse industrielle. La différence de qualité se démontre à l'exemple de l'huile de l'arbre à thé issue d'agriculture biologique ou de cueillette sauvage, qui contient environ 85 composants, alors qu'une huile provenant d'une production de masse n'en contient que 50 environ.

Même si les fabricants de cosmétiques naturels, réputés pour leur sérieux, peuvent être occasionnellement la cible de la critique pour le choix d'un composant, on peut généralement leur accorder des bons points en matière de confiance.

Les fabricants de cosmétiques naturels en qui l'on peut avoir confiance ont des principes concernant ce qui peut ou non entrer dans la composition de leurs crèmes. De plus, bon nombre d'entre eux sont vigilants et, dès qu'il y a de nouvelles informations sur des substances critiques, savent en tirer rapidement les conséquences. La majorité des produits mis en cause par des tests ont été reformulés, voire retirés du marché. En cas de doute, les fabricants commandent généralement des études encore plus poussées afin de tirer les choses au clair.

Le nombre élevé de produits, crèmes ou shampooings, qui revendiquent le label « naturel » est un signe que la nature (non sans raisons) est dans les bonnes grâces du consommateur. Cependant, un vrai cosmétique naturel se différencie fondamentalement des produits habituels. Or, les cosmétiques vendus sous l'appellation « produit naturel » ne tiennent pas toujours leurs promesses. Prenons l'exemple d'Yves Rocher qui, en 1959, démarra une « verte » et fulgurante carrière dans le petit village breton de La Gacilly. Il y créa son entreprise et sa marque qui pèsent aujourd'hui des milliards d'euros de chiffre d'affaires annuel. Pour savoir dans quelle mesure ses produits sont naturels, il faut jeter un œil plus critique sur les composants. S'il est vrai qu'on y trouve des substances végétales, elles sont associées à des excipients tout à fait classiques à base d'huiles de paraffine bon marché (paraffinum liquidum par exemple) et de silicones non biodégradables (comme la dimethicone). Cela va à l'encontre de ce que l'on entend par « cosmétiques naturels ». Autre pas important pour instaurer la confiance : les mesures de certification des produits cosmétiques naturels.

Des composants naturels

Parmi les 300 000 espèces de plantes à fleurs et les 500 000 autres plantes du monde, environ 5 000 sont utilisées en cosmétologie. La liste alphabétique ci-dessous comprend en premier lieu les ingrédients utilisés dans l'élaboration des produits de beauté naturels.

Les plantes appartenant au répertoire classique des plantes médicinales sont marquées d'un astérisque *.

Abricot — *Prunus armeniaca*

L'huile obtenue à partir des noyaux d'abricots est principalement constituée d'acides gras insaturés.

- Cette huile soigne bien la peau. Elle se rapproche de l'huile d'amande et donne une belle consistance crémeuse aux préparations cosmétiques.
- Dans les peelings, le noyau d'abricot finement pulvérisé contribue à éliminer les cellules mortes de l'épiderme (gommage).

Étant donné que l'huile d'amande est rare, il est souvent d'usage de la remplacer par de l'huile de noyaux d'abricots, également d'excellente qualité.

Acide citrique — *Citric acid*

Le citron fait partie des ingrédients classiques de la cosmétologie naturelle.

Le jus de citron et l'huile de citron sont rafraîchissants et antibactériens. Ils conviennent aux peaux grasses du fait de leurs propriétés astringentes et légèrement dégraissantes. Tremper ses ongles dans l'huile essentielle de citron avant le passage chez la manucure renforce les ongles trop fins et cassants.

Acide hyaluronique   Hyaluronic acid

L'acide hyaluronique provient, entre autres, des crêtes de coq. Il sert de sel (hyaluron HT) dans les préparations cosmétiques à faire soi-même. Comme le sel est une substance qui absorbe l'humidité, il faut le conserver dans un récipient bien fermé.

L'acide hyaluronique, présenté depuis des années comme une découverte miraculeuse, ne peut pas rajeunir la peau durablement. Par contre, il lisse l'épiderme, forme un film qui retient l'humidité, et permet à la peau de rester plus ferme et plus élastique. L'acide agissant en surface et non en profondeur, l'effet lissant disparaît dès qu'on suspend l'utilisation. L'acide hyaluronique biologique n'est pas une substance naturelle, il est obtenu par biotechnologie.

Acide silicique   Silicea

L'extrait de prêle des prés contient beaucoup d'acide silicique. Ce dernier joue un rôle extrêmement important dans les produits de beauté car il raffermit la peau et restaure l'élasticité.

D'origine minérale, l'acide silicique est utilisé dans les filtres solaires naturels sous forme de poudre très fine ; sous une forme plus grossière, il entre dans la composition des produits d'hygiène buccale.

Alcool   Alcohol

L'alcool est souvent utilisé en petite quantité dans les lotions et les toniques. Il dégraisse et aseptise, calme les inflammations et a un effet apaisant. Cependant, en trop grande concentration il peut irriter la peau.

Alcool cétylique   Cetyl-Alcohol

Proche de l'alcool, il fait partie des alcools gras. Par contre, il n'est pas fluide, mais cireux.

Dans les crèmes, l'alcool cétylique ne donne pas seulement la bonne consistance, il a aussi des propriétés curatives et rend la peau bien douce. En outre, l'alcool cétylique est souvent utilisé dans les démêlants et les soins capillaires.

Algue   *Algae*

Les extraits d'algues hydratent bien la peau et la protègent des radicaux libres. L'algue protège les fibres élastiques et agit sur les glandes sébacées.

Allantoïne   *Allantoin*

Tirée des racines de consoude, cette substance donne un teint frais et a des propriétés anti-inflammatoires. On la trouve également dans le salsifis noir, les germes de blé et le marron d'Inde.

L'allantoïne calme les irritations et assainit la peau. L'épiderme rêche et gercé redevient lisse. Elle est également utilisée dans les crèmes anti-acné.

Aloès   *Aloe barbadensis (Aloe extract)*

Cette liliacée a connu ces dernières années un boom dans les produits cosmétiques. Cette substance tant convoitée, que les Indiens Hopi nomment « le miracle du ciel », est extraite des feuilles d'une plante s'apparentant à un cactus et qui ne pousse que sous des climats chauds et secs. La recherche a confirmé les propriétés cicatrisantes, curatives et bienfaisantes de l'aloès. Ses substances actives ont été étudiées par de nombreux scientifiques. Les méthodes modernes d'analyse en ont dénombré 160, les plus importantes étant des minéraux, des ferments, des vitamines et des acides aminés. Une fois extraite, la sève de la plante est extrêmement fragile et doit donc être transformée par des procédés très doux. Comme l'aloès se vend bien, on trouve malheureusement sur le marché des produits qui n'en contiennent que très peu, et souvent de qualité médiocre.

L'aloès a de petites feuilles pointues très charnues qui laissent échapper un gel transparent lorsqu'on les casse en deux. Ce gel est la base pour l'aloé vera, agent actif utilisé en cosmétologie.

L'aloès assouplit les peaux sèches et abîmées et leur redonne de l'élasticité. Le suc des feuilles a de formidables propriétés hydratantes et calme les irritations. Il apaise et soigne aussi la peau échauffée par le soleil, c'est pourquoi on le trouve non seulement dans les crèmes hydratantes mais aussi dans les crèmes de protection solaire.

Amande   *Prunus dulcis*

Un classique parmi les huiles utilisées en cosmétologie ! L'huile d'amande douce issue des fruits de l'amandier ne rancit pas vite et convient parfaitement dans les crèmes, les huiles de bain et huiles nettoyantes. Elle est considérée comme la plus douce et la meilleure huile de base pour la fabrication des produits de beauté.

L'huile d'amande est un soin lissant qui convient même aux peaux grasses et laisse une agréable sensation de douceur. Le son d'amande, sous-produit de l'huile, est un peeling très doux.

Arachide   *Arachis hypogaea*

L'huile d'arachide est obtenue par extraction ou pression à froid des cacahuètes. L'huile d'arachide ne rancit pas vite car elle contient des antioxydants naturels.

Argan (huile)   *Argania spinosa*

L'huile d'argan a bonne presse : « sensationnelle », « découverte », « l'huile la plus chère et la meilleure », c'est ainsi que cette huile traditionnelle marocaine est présentée aux Européens. La qualité d'une bonne huile d'argan justifie ces louanges. « L'huile dorée » du sud-ouest du Maroc (au nord d'Agadir) est très riche en acides gras insaturés (plus de 80 %), surtout en acide oléinique et linoléique (oméga 4). De plus, elle offre un taux élevé de tocophérol, qui agit comme de la vitamine E, d'où sa réputation de « défense anti-

Vous pouvez facilement vous faire un gommage rapide grâce à l'huile d'amande. Mélangez pour cela une cuillère de graines de cumin broyées avec une cuillère d'huile d'amande. Étaler sur le visage et l'enlever doucement avec des petits massages circulaires. Après une telle préparation, la peau apprécie généralement le soin d'un masque.

âge ». Le tocophérol protège les cellules des radicaux libres et ralentit ainsi le vieillissement de la
peau.

L'huile d'argan est particulièrement bénéfique
pour la peau mûre et sèche. Mais ses avantages ne
se limitent pas à un usage cosmétique : les Berbères l'apprécient depuis des siècles dans leur
alimentation.

Son origine africaine explique aussi son succès
récent : l'huile d'argan est devenue un symbole
pour une « mondialisation positive ». Depuis
longtemps, l'arganier fait la richesse de la région
entre Agadir et Essaouira. Les forêts marocaines
de cet épineux géant, qui peut atteindre 10 mètres
et qui a ses racines au Ghana, ont été classées réserve de la biosphère par l'Unesco. Car les vingt et
un millions d'arbres sur 800 000 hectares ont un
rôle écologique immense : dans un climat semi
désertique, ils préservent un écosystème fragile.
L'arganier a aussi une dimension sociale : en valo-
risant le travail rural, il diminue l'exode rural et
maintient un tissu social : trois millions de personnes vivent directement ou indirectement de sa
culture.

Les Berbères utilisent tout l'arbre : son bois
comme combustible et pour la menuiserie, ses
feuilles et la pulpe de son fruit pour le fourrage
des caprins et camelines, ses amandes pour l'huile,
le tourteau pour l'engraissage du bétail.

Traditionnellement cultivé et transformé par les
femmes, l'arganier est en même temps un moteur
de l'amélioration du statut des femmes dans le
sud marocain. La demande croissante en occident
valorise le travail féminin et permettra de replan-
ter des arganiers.

Une grande histoire pour un petit fruit : le fruit
a la grosseur d'une noix, il est jaune parfois veiné
de rouge. Il est formé d'un péricarpe charnu ou
pulpe qui couvre le noyau très dur (ou noix). La

noix d'argan renferme une à trois amandes albu-
minées et huileuses contenant jusqu'à 55 %
d'huile.

Argousier   *Hippophae rhamnoides*

Ce sont surtout les baies rouge orangé de cet
arbrisseau des terrains pauvres qui sont récoltées.
Elles sont ajoutées sous forme de sirop aux
yaourts et dans le muesli, offrant ainsi un apport
en vitamine C particulièrement élevé. En cosmétologie, on utilise plus particulièrement l'huile de la
pulpe des fruits, obtenue par pression à froid.
L'huile d'argousier apaise et soigne les épidermes
crevassés, desséchés et irrités par l'exposition au
soleil. Elle protège des radicaux libres en cas
d'exposition aux rayons ultraviolets.

Arnica*   *Arnica montana*

Plante médicinale aux substances actives très
puissantes, l'arnica doit être employée avec les précautions d'usage. Très toxique par ingestion, l'arnica
est réservée à un usage externe. Elle est extrêmement efficace sous forme de compresse en cas
d'ecchymose, de pincement et de déchirure muscu-
laire ou ligamentaire, mais ne convient pas en plaie
ouverte. L'arnica peut aussi provoquer des allergies.

En matière de cosmétiques, l'arnica (qui
contient la provitamine A) est surtout utilisée dans
les lotions pour peaux grasses présentant des impuretés. La pommade à l'arnica est efficace pour
lutter contre l'acné juvénile.

Avocat   *Persea gratissima*

Ce fruit très riche, utilisé aussi bien frais que
sous forme d'huile ou d'extrait, est un ingrédient
extraordinaire.

L'huile d'avocat est bien absorbée par la peau,
elle capte l'humidité et elle est riche en vitamines,
acides gras insaturés et lécithine, cette dernière

La plante d'arnica ressemble à la marguerite et compte parmi les plus anciennes plantes médicinales du monde. C'est une espèce protégée qui se plaît dans les prairies montagneuses maigres. Il ne faut pas ingérer de l'arnica dans le cadre d'une auto-médication car toutes les parties de la plante contiennent une substance toxique, l'hélénaline.

jouant le rôle d'émulsifiant. L'avocat est riche en vitamine A qui favorise la régénération des cellules et ralentit l'épaississement et la desquamation de la couche cornée.

- Les vitamines B renforcent le métabolisme cellulaire et la vitamine F empêche l'épiderme de gercer.
- Les extraits d'avocat protègent la peau du dessèchement et lui évitent de devenir rêche. Très doux et riches en substances variées, on les emploie surtout dans les crèmes de nuit et les masques pour peaux sensibles, sèches, fatiguées, desquamant ou vieillissantes.
- On dit que les substances insaponifiables de l'huile d'avocat pourraient même faire disparaître les taches de pigmentation.

Les substances naturelles exotiques comme l'avocat, la banane ou l'ananas restent marginales, les quantités généralement infimes intégrées dans les produits le montrent. On peut s'interroger sur leur efficacité.

Avoine   *Avena sativa*

La culture de l'avoine est l'une des plus anciennes cultures de céréales. Outre les nombreuses vitamines, du groupe B pour la plupart, elle contient des graisses de grande qualité. L'avoine pilée lisse la peau et convient pour les masques du visage.

Baleine, blanc de ~ (ersatz de ~)   *Cetyl-Palmitate*

Le blanc de baleine provenant du cachalot a longtemps été un composant très apprécié en cosmétologie. Pour protéger l'espèce, on utilise un ersatz de blanc de baleine. Il donne aux crèmes une consistance plus douce que la cire d'abeille ou l'alcool cétylique.

Bardane (racine de ~)   *Arctium majus*

La racine de bardane est un produit couramment utilisé depuis la nuit des temps. Appliquée sur la chevelure, l'huile de bardane a la réputation de ralentir la chute des cheveux. L'extrait de racine de bardane est souvent intégré dans les produits de soin des cheveux et de la peau. Il est indiqué pour les peaux sèches, les dartres et l'eczéma.

> Les feuilles de bouleau contiennent de nombreux principes aux vertus thérapeutiques : huiles essentielles, calcium, fer, soude ou phosphore. En médecine, le bouleau soigne l'arthrite, la goutte, les calculs rénaux et urinaires, les rhumatismes ou l'excès de cholestérol.

Blé (son de ~)   *Triticum vulgare*

Le son de blé est un complément alimentaire. Il contient du magnésium, du potassium et des vitamines du groupe B. Le son de blé rend la peau lisse et la protège du dessèchement.

Bouleau *   *Betula alba*

En phytothérapie, l'infusion de feuilles de bouleau est utilisée pour nettoyer les voies urinaires, et pour les cures sudatoires. L'extrait, lui, est employé dans les produits cosmétiques, et surtout dans les lotions capillaires car ses actifs stimulent la circulation et ont des propriétés astringentes.

> La bourrache aux belles fleurs bleues est un remède qui a fait ses preuves. Préparées avec l'extrait végétal, les compresses de bourrache soulagent, pas exemple, les inflammations de la peau.

Bourrache   *Borago officinalis*

La bourrache est une plante utilisée depuis longtemps en cuisine. L'huile de bourrache est tirée des graines de cette plante aux feuilles rêches. Elle est particulièrement riche en acides gras essentiels (acide linoléique, acide alpha-linoléique et acide gamma-linolénique).

L'huile de bourrache est utile dans les cas de démangeaisons, de peau sèche, de cheveux rêches ou d'ongles cassants. Elle favorise la rétention d'eau et rend la peau plus élastique. L'huile de bourrache convient également au soin des peaux grasses sujettes aux inflammations.

Bromélaïne   *Bromeliaceae*

La bromélaïne est tirée des fruits et tiges de fruits de l'ananas. On attribue de nombreuses propriétés à cette enzyme.

Cependant, il faut mettre en garde contre certaines utilisations très problématiques, comme les cures d'exfoliation, par exemple, qui peuvent provoquer des lésions de la peau et des muqueuses. Une telle cure est une ingérence dans le métabolisme cutané et n'est pas vraiment compatible avec une conception des soins douce et naturelle.

Cacao (beurre de ~)   Theobroma cacao

Cette matière grasse est obtenue en écrasant les fèves du cacaoyer. Elle donne une consistance crémeuse au produit, qui s'étale et pénètre mieux. Le beurre de cacao peut irriter la peau du fait de sa teneur élevée en acides gras libres à chaînes courtes. C'est la raison pour laquelle on ne l'emploie généralement que dans les crèmes protectrices et les baumes réparateurs pour les lèvres et les ongles.

Camomille *   Chamomilla recutita

Les vertus de la camomille sont un bon exemple de ce qu'est un effet de synergie : une augmentation de l'efficacité due à l'action coordonnée de différents composants. L'huile de camomille contient du bisabolol, substance anti-inflammatoire, du proazulène, de la matricine, et environ 20 flavonoïdes dont l'apigénine, un actif très important.

Ses propriétés anti-inflammatoires et apaisantes font de l'huile de camomille un bon soin pour les peaux sensibles et présentant des impuretés. Dans les colorants pour cheveux, la camomille permet d'obtenir des tons chauds, blond clair.

Pour produire un litre d'huile de camomille, il faut compter entre 400 et 500 kilos de camomille bleue. La camomille romaine nécessite 150 kilos de fleurs pour un litre d'huile.

Camphre *   Camphor

Le camphrier est un arbuste tropical qui fournit les principes actifs d'une poudre vivifiante.

Le camphre est une substance utilisée couramment dans les produits de soins naturels pour son action stimulante sur la circulation du sang et ses effets tonifiants ; sous sa forme alcoolisée, on le trouve dans les lotions toniques pour le visage. Incorporé dans un Kajal, il apaise et rafraîchit les yeux.

Carnauba (cire de palme)   Carnauba

La cire de carnauba provient des feuilles du palmier de carnauba, un arbre d'Amérique du Sud. L'industrie cosmétique l'utilise comme durcissant pour les produits de maquillage.

Carotte   Daucus carota

D'aspect huileux, l'extrait de carotte riche est riche en carotène (provitamine A). Il est souvent employé dans les crèmes cosmétiques. La lécithine de la carotte a aussi des vertus curatives.

L'huile de carotte a une couleur jaune orangé qui colore franchement les crèmes et les lotions.

La carotte régule le fonctionnement de la couche cornée et donne un grain fin à la peau. Elle ne colore pas seulement la crème mais donne également un léger hâle naturel.

Catechu   Acacia catechu

L'acacia catechu provient de l'Inde et fait partie de la famille des mimosas. Autrefois, le catechu était utilisé comme substance tannante pour la préparation du cuir, et en médecine, on l'utilisait pour ses propriétés astringentes. Le catechu fournit aussi une poudre brun clair permettant de colorer les cheveux.

Céramides

Les céramides, composants importants de la graisse de la couche cornée, font partie des lipides. Elles raffermissent cette couche et ralentissent le processus de déshydratation. Les céramides forment un film protecteur qui rend la peau plus résistante aux influences extérieures. Elles renforcent la structure des cellules donnant ainsi une meilleure tenue à la peau.

Les céramides végétales des produits cosmétiques stabilisent les cellules et augmentent la capacité de la peau à retenir l'eau. La peau est assainie et les céramides constituent une lutte préventive contre les rides. L'épiderme a un aspect plus homogène et devient plus résistant.

Chanvre — *Cannabis sativa*

Comme le chanvre peut aussi être utilisé comme drogue, il est longtemps resté tabou en phytothérapie. Aujourd'hui on cultive des variétés de chanvre avec un taux de THC (la substance euphorisante qui en fait une drogue douce) proche de zéro. On extrait de ses graines l'huile de chanvre, riche en acide gamma-linolénique et en vitamines.

L'huile de chanvre est utilisée pour les massages ou pour stimuler les fonctions de la peau. On l'emploie aussi dans les crèmes et les lotions, et comme dégraissant dans les shampooings. Elle soigne en douceur, c'est pourquoi elle est conseillée pour les peaux irritées ou sujettes à problèmes, dans les cas de névrodermite par exemple.

Une huile de qualité s'obtient à partir de plantes non traitées et pressées à froid. Elle est riche en acides gras insaturés, dont font partie les acides gamma linoléniques.

Cire d'abeille — *Cera alba*

On utilise uniquement la cire purifiée des rayons de miel. Blanche ou jaune, la cire d'abeille a une longue tradition dans les cosmétiques.

Dans une crème, la cire d'abeille stabilise l'émulsion. C'est une substance neutre que l'on introduit en petite quantité (1 à 3 %) pour raffermir la masse. Elle est employée dans les crayons de maquillage auxquels elle donne de la consistance.

Coco (beurre de ~, noix de ~) — *Cocos nucifera*

Ce corps gras qui fond à la température du corps est extrait de l'amande des fruits du cocotier.

Le beurre de coco (ou huile de coco) est très prisé pour son action réparatrice de la peau. Sous sa forme hydrogénée, il entre dans la composition des produits de maquillage auxquels il donne une bonne consistance. Le savon à la graisse de coco (beurre de coco saponifié) possède un pouvoir émollient. On peut l'utiliser, par exemple, pour préparer l'épiderme au rasage.

Collagène   Collagen

Le collagène est le principal composant du tissu conjonctif. Lorsque la peau vieillit, le collagène initialement soluble devient insoluble : la peau ne peut plus fixer l'eau aussi facilement et perd en élasticité.

Le collagène est utilisé pour ses vertus hydratantes, et son pouvoir raffermissant et lissant. Prudence cependant : le collagène d'origine animale est très controversé depuis les risques d'ESB (« la vache folle »). Il reste la possibilité d'utiliser du collagène végétal.

Concombre   Cucumis sativus

Bien connu pour ses propriétés hydratantes, le concombre contient du sucre et des éléments minéraux.

Dans les cosmétiques naturels, on l'utilise, entre autres, dans les laits nettoyants car son jus débarrasse en douceur l'épiderme de ses impuretés et de la séborrhée. Le concombre pur appliqué sur la peau est l'une des manières les plus simples et les plus efficaces d'améliorer le taux d'hydratation de la peau.

Le concombre frais est un excellent élément d'hydratation, grâce à son taux élevé de sucres et de minéraux. Le jus de concombre pur a un taux de pH idéal. Voici donc un parfait tonique naturel. L'inconvénient pour l'organisation quotidienne, c'est que l'on doit utiliser uniquement du jus de concombre frais.

Cresson de fontaine   Nasturtium officinale

Le cresson de fontaine est riche en fer, en potassium et en iode. Absorbé par voie orale, il exerce une forte action dépurative sur le système sanguin. Sinon, on l'utilise dans des peelings ou des préparations désincrustantes. Il atténue aussi les taches de pigmentation.

Eau   Aqua

L'eau distillée sert d'excipient à de nombreux produits de beauté. Elle ne contient ni les minéraux ni les micro-organismes habituellement présents dans l'eau. Il ne faut en aucun cas boire d'eau distillée car elle est mauvaise pour la santé. Une bonne raison de la mettre hors de portée des enfants ! Elle sert de dissolvant pour les principes solubles dans l'eau. Associée à des agents qui fixent l'humidité, elle adoucit et assouplit la peau.

Églantier / Cynorrhodon*   Rosa canina

Les fruits de l'églantier sont mieux connus sous le nom de cynorrhodon. Les enfants utilisent ces petits fruits poilus appelés gratte-cul pour faire du poil à gratter, mais on peut aussi les presser pour en tirer une huile très active. Riche en acides gras poly-insaturés et en vitamines (C, notamment), elle hydrate les peaux sèches.

Eucalyptus*   Eucalyptus globulus

L'huile essentielle d'eucalyptus provient des feuilles d'eucalyptus. Elle a des propriétés antiseptiques et stimule la circulation du sang. On l'utilise surtout dans les produits de soins pour les pieds, dans les préparations pour les cheveux, et pour déodoriser.

À l'origine, l'eucalyptus vient du sud-ouest de l'Australie et de Tasmanie. De nos jours, on le cultive aussi au Maroc et en Espagne. Son huile essentielle est utilisée comme substance odoriférante et comme agent actif.

Euphraise*   Euphrasia officinalis

L'euphraise est une plante médicinale connue depuis bien longtemps, qui pousse dans le centre de l'Europe, la Russie et dans les Balkans. L'extrait d'euphraise (ou casse-lunettes) est utilisé contre les inflammations du pourtour des yeux du fait de son effet régénérant et apaisant.

Fenouil *   Foeniculum vulgare

Ce grand sous-arbrisseau à l'odeur caractéristique et aux fleurs jaune verdâtre est une plante méditerranéenne. Les fruits du fenouil contiennent au moins 4 % d'huile essentielle dont les substances actives principales sont l'anéthone et la fechone. L'huile de fenouil a de grandes vertus désinfectantes. Dans les produits cosmétiques, l'huile essentielle naturelle de fenouil a un effet apaisant et tonifiant.

Guar (poudre de noyau de ~) *Cyanopsis tetragonolba*

La poudre de noyau de guar provient des graines d'une plante ressemblant au haricot : la Cyamopsis tetragonoloba. En cosmétologie, elle sert à fabriquer une poudre colorante pour les cheveux, qui en améliore la structure et l'élasticité.

Hamamélis   *Hamamelis virginiana*

L'arbuste d'hamamélis vient d'Amérique du Nord mais se plaît aussi dans nos contrées. Il présente des similitudes avec le noisetier. L'eau d'hamamélis est obtenue par distillation à la vapeur de branches fraîches.

L'hamamélis a une forte teneur en tanin, raffermit la peau, stimule la circulation et a des propriétés anti-inflammatoires. L'hamamélis est souvent utilisé dans les produits contre la peau grasse et présentant des impuretés.

Hectorite   *Hectorite*

L'hectorite est une très vieille argile contenant des éléments saponifiables. Elle est particulièrement riche en minéraux et offre une solution alternative pour se laver, surtout si l'on a la peau hypersensible.

Elle nettoie en douceur sans ajout de tensioactifs ou autres substances. Elle est vendue sous forme de poudre que l'on mélange avec un peu d'eau au moment de l'utilisation. Mis à part le lavage, elle peut être utilisée comme produit de soin pour la peau, associée à un peu d'huile de germes de blé, d'huile de coco ou d'huile de jojoba. De plus, elle permet un peeling en douceur du visage et constitue un soin réparateur pour les cheveux.

Henné   *Lawsonia inermis*

La poudre colorante de henné provient d'un arbuste d'Afrique du Nord et du Moyen-Orient, et on l'utilise déjà depuis l'Antiquité comme teinture.

La cosmétologie moderne utilise l'extrait non neutralisé de henné comme colorant pour les cheveux, permettant d'obtenir des tons rouge orangé. Le henné est aussi utilisé comme produit de soin neutre. Dans ce cas, il ne colore pas mais donne à la chevelure brillance et volume.

Houblon* *Humulus lupulus*

Le houblon est originaire des forêts alluviales et marécageuses d'Europe. À elle seule, la Bavière fournit 30 % de la production mondiale de cette plante de la famille des canabinacées, dont les tiges grimpent à 5 mètres de hauteur. En médecine, le houblon est utilisé contre la nervosité, les problèmes de sommeil et les maux d'estomac d'origine nerveuse.

En cosmétologie, les extraits de houblon permettent surtout de soigner les peaux qui vieillissent et se dessèchent. Ils favorisent l'oxygénation de la peau, améliorent le pouvoir régénérant, stimulent les glandes séborrhéiques et augmentent leur sécrétion (action estrogénique).

L'efficacité de bon nombre de principes actifs d'origine végétale a pu être prouvée, comme c'est le cas de l'effet thérapeutique des « hormones végétales » (phytohormones). En cosmétologie, on utilise le houblon, riche en phytœstrogènes, et les germes de blé, pour leur taux élevé de phytohormones et d'enzymes.

Indigo *Indigofera argentea*

L'indigotier, un arbrisseau qui croît en Afrique, Inde, Perse et Amérique, nous fournit une matière tinctoriale bleue nommée indigo. Depuis des millénaires, l'indigo est traditionnellement employé pour teindre des textiles de toutes natures. En cosmétologie, il est utilisé pour se teindre les cheveux.

Jojoba *Buxus chinesis*

Le terme « huile de jojoba » est trompeur car il s'agit en fait d'une cire qui fond à 10°C, un cas unique dans le monde végétal ! Cette « huile » est obtenue par pressage des petites graines d'un arbuste à feuilles persistantes de la famille des buxacées, qui pousse dans les déserts mexicains et dans le sud-ouest des USA. Quasiment inodore,

L'huile de jojoba se rapproche beaucoup dans sa composition chimique de l'huile de blanc de baleine d'autrefois. Le blanc de baleine issu d'animaux morts est aujourd'hui tabou du fait de la protection de l'espèce.

l'huile de jojoba se conserve très longtemps, sans conservateur. Elle présente aussi toute une série d'avantages supplémentaires.

La peau supporte merveilleusement bien le jojoba qui y pénètre rapidement sans laisser de film gras. Le jojoba raffermit et lisse les peaux flasques. Il fait aussi du bien aux peaux rêches et stressées. On peut l'utiliser avant et après le bain de soleil ou en huile de massage après la baignade ou le sauna.

Karité (beurre de ~)   Butyrospermum parkii

Incontournable pour qui fabrique ses cosmétiques, cette graisse végétale provient de la noix du karité, un arbre d'Afrique. Chaque noix est constituée d'environ 50 % de cette substance grasse très bénéfique pour la peau.

Ce beurre est un excellent émollient et apaise les inflammations de l'épiderme. Il contient une proportion importante d'insaponifiables, d'allantoïne naturelle, de vitamine E et de carotènes. C'est un composant épatant pour la cosmétologie de par ses actifs et sa consistance douce et moelleuse. Il convient pour de nombreux produits, de la crème de jour aux après-soleils.

Lait   Lac

Le lait est un aliment qui contient toutes les substances nutritives dont le corps a besoin, tout comme la peau. Le lait est l'un des plus anciens produits pour les soins de la peau. Frais, il contient des glucides, des protides, des graisses et toutes les vitamines, minéraux et oligoéléments vitaux.

• Les glucides et leurs produits de décomposition, comme le lactose, par exemple, permettent à la peau de s'hydrater et de stocker l'eau dans l'épiderme.

- L'acide lactique stabilise le pH et préserve le film protecteur acide de la peau. L'acide lactique naturel joue également le rôle de conservateur.
- Les protides et leurs produits de décomposition préviennent le dessèchement et une perte trop importante de graisse, stimulent la circulation du sang et le métabolisme, et contribuent à la formation d'acides aminés et de complexes protidiques propres à la peau.
- Les graisses du lait et leurs produits de décomposition sont particulièrement importants pour les peaux fatiguées agressées par l'environnement. Les vitamines, les minéraux, les oligoéléments et les enzymes revigorent et stimulent.

Les nombreux principes actifs du lait agissent en synergie pour donner un épiderme sain et élastique. Ils améliorent la circulation du sang, donc l'apport en substances nutritives et ainsi la régénération de l'épiderme, restaurant et lissant les peaux rêches et abîmées.

Malgré toutes ses vertus, le lait de vache ne convient pas à tout le monde. Les allergies et intolérances au lait sont très répandues. Nombreux sont les Africains et les Asiatiques qui ne supportent pas du tout le lait de vache car il leur manque une enzyme importante pour le digérer et en tirer profit.

Lait de chèvre

Le lait de chèvre contient de nombreuses substances actives pour l'organisme, qui sont valorisées en cosmétologie par un processus de fermentation. Éléments décisifs pour la qualité, les chèvres doivent être élevées sans aliments concentrés ni hormones. Les pâturages, comme le mode d'élevage, doivent être conformes aux cahiers des charges de l'agriculture biologique.

Les produits de beauté au lait de chèvre contribuent à harmoniser le fonctionnement de la peau. L'acide lactique L (+), produit au cours de la fermentation, est un acide de fruits naturel (AHA). Cet acide et ses sels (lactates) améliorent l'élasticité de la couche cornée et protègent la peau. De grande qualité, ces produits de beauté au lait de chèvre sont conseillés surtout en cas de peau facilement irritable.

Lanoline   Lanolin

La lanoline pure est une graisse épaisse qui ne sent pas très bon et que l'on tire de la laine des moutons. Mais elle protège et soigne bien la peau, tout en y fixant des quantités d'eau importantes (environ 20 % de son poids). Le suint à l'état pur ne rancit pas, ne moisit pas et n'offre pas de terrain propice aux bactéries. Il ne contient pas d'acides et sa composition est très proche de celle du sébum sécrété par notre peau. La lanoline utilisée comme excipient dans les crèmes, assouplit et adoucit les peaux rêches et gercées. La lanoline provenant de moutons dont la toison a été traitée à l'insecticide peut déclencher des allergies. Les fabricants sérieux indiquent si leur lanoline a été contrôlée, mais le doute planera toujours même si on nous assure que le produit ne contient plus de résidus de pesticide. Pour ceux qui fabriquent leurs propres produits, il existe plusieurs solutions de remplacement: le beurre de karité, pour la consistance, l'alcool cétylique, la cire d'abeille, ou l'ersatz de blanc de baleine.

Les huiles essentielles permettent aussi de lutter contre les insectes dans des répulsifs à la lavande, au clou de girofle, à la myrrhe et au cèdre. Il existe aussi des sprays pour salons de jardin ou fenêtres, qui permettent de tenir à distance les petites bêtes importunes.

Lavande aspic   Lavandula latifolia

La lavande aspic est une plante de haute montagne dont la racine nous fournit de précieux extraits à la fois tonifiants et apaisants. On les utilise dans la fabrication des savons.

Lavande*   Lavandula angustifolia

Sa finesse fait de l'huile essentielle des fleurs de lavande une substance odorante appréciée dans la fabrication des parfums. Cette huile entre également souvent dans la composition des cosmétiques en tant que substance odoriférante.

C'est un actif qui stimule la circulation du sang et a une action apaisante sur la peau.

Lécithine — Lecithine

La lécithine est un composant important de la membrane cellulaire. On la trouve dans les huiles végétales, ainsi que dans le lait et le jaune d'œuf, en quantité appréciable.

La lécithine soigne bien les peaux sèches dont elle maintient particulièrement bien l'hydratation. Il semblerait aussi que la lécithine facilite l'absorption des substances actives par la peau.

À partir de lécithines spécifiques, on fabrique les liposomes à qui l'on prête le pouvoir de véhiculer des substances actives vers les cellules de la peau.

Levure — Barm extract

Ce produit de beauté précieux, riche en vitamines B, peut être utilisé sur la peau ou ingéré : on peut se procurer des préparations à base de levure dans les magasins diététiques ou de produits naturels. La levure est un ingrédient extraordinaire pour les masques du corps et du visage, et pour les peaux grasses, impures ou acnéiques.

Lierre — Hedera helix

Les extraits de lierre frais proviennent de feuilles fraîches de lierre. Ils ont un effet décontractant et tonifiant, surtout sur le cuir chevelu.

Macadamia — Macadamia ternifola

La précieuse huile de noix de macadamia vient d'un arbuste du Pacifique. Elle se rapproche d'un des composants du sébum de la peau et contient une substance très rare : la palmitoléine. Cet acide oléique très précieux convient tout particulièrement aux peaux sèches. L'huile de noix de macadamia est très appréciée dans les cosmétiques car elle donne un bel aspect lisse à la peau qu'elle assouplit et adoucit.

Mandarine   Citrus nobilis

La fragrance chaude et fruitée de l'huile de mandarine aurait des propriétés revigorantes et favoriserait la concentration.

Manuka   Leptospermum scoparium

Comme l'huile de l'arbre de thé, l'huile de manuka est extraite d'une plante de la famille du myrte. L'huile de l'arbre à thé et l'huile de manuka ont des propriétés similaires, mais l'huile de manuka diffère par son odeur fruitée aromatique. L'huile de manuka est obtenue par distillation à la vapeur des feuilles et de minces branches. Le produit de cette distillation étant peu abondant, l'huile est plus chère que celle de l'arbre à thé. La qualité des huiles de manuka que l'on trouve sur le marché étant très variable, il faut vérifier que la teneur en cinéole ne dépasse pas 3 à 4 %. Cette substance pouvant irriter la peau, les personnes sensibles doivent vérifier sa concentration dans le produit.

Mauve*   Malva silvestris

L'extrait de mauve est riche en mucilage et en tanins dont on connaît l'action bénéfique sur la peau. On utilise volontiers la mauve dans les produits de soin pour peau sèche car elle l'hydrate et elle la lisse.

Mélisse*   Melissa officinalis

Les infusions de mélisse et de fleurs de tilleul stimulent l'irrigation sanguine de la peau. Y tremper une lingette, l'essorer, la placer sur le visage et laisser agir une demi-heure.

Frottées entre les doigts, les feuilles fraîches de mélisse dégagent un parfum citronné. C'est pourquoi on l'appelle aussi la citronnelle. L'huile essentielle de mélisse se trouve dans de petites glandes disséminées sur les feuilles. La plante nous fournit aussi du tanin (dite de labiées) et une substance amère. En cosmétologie, la mélisse est utilisée dans les crèmes et les lotions pour peaux mixtes car elle a un effet apaisant et calmant. Elle peut aussi être ajoutée à l'eau du bain.

Menthe poivrée — *Mentha piperita*

La menthe fournit plusieurs actifs : l'huile essentielle ou menthol, ainsi que des tanins et substances amères. L'huile essentielle de menthe stimule le métabolisme de la peau et son irrigation. La menthe est principalement employée dans la fabrication des produits pour le bain, l'hygiène buccale et les soins du visage.

Menthol — *Menthol*

Le menthol est l'un des principaux composants de l'huile essentielle de menthe poivrée, et il sent fort la menthe. Dans les produits de soins pour le corps, on l'utilise souvent pour ses propriétés rafraîchissantes.

Mer (eau, sel de ~) — *Maris sal*

Les cosmétiques à base d'eau de mer contiennent des agents actifs et des oligoéléments présents dans l'océan. Les plus importantes substances actives pour la peau sont :

- le potassium qui, associé au calcium et au magnésium, a des propriétés anti-allergènes et décrassantes ;
- le calcium, anti-inflammatoire, qui maintient l'hydratation des peaux vieillissantes ;
- le magnésium qui empêche le cholestérol de se déposer sur les parois des artères ;
- le sodium qui régule la teneur en eau du corps.

Méristème — *Meristem*

L'extrait de méristème est un agent actif utilisé en médecine. Sa réputation de substance qui se conserve indéfiniment dans la nature et qui confère au visage une jeunesse éternelle s'est avérée illusoire. Le méristème n'est pas une fontaine de jouvence pour la peau mais possède cependant des propriétés intéressantes.

Le méristème peut procurer un soulagement en

La menthe poivrée est une plante médicinale dont l'efficacité est bien connue, depuis longtemps. Elle est aussi un bon exemple pour l'importance du dosage : en concentration trop élevée, elle peut être toxique. Pour un adulte, la dose maximale est d'une cuillère à soupe de feuilles par jour. Quant au thé à la menthe consommé quotidiennement, il est conseillé de faire des pauses de temps à autre.

Le méristème, en botanique, désigne un tissu végétal situé à l'extrémité des tiges et des racines, constitué de cellules indifférenciées qui se divisent rapidement.

cas d'allergie au soleil. Il capterait aussi les radicaux libres, ces substances responsables de l'endommagement des cellules.

Miel   *Mel*

Ses bienfaits sont connus depuis des lustres. Le miel est exceptionnellement riche en principes qui soignent la peau et l'assouplissent. Grâce à ses nombreuses enzymes et à ses acides organiques, il possède des propriétés antiseptiques et de conservation.

Dans les cosmétiques, on ne devrait utiliser que du miel naturel pur. Son sucre retient l'eau dans la peau. Le miel raffermit, augmente l'élasticité de la peau, active la circulation et accélère le transport des impuretés.

Pour qui prépare ses propres cosmétiques, ne pas chauffer à plus de 35°C pour préserver les principes actifs.

L'huile de miel est un parfait remède pour la peau sensible à tendance réactive. Il faut environ 800 kilos de miel pour produire un litre de cette huile.

Mille-feuille *   *Achillea millefolium*

Les propriétés médicinales des composants du mille-feuille ont été assez bien étudiées. En pharmacologie, il est employé contre les douleurs stomacales et les maux intestinaux.

En cas de maladies de la peau, on l'emploie en décoction en compresses ou en bains car il a des propriétés anti-inflammatoires, antibactériennes et décontractantes.

L'huile de millepertuis rouge orangé est un actif aux vertus cicatrisantes. Mais elle ne doit pas être appliquée sur une peau qui va être exposée à la lumière du soleil sous peine de taches.

Millepertuis *   *Hypericum perforatum*

Le millepertuis est très apprécié en médecine pour guérir les blessures et les plaies.

Dans les crèmes et les masques, il convient surtout aux peaux acnéiques ou impures. À la maison, on peut introduire l'huile de millepertuis dans les préparations destinées aux peaux sensibles ou rêches. Cette huile peut aussi apaiser les coups de soleil légers.

Myrrhe   Commiphora myrrhe

La myrrhe est une plante de la famille des balsamiers. Sa résine aromatique est obtenue en incisant l'écorce. La myrrhe a une action anti-infectieuse, astringente et raffermissante. En cosmétologie, on utilise son huile essentielle surtout pour soigner les peaux vieillissantes.

Neem *   Melia azadirachta

L'arbre à neem est originaire de l'Inde et fournit une huile qui connaît depuis peu un véritable boom. En médecine ayurvédique, le neem est considéré depuis bien longtemps comme une sorte de remède universel contre quantité de maux très divers. Ceci est à mettre sur le compte de ses nombreux actifs, dont le nombre dépasse largement la centaine. Comme son huile ne sent pas particulièrement bon, on l'associe à de l'huile végétale pressée à froid. Le neem est un bon remède contre les démangeaisons et les inflammations.

On l'utilise pour lutter contre les champignons sous les ongles. En cosmétologie, il combat les pellicules et, dans les crèmes dentaires, soigne l'inflammation des gencives.

Noix   Juglans regia

Le noyer est connu depuis la nuit des temps pour ses fruits savoureux. On fait des extraits de ses feuilles séchées, de son brou vert et de ses fruits.

En cosmétologie, les extraits de noix permettent de soigner les peaux grasses et impures ou de lutter contre les cheveux gras. Les principes des feuilles et de l'enveloppe des coques de noix sont bénéfiques dans le traitement de l'acné, de l'eczéma et des brûlures.

Les extraits de brou de noix sont un agent naturel de bronzage sans soleil.

Œuf   *Ovum*

Le jaune d'œuf est un bon émulsifiant naturel pour les masques et les soins à utiliser dès la fabrication. Riche en lécithine et en cholestérol, il soigne la peau et lui donne un aspect lisse. C'est donc un ingrédient rêvé pour les masques du corps et du visage à préparer soi-même. Mais la qualité de l'œuf a également son importance, l'idéal étant de prendre des œufs de poules élevées en liberté et nourries au grain de l'agriculture biologique contrôlée.

Olive   *Olea europaea*

Les fruits riches en huile de l'olivier font de lui un élément traditionnel de la culture méditerranéenne et du Moyen-Orient depuis des milliers d'années. L'huile d'olive contient non seulement de l'acide oléique mais aussi de l'acide linoléique. L'huile d'olive est un classique en cosmétologie car elle pénètre bien dans l'épiderme qu'elle soigne et adoucit. Dans les crèmes et autres produits de soins de bonne qualité, on trouve de l'huile première pression à froid.

Les personnes souffrant de maladies de peau, comme la névrodermite, l'eczéma ou le psoriasis peuvent suivre un traitement à l'huile d'onagre. Cette dernière favoriserait le métabolisme des acides gras, apaisant ainsi les démangeaisons. L'huile d'onagre évite que la peau se dessèche trop.

Onagre*   *Oenothera biennis*

Les fleurs jaunes de l'onagre ont la particularité de ne s'ouvrir qu'à la tombée de la nuit. C'est l'une des plus anciennes plantes médicinales des Indiens, mais chez nous elle n'a « fait carrière » que tardivement : c'est en 1917 seulement que Unger, un scientifique allemand, s'aperçut que ses graines contenaient 15 % d'une belle huile jaune doré. Ce n'est que deux années plus tard que l'on découvrit que l'onagre était l'une des rares plantes à contenir de grandes quantités d'acides gras essentiels poly-insaturés indispensables à la vie (78 % d'acide linoléique) et l'acide gamma-linolénique, un acide très rare (environ 9 %). « Essentiel » signifie que le corps a besoin de cette substance mais ne peut la produire lui-même. L'huile d'onagre donne plus d'élasticité à la peau et ralentit le dessèchement en améliorant et renforçant la barrière protectrice.

Orange   *Citrus dulcis*

Cet agrume fournit des ingrédients divers pour les produits de beauté. Son huile est désodorisante. Lors de la fabrication de l'huile essentielle par distillation aqueuse des fleurs d'oranger, on obtient l'eau de fleur d'oranger. Cette eau aux pouvoirs antiseptique et apaisant dégage un parfum doux et subtil.

L'eau de fleur d'oranger parfume subtilement les lotions pour le visage d'une senteur d'agrumes. Elle calme et désinfecte. On l'obtient par distillation des fleurs.

Ortie *   *Urtica dioica*

On attribue à l'ortie une forte action dépurative sur le système sanguin. À partir de ses racines, on fabrique par extraction alcoolique une lotion capillaire qui stimule la circulation sanguine du cuir chevelu et élimine les pellicules.

L'ortie entre aussi dans la composition des produits pour peau normale ou grasse.

Prêle des prés*   *Equisetum arvense*

Connue aussi sous le nom de « queue de cheval » ou « queue de rat », cette plante médicinale riche en acide silicique redonne de l'élasticité à la peau.

La prêle des prés a des vertus antiseptiques et soignantes, pour les boutons infectés par exemple. Pour des problèmes de peau plus étendus, comme l'eczéma ou les plaies purulentes, les bains ou compresses à la prêle se sont avérés efficaces.

Très riche en acide silicique, la prêle des prés servait autrefois à polir les récipients en étain.

Propolis   *Propolis cera*

La propolis est une masse résineuse composée du suc digestif des abeilles et d'une gomme qu'elles recueillent sur des bourgeons. Elle était souvent utilisée dans les produits cosmétiques à préparer chez soi.

Attention: les dermatologues indiquent que le nombre de personnes allergiques à la propolis est en forte augmentation.

Ricin   *Ricinus communis*

L'huile de ricin contient beaucoup de vitamines et d'acides gras très précieux. On l'emploie dans les crèmes riches et dans les huiles de massage, et elle est parfaite dans les soins capillaires.

En latin, le mot *ricinus* signifie « tique ». L'arbre a été nommé *ricin* car ses graines ressemblent à des tiques. On extrait l'huile de ses graines par pression à froid. On l'intègre en petite quantité seulement dans les produits de beauté à cause de son odeur pénétrante. On la trouve plus particulièrement dans les rouges à lèvres car c'est un bon solvant pour les pigments.

Romarin*   *Rosmarinus officinalis*

On récolte les feuilles de romarin juste avant leur floraison. Elles contiennent entre autres 1 à 2 % d'huile essentielle, du tanin et une substance amère. Le romarin contient quantité d'actifs intéressants pour le soin des peaux grasses aux pores dilatés, ou des épidermes stressés présentant des signes d'inflammation. On l'emploie dans des crèmes, associé à l'hamamélis par exemple.

Le romarin active la circulation du sang, stimule le métabolisme et a un pouvoir anti-inflammatoire. Dans un gel-douche ou un savon, son parfum suffit à réveiller et à tonifier. Dans une huile de massage, il soulage les contractures musculaires.

Rose   *Rosa gallica*

Une compresse à l'eau de rose redonne une mine superbe aux épidermes fatigués et pâles. Poser sur le visage un linge humide et tiède imprégné de quelques gouttes. Ne pas utiliser en cas de couperose.

La rose aussi est une plante médicinale bien connue depuis longtemps. L'huile précieuse et noble de la rose de Bulgarie (*Rosa damascena*) est particulièrement prisée. Cette substance de grande valeur est produite depuis 250 ans déjà en Bulgarie, sur les pentes ensoleillées des Balkans. Il faut savoir que pour obtenir 1 kg de vraie huile, 5 000 à 6 000 kg de pétales de rose sont nécessaires.

• L'huile de rose est utilisée dans les crèmes de

soin du visage et de la peau, ou pure comme huile pour le corps après le bain. Elle convient à tous les types de peau et réussit très bien aux peaux sensibles.

- L'huile de rose est présente aussi dans l'eau de rose, traditionnellement employée par ceux qui fabriquent leurs propres cosmétiques. Cette eau pour le visage, à la fois très douce et astringente, vivifie la peau, en affine le grain et renforce ses défenses immunitaires.

Sauge *   *Salvia officinalis*

La sauge est une plante aromatique aux feuilles persistantes et aux fleurs odorantes. L'extrait de sauge est fort apprécié en phytothérapie depuis des milliers d'années. L'huile essentielle a des propriétés anti-inflammatoires, antibactériennes et désinfectantes.

C'est un bon ingrédient pour les préparations destinées à désencrasser les peaux grasses et impures. L'extrait de sauge stimule le métabolisme de la peau et l'infusion est un bon remède contre le saignement des gencives et les maladies parodontales.

Attention : l'huile de sauge doit être employée en quantité infime et elle est totalement déconseillée pendant la grossesse et l'allaitement.

Sésame   *Sesamum indicum*

L'huile de sésame provient d'une plante qui ressemble à la digitale. Les graines de sésame contiennent environ 50 % d'une huile claire quasiment inodore.

L'huile de sésame est une huile qui soigne la peau en douceur. On l'utilise par exemple dans les crèmes pour le contour des yeux. Elle offre aussi une légère protection contre les rayons U.V.

Une compresse d'huile de sésame stimule et raffermit la peau. Enduire le visage, le cou et le décolleté d'huile, couvrir d'une serviette et laisser agir une heure.

Soie (protéine de ~)   *Hydrolized silk*

La protéine de soie provient des restes de cocons et se compose principalement de deux (scléro)protéines : la séricine et la fibroïne. Lorsque le bombyx du mûrier se coule hors de son cocon, les restes de celui-ci sont dépouillés de la séricine, et pour ce qui est de la fibroïne elle est obtenue par un procédé chimique de séparation.

- Les produits cosmétiques à base de soie ont pour objectif l'apport en eau et le maintien de l'hydratation de la peau afin de restaurer l'élasticité et la fermeté des tissus.
- Les protéines de soie sont utilisées aussi dans les gammes de soins pour cheveux. Elles donnent du volume à la chevelure et facilitent le coiffage. Comme elles fixent l'humidité, elles conviennent particulièrement aux cheveux secs et fatigués.

Soja   *Glycine soja*

Riche en lécithine et en vitamine E, l'huile de soja est obtenue à partir des haricots de soja et sert de base à de nombreux produits de beauté. On l'utilise également pour les extraits de plantes. C'est ainsi que l'on obtient de l'huile de calendula par extraction des principes du souci des champs sur base d'huile de soja. L'huile de soja rend la peau douce, fixe l'humidité, apaise et raffermit.

Souci des champs   *Calendula officinalis*

Au Moyen Âge, la célèbre guérisseuse Hildegard de Bingen utilisait déjà le calendula ou souci des champs contre les impuretés de la peau. L'Office Fédéral pour la Santé d'Allemagne référence le calendula comme étant une substance anti-inflammatoire à effet local, efficace entre autres dans les cas de brûlures, de pincements ou d'égratignures.

Du fait de leurs propriétés apaisantes et soignantes, les extraits de fleurs de calendula entrent dans la composition de cosmétiques comme les lotions toniques pour le visage ou les crèmes régénérantes pour la peau. Ils conviennent particulièrement aux peaux sèches.

Le calendula contient un taux élevé de caroténoïdes, précurseurs de la vitamine A. Le calendula est aussi un additif idéal pour les savons doux et naturels.

Talc   *Talc magnesium stearate*

On trouve le talc dans des roches. La poudre de talc est blanche, adhère bien à la peau et l'assèche. Il entre dans la composition des poudres pour le visage.

Thé (*arbre à ~)   *Melaleuca alternifolia*

L'arbre à thé a été utilisé comme cicatrisant par les aborigènes australiens depuis des milliers d'années. La médecine moderne n'a fait que redécouvrir ses vertus curatives. De nombreuses recherches ont porté sur l'effet de l'arbre à thé sur les mycoses et l'acné, et sur ses propriétés antiseptiques. Les premiers résultats scientifiques datent de 1922, époque où Penefold, chimiste originaire de Sydney, a distillé pour la première fois l'huile essentielle de ses feuilles.

Depuis peu, l'huile d'arbre à thé apparaît dans de nombreuses préparations sous sa forme pure ou dans des associations de principes actifs. Les personnes souffrant de mycoses aux pieds peuvent envisager avec leur médecin un traitement à l'huile d'arbre à thé, son efficacité étant prouvée dans les traitements à long terme. C'est une substance très appréciée dans de nombreux cosmétiques naturels car elle pénètre bien dans la peau, la nettoie en profondeur et joue en même temps le rôle d'excipient pour les autres principes actifs. Elle est utilisée dans les shampooings, les

L'huile d'arbre à thé (tea-tree, Melaleuca Alternifolia) redonne de la douceur à la peau râpeuse des pieds. Des bains de pieds réguliers, dans une bassine d'eau chaude contenant dix gouttes d'huile, peuvent faire des miracles. Même des pieds très abîmés retrouveront leur douceur.

conditionneurs, les crèmes pour les mains et le corps, les bains de bouche et les savons.

Thé vert   *Camelia oleifera*

L'extrait de thé vert est tiré des fleurs du Camelia oleifera. Il nettoie bien l'épiderme, clarifie le teint et a un effet apaisant et équilibrant. Le thé vert est surtout utilisé pour les soins de la peau sensible du visage.

Thym *   *Thymus vulgaris*

Qui ne connaît pas l'odeur caractéristique de cette plante aromatique méditerranéenne ?

Le thym est un antiseptique puissant, c'est pourquoi on l'emploie dans les lotions après-rasage et lotions pour le visage pour peau impure.

Le thym des célèbres herbes de Provence est également utilisé en médecine, en infusion, avec du miel dans les cas de bronchite, de coqueluche, ou de catarrhe des voies respiratoires supérieures. L'infusion de thym calme l'envie de tousser et a des vertus expectorantes.

Tilleul * (fleurs de ~)   *Tilia vulgaris*

C'est au moment où le tilleul est presque entièrement en fleurs que ces dernières contiennent le maximum de principes actifs. Les infusions de fleurs de tilleul et les infusions de sureau sont un excellent remède contre les refroidissements.

En cosmétologie, les fleurs de tilleul sont considérées comme source de beauté car leurs agents actifs renforcent le tissu cutané et préparent la peau à l'absorption des substances actives. C'est pourquoi elles entrent généralement dans la composition des lotions toniques pour le visage. Les préparations aux fleurs de tilleul soignent aussi très bien les peaux sèches et sensibles.

Tournesol   *Helinathus annuus*

L'huile de tournesol issue des graines de tournesol est riche en acides gras insaturés.

Vison (huile de ~)   *Ethyl minkate*

L'huile de vison évoque une peau soyeuse et chatoyante comme celle du vison. Cette huile d'origine animale provient de la graisse dorsale de visons d'élevage et est encore employée en cosmétologie bien qu'elle ne soit d'aucune utilité.

Vitamine E   *Tocopherol*

En cosmétologie naturelle, la vitamine E provenant d'huiles végétales est utilisée pour la protection contre le vieillissement de la peau. La vitamine E est un antioxydant naturel ; elle neutralise les radicaux libres, empêchant ainsi que les cellules ne soient endommagées, et ralentissant de ce fait le processus de vieillissement.

LES SUBSTANCES INSAPONIFIABLES SONT TRÈS PRISÉES

Lors de la commande ou de l'achat d'une huile ou d'une graisse, vous aurez l'occasion de rencontrer le terme « insaponifiable ». Les substances insaponifiables sont relativement rares dans le monde végétal et apparaissent en fait dans les graines et les fruits. Dans la plupart des huiles, la partie insaponifiable atteint 0,5 à 2 %. Avec ses 11 %, le beurre de karité représente une exception. Une bonne huile d'avocat, quant à elle, peut en contenir jusqu'à 6 %.

Les substances insaponifiables des huiles et des graisses sont très précieuses compte tenu de leurs propriétés bénéfiques très diverses, et comptent ainsi parmi les substances actives importantes pour l'industrie des cosmétiques.

- Elles assouplissent la peau.
- Elles retiennent l'humidité.
- Elles protègent la peau.

Cosmétiques naturels et/ou biologiques certifiés

La garantie en plus

Le terme « cosmétiques naturels » suggère au consommateur qu'il n'a plus de soucis à se faire, que Dame Nature s'occupe de lui avec douceur et responsabilité. Quel joli rêve... Trop souvent ce terme relève davantage du marketing et ne désigne que quelques pour cent, voire pour mille de la composition du produit ainsi valorisé, le reste étant semblable aux produits conventionnels du commerce.

Et pourtant, grand est le nombre d'utilisatrices à la recherche d'authentiques cosmétiques naturels.

Des démarches de certification de cosmétiques « naturels », « écologiques » ou « biologiques » ont été créées depuis le début des années 2000 dans plusieurs pays européens face à cette situation. Dans presque tous les cas, cette démarche inclut un cahier des charges précis et une supervision régulière des laboratoires par un organisme de contrôle indépendant. Les cosmétiques ainsi certifiés se trouvent pour la plupart dans les magasins d'alimentation bio ou dans certains instituts de beauté. Quelques produits certifiés, vendus en parapharmacie ou en grandes surfaces, montrent que la confiance inspirée par un label sérieux est un réel atout pour des petits laboratoires, même dans cet univers hyperconcurrentiel.

Mais avant de percer véritablement, avant de devenir une alternative crédible aux yeux des nombreuses consommatrices, cette mouvance doit vaincre son atomisation. Car, aujourd'hui, la consommatrice se trouve face à une multitude de cahiers des charges et de labels. Les logos nationaux en Italie, en Angleterre, en Allemagne et en

France ne facilitent pas la compréhension et la crédibilité des « cosmétiques naturels ». Dans un souci de cohésion, un label européen semble indispensable. La volonté de coopération et les réunions de travail régulières des principaux acteurs de cette mouvance rendent probable une telle clarification dans les prochaines années.

Car le « tronc commun » des différents cahiers des charges est très important, malgré leurs différences sur quelques détails. Ce tronc commun concerne 99 % des composants autorisés par chacun d'eux. Ils ont en commun les « lignes de forces » qui sont expérimentées et réalisées depuis plus de 20 ans par les pionniers des authentiques cosmétiques naturels, surtout en Allemagne :

- exclusion de paraffines et de silicones,
- exclusion de parfums ou colorants de synthèse,
- exclusion de composants irradiés ou issus d'organismes génétiquement modifiés,
- exclusion de matières premières d'origine animale (vertébrés) sauf issues de l'animal vivant (lanoline, miel…),
- exclusion de matières premières éthoxilées (voir page 105),
- limitation d'utilisation de conservateurs à un petit groupe de conservateurs alimentaires (le BDIH allemand oblige en plus, dans le cas d'utilisation d'un de ces conservateurs, de le mentionner sur l'étiquette : « conservé avec… »),
- utilisation de composants végétaux, si possible issus de l'agriculture biologique.

Le bal des cahiers des charges de cosmétiques naturels a été ouvert en 1995 par le **BNN**, une association allemande, qui regroupait à la fois fabricants, distributeurs et détaillants de la filière Bio. Son cahier des charges avait un air léger de fondamentalisme un désavantage de taille : il était à l'époque pratiquement inapplicable et est resté extrêmement confidentiel. Presque aucun laboratoire ne s'est plié à ses exigences, presque aucun produit certifié sur cette base n'a vu le jour. Aujourd'hui ce cahier des charges a cessé toute activité.

En France, la nécessité de sélectionner les fabricants de cosmétiques dans les salons et foires bio, notamment à Marjolaine (Paris), ont amené l'association **Nature et Progrès** à faire traduire la liste des produits autorisés par le BNN dès 1996 pour faire un premier « ménage » dans ce qui était exposé aux salons dont l'association avait la responsabilité.

En 1997 Nature et Progrès rédige le premier cahier des charges français « cosmétiques, produits d'hygiène et savonnerie » ; on peut lui reprocher d'avoir été – tout comme celui du BNN à cette époque – quasi inapplicable, sauf pour quelques petites entreprises, de par la difficulté à se procurer les produits bio. De ce fait il a été extrêmement confidentiel.

Néanmoins, sa charte fondamentale est suffisamment claire et exemplaire pour être citée, elle vaut d'ailleurs pour toutes les autres certifications qui ont suivies.

« Les produits cosmétiques et d'hygiène corporelle **Nature et Progrès** sont issus de substances ou de composition de matières premières obtenues en ayant recours à des procédés physiques ou chimiques simples, sans utilisation de molécules de synthèse, et répondant, à toutes les étapes de la fabrication, à des normes et à des critères précis de respect de l'environnement ».

En 2001 commencent les démarches sérieuses : un groupe de travail « cosmétiques naturels » , à l'intérieur du **BDIH**, formé, entre autres, par les ténors de cette mouvance d'outre-Rhin (comme Weleda, Wala, Logona, Lavera) publie le cahier des charges « cosmétiques naturels » après 4 années de préparation. Son succès était immédiat grâce à son savant mélange d'exigences et de pragmatisme. Il s'appuie sur une liste de 690 composants autorisés (sur les 20 000 existants), cette liste n'est malheureusement pas publiée. Une bonne partie des huiles et des extraits de plantes doit impérativement provenir de l'agriculture biologique. Cette obligation est réglée, composant par composant, pour coller au plus près à l'évolution des matières premières. Pour formuler un produit certifiable, un laboratoire doit puiser dans cette liste qui reste évolutive. Ce cahier des charges est relativement simple à appliquer et le coût du contrôle est abordable, même pour un petit laboratoire. En 2005, 49 laboratoires se font certifier avec 2 500 produits ; le contrôle est effectué par un organisme de certification indépendant (IMO). Le certificat de conformité est donné produit par produit, il n'y a pas de certification de marque. 60 % des produits d'une marque doivent être conformes au cahier des charges avant que le premier puisse porter fièrement le logo. Avec cette restriction, le BDIH veut éviter des « certifications d'alibi », qui redorent le blason d'un laboratoire trop opportuniste.

En absence de statistiques fiables on peut néanmoins estimer que bien plus de la moitié des cosmétiques naturels certifiés vendus en Europe portent le label « cosmétique naturel certifié » du BDIH.

Le BDIH est implanté en Allemagne, aux Pays-Bas, en Autriche et en Suisse et les produits sont exportés dans plus de 40 pays, bien évidemment aussi en France.

Plus d'infos :
www.kontrollierte-naturkosmetik.de (en français)

En France aussi les choses évoluent vite : en 2002 l'organisme de certification **ECOCERT** plus connu sur le secteur des produits alimentaires bio,

a déposé au ministère de l'Industrie un référentiel dont il est propriétaire. Ce référentiel est issu du travail d'une dizaine de laboratoires spécialisés dans les produits naturels, regroupés sous le nom de **Cosmébio**. Toute l'expérience d'ECOCERT en tant que « leader » de la certification de produits Bio (alimentaires) enrichit ce cahier des charges. À la différence de l'approche allemande, les Français n'utilisent pas le terme « cosmétiques naturels », mais parlent de cosmétiques « biologiques » ou « écologiques ». Car ce cahier des charges présente deux niveaux d'exigences et deux labels en la matière :

— les produits labellisés « cosmétique biologique », dont 95 % des composants végétaux et 10 % du total de la composition doivent provenir de l'agriculture bio ;

— les produits labellisés « cosmétique écologique », dont 50 % des composants végétaux et 5 % du total de la composition doivent provenir de l'agriculture bio.

Ces deux labels sont réservés aux laboratoires adhérant à l'association Cosmebio. Mais il reste possible, pour un laboratoire non-adhérent, de faire certifier ses produits avec le label « ECOCERT » qui, du coup, devient à la fois organisme de certification et marque de qualité, en quelque sorte juge et partie. Un équilibre qui n'est probablement pas toujours facile à gérer...

Plus d'infos : www.ecocert.fr

Les consommatrices françaises se trouvent face à 3 labels différents, dont les différences subtiles peuvent échapper aux plus distraites.

En 2005, Ecocert a certifié 77 laboratoires en France, mais aussi en Allemagne, au Portugal, en Espagne, en Belgique, au Brésil et au Québec.

Comme pour rendre la situation encore plus complexe pour les Françaises, un autre organisme de certification, **Qualité France**, a lui aussi développé son cahier des charges. Le référentiel a été déposé au ministère de l'Industrie en 2004. Il est très semblable à celui d'Ecocert, avec deux niveaux de certification suivant les pourcentages de produits bio. Environ 5 ou 6 laboratoires sont certifiés par Qualité France.

Plus d'infos : www.qualite-france.com

En Italie et en Angleterre, la création de cahiers des charges pour les cosmétiques naturels a été portée, comme en France, par des acteurs historiques de l'agriculture biologique. En Angleterre c'est l'association **Soil Association** et en Italie l'**AIAB**, qui ont intégré un volet cosmétique dans leur démarche qualitative. Pour le moment, les deux certifient peu de laboratoires, et, à notre connaissance, aucun produit certifié par l'un d'eux n'est présenté en France.

Ce tour d'horizon présente toutes les démarches européennes de certification de cosmétiques naturels, dont la base est un cahier des charges publié et un système de contrôle assuré par un organisme indépendant. Ce ne sont pas les **marques** qui reçoivent le label, mais les **produits**, après contrôle et certification, un par un.

Ce sont les conditions indispensables pour inspirer la confiance nécessaire, qui peuvent permettre une percée durable des cosmétiques naturels.

Le label allemand **Neuform** fait un peu cavalier seul dans ce tour d'horizon : il semble être davantage une charte de qualité qu'un cahier des charges. Il est présent dans les 2 500 magasins diététiques Neuform en Allemagne depuis des décennies, autant pour les produits alimentaires que pour les cosmétiques. Son attribution est gérée par les représentants des détaillants, qui forment la coopérative Neuform. À la différence des autres labels, il est donné à une marque pour TOUS ses produits, et à notre connaissance sans contrôle ni certification d'un organisme indépendant. Ni le contenu précis du cahier des charges, ni les modalités d'attribution du label ne sont publiés. La charte publiée sur le site web de l'un de ses adhérents précise néanmoins l'exclusion de paraffines, de silicones, l'utilisation d'ingrédients provenant d'animaux morts et aussi des tests sur les animaux. Les produits labellisés Neuform peuvent, par contre, contenir des parabènes, des PEGs ou des éthers de glycol (phénoxyéthanol), ce qui est d'ailleurs vigoureusement défendu sur le site web de son adhérent Annemarie Börlind.

La charte de qualité Neuform est certainement une bonne base pour rejoindre les cahiers des charges plus pointilleux et plus précis, si cela est la volonté de ses acteurs.

Plus d'infos : www.boerlind.com/f/ (en français) et www.neuform.de

Les origines historiques des différents cahiers des charges sont diverses :

- le « groupe cosmétiques naturels » du BDIH allemand est formé par des laboratoires, qui se sont mis d'accord sur une base commune, malgré la compétition réelle entre eux ;
- tous les autres cahiers des charges, dont celui d'ECOCERT en France, ont leurs racines dans la mouvance de l'agriculture biologique.

Le premier est plus proche de la réalité d'un laboratoire, les autres mettent davantage l'accent sur l'origine biologique des composants.

Le défi des années à venir est d'arriver – malgré ces différences réelles – à une démarche et un label communs pour présenter une alternative crédible, lisible et reconnaissable aux consommateurs.

LEXIQUE
DES COMPOSANTS

Plus de 1 200 ingrédients entrant dans la composition des produits de beauté ont été testés et ont permis d'établir un lexique très complet: « Les composants de A à Z ». C'est une première qui permettra au lecteur de se faire une opinion sur les constituants de ses produits listés dans la déclaration INCI.

Ce que les produits contiennent vraiment

L'obligation de déclarer les composants (déclaration INCI) a fait de l'emballage des cosmétiques une source importante d'information puisque la liste des constituants se trouve souvent sur l'emballage extérieur. On différencie au premier coup d'œil les fabricants qui respectent le consommateur (déclaration claire et lisible) et ceux qui ne se soucient pas de l'acheteur (minuscules lettres d'imprimerie illisibles alors qu'il y a suffisamment de place). Pour les produits sans emballage extérieur, comme les shampooings, la déclaration se trouve au dos du contenant, les produits de maquillage tout petits, comme les rouges à lèvres et ombres à paupières qui n'ont souvent pas d'emballage carton, les fabricants accrochent parfois de petites brochures avec la déclaration des composants sur la gondole du supermarché. Mais comme il n'est pas aisé de procéder à une étude des

Mauvaises notes attribuées aux substances toxicologiquement douteuses : les substances dont l'évaluation toxicologique fait naître de graves inquiétudes sont accompagnées dans le lexique « Les composants de A à Z » de la note « déconseillé » (☹☹☹). Les substances dont le potentiel d'irritation ou allergisant est connu et important ont généralement reçu la note « insuffisant » (☹☹), voire la note « déconseillé » chaque fois que plusieurs critères insuffisants étaient combinés.

composants sur place, il est conseillé de se faire envoyer la petite brochure.

Il est intéressant de constater que le lexique commence et se termine par deux substances végétales : les principes actifs Abies alba (épicéa) et Zingiber officinalis (gingembre). Hélas, entre les deux, nous trouvons aussi pas mal de composants critiques du point de vue chimique et de qualité moindre. Le lexique sera le fil conducteur permettant de les repérer et faire les choix qui s'imposent lorsque l'on veut améliorer la qualité des soins à apporter à sa peau.

SPÉCIFICATION DES COMPOSANTS VÉGÉTAUX

Une nouvelle réglementation de l'obligation de déclaration sera valable fin 2005, qui apportera davantage de transparence au sujet des composants utilisés dans un produit. Jusqu'à présent un composant issu de l'abricot était déclaré uniquement comme Prunus armeniaca. Prochainement il y aura également l'information supplémentaire (Apricot) entre parenthèses, ainsi qu'une spécification concernant la partie utilisée.

Les désignations les plus fréquentes pour les parties des plantes utilisées sont les suivantes :
- Flower   fleur
- Leaf   feuille
- Seed   graines
- Root   racine
- Kernel   noyau

Et des spécifications au sujet des formes employées :
- Extract   extrait, généralement aqueux
- Oil   huile
- Powder   poudre
- Juice   jus
- Meal   mouture

Les composants de A à Z

Ce lexique contient plus de 1 200 composants entrant dans la composition des cosmétiques. Pour chaque substance, nous avons indiqué d'une part les fonctions principales qu'elle peut remplir (substance de soins pour la peau, matière qui forme un film, conservateur, etc.), d'autre part son origine (végétale, chimique, minérale, animale, biotechnologique ou autre). Un certain nombre de composants importants, comme les silicones ou les paraffines, ont été évalués selon différents points de vue (de la peau, écologique) : les silicones, par exemple, sont extrêmement bien supportés par la peau mais pas acceptables sur le plan écologique. La « note écologique » (en rapport avec les conséquences sur l'environnement) est indiquée séparément. Quant aux paraffines, composants de base toujours couramment utilisés, elles n'ont aucune propriété soignante pour la peau. Pour elles et pour les substances proches d'huile minérales, la note concernant le soin de la peau « insuffisant » a été indiquée séparément. D'après des recherches de l'O.M.S. (Organisation Mondiale de la Santé), ces substances sont aussi très discutables sur le plan de la santé.

☺☺☺	☺☺	☹
très bien	bien	satisfaisant
☹	☹☹	☹☹☹
passable	insuffisant	déconseillé
v = végétal	m = minéral	d = origines diverses
c = chimique	a = animal	b = biotechnologique

A

☺☺☺ **Abies alba (épicéa)**
Agent actif, v
Stimule l'irrigation sanguine ;
utilisé sous forme d'extrait de
plante ou d'huile essentielle

☺☺☺ **Abietic Acid (acide abiétique)**
Stabilisant, forme un film, v

☺☺ **Abietyl Alcohol**
Solvant, v

☺☺☺ **Acacia (gomme arabique)**
Gélifiant, v
Jus de plantes broyées après
séchage

☺☺☺ **Acacia catechu (catechu)**
Colorant pour les cheveux, v
L'arbre de catechu fournit
une poudre brun clair pour
la coloration des cheveux

☺☺☺ **Acer saccharinum
(érable à sucre)**
Agent actif, v

☹ **Acetamide MEA**
*Substance de soin pour la peau,
solvant, c*
Substance hydratante

☹ **Acetanilid**
Additif, c
Utilisé par ex. pour stabiliser
les préparations et aussi des
parfums ; douteux sur le plan
toxicologique

☹ **Acetone (acétone)**
Solvant, c
Sous forme non diluée action
fortement dégraissante

☺☺☺ **Acetic Acid (acide acétique)**
Substance tampon, v

☺☺☺ **Acetum (vinaigre)**
Substance antistatique, v

☺☺☺ **Acetyl Pentapeptide-1**
Substance de soin pour la peau, d

☺☺☺ **Acetylated Castor Oil**

(huile de ricin)
Substance de soin pour la peau, v
Utilisé surtout dans les rouges à lèvres à cause de ses
bonnes propriétés de solvant
pour colorants

☺☺☺ **Acetylated Lanolin
(lanoline)**
*Antistatique, substance de soin
pour la peau, émulsifiant, a*

☺☺☺ **Achillea millefolium
(mille-feuille)**
Agent actif, v
La mille-feuille a un effet décontractant et apaisant pour
la peau fatiguée. Elle est antibactérienne, anti-
inflammatoire, équilibrante
et particulièrement adaptée à
la peau sensible. Inconvénient : c'est une substance
naturelle qui déclenche des
réactions allergiques chez de
nombreuses personnes

☹ **Acrylamides Copolymer**
Gélifiant, c
Note écologique ☹☹

☹ **Acrylamide Sodium
Acrylate Copolymer**
*Antistatique, forme un film, gé-
lifiant, c*
Note écologique ☹☹

☹ **Acrylamidopropyltrimo-
nium Chloride/Acrylates
Copolymer**
Démêlant, forme un film, c
Difficilement dégradable
Note écologique ☹☹

☹ **Acrylated Glycol Stearate**
Co-émulsifiant, c
Note écologique ☹☹

☹ **Acrylates/C10-30 Alkyl
Acrylate Crosspolymer**
Forme un film, c
Note écologique ☹☹

⊗ **Acrylates Copolymer**
Forme un film, c
Note écologique 🙁🙁

🙁🙁 **Acrylates/Steareth-20 Methacrylate Copolymer**
Substance de contrôle de visco-sité, gélifiant, donne une brillance nacrée, c
Voir p. 141 : PEG, PPG

⊗ **Acrylic Acid/ Acrylonitrogens Copolymer**
Forme un film, c
Note écologique 🙁🙁

☺☺☺ **Actinidia chinensis (kiwi)**
Agent actif, v

☺☺ **Adeps bovis (suif)**
Substance de soin pour la peau, a
Voir p. 133 : Composants d'origine animale

☺☺☺ **Adiantum capillus-veneris (cheveux de Venus)**
Agent actif, v
Agit contre les pellicules du cuir chevelu

☺☺ **Adipic Acid (acide adipique)**
Substance de soin pour la peau, retient l'humidité, c

☺☺☺ **Aesculus hippocastanum (marronnier)**
Agent actif, v
Contient des flavonides qui augmentent l'efficacité de la vitamine C et l'élasticité des vaisseaux sanguins (capillai-res) ; son écorce fournit l'esculine, une substance qui protège des coups de soleil

☺☺☺ **Agar**
Gélifiant, émulsifiant, v
Obtenu à partir d'algues ; re-tient l'humidité, lissant

☺☺☺ **Alanine (acide aminé)**
Agent actif, d
Retient l'humidité

☺☺☺ **Albumen (albumine)**
Clarifiant, co-émulsifiant, a
Albumine séchée ; substance de base pour microcapsules ; action antioxydante (contre le rancissement)

☺☺☺ **Alchemilla vulgaris (alchémille, manteau de Notre-Dame)**
Agent actif, v
L'alchémille contient jusqu'à 8 % de tanin et est utilisée sur-tout dans les bains de bouche

☺☺☺ **Alcohol**
Solvant, agent solubilisant, d
Obtenu par fermentation al-coolique (alcool naturel) ; nettoyant, dégraissant

☺☺/⊗ **Alcohol denat.**
Solvant, v
L'alcool dénaturé a un effet dégraissant et nettoyant ; on l'utilise aussi pour la conser-vation ; sa qualité dépend de l'agent de dénaturation

LES ALCOOLS DES COSMÉTIQUES NE SONT PAS TOUS PAREILS

Les alcools jouent un rôle très important dans les compositions cosmétiques. L'appellation INCI « Alcohol » désigne l'éthanol. Mais, l'éthanol et les alcools comestibles sont taxés par l'État. Pour cette raison ils sont plus chers que l'alcool dénaturé.

- L'appellation « Alcohol denat » désigne les alcools dénaturés qu'on a rendus incomestibles par l'ajout de substances ayant mauvais goût, sen-tant mauvais, ou difficilement séparables. L'évaluation d'un alcool dénaturé dépend de la substance de dénaturation qui n'est cependant

LES COMPOSANTS DE A À Z

pas indiquée dans la déclaration INCI. Pour cette raison l'Alcohol denat a été évalué par les notes « satisfaisant » : ☹ ou « bien » ☺☺.
- Si un producteur veut utiliser de l'éthanol pur sans payer la taxe sur les alcools, il peut le dénaturer par des substances de son choix qu'il déclare auparavant au fisc, par exemple par des huiles essentielles.

☺☺☺ **Algae (algues)**
Agent actif, v
Les algues forment un film et sont riches en substances minérales, protéines, glucides (hydrates de carbone), vitamines et oligo-éléments ; elles tendent et raffermissent la peau, activent le métabolisme et protègent des radicaux libres ; de plus, les algues retiennent bien l'eau dans les produits de soin pour la peau et les cheveux

☺☺☺ **Algin**
Épaississant, v
Obtenu à partir d'algues

☺☺☺ **Alginic Acid (acide alginique)**
Gélifiant, épaississant, v
Obtenu à partir d'algues marines ; on l'utilise par ex. comme épaississant dans des dentifrices et des gels ou comme laque pour cheveux

☺☺☺ **Allantoin**
Agent actif, c
L'allantoïne a une action cicatrisante ; une peau fatiguée, rêche et gercée redevient lisse et saine ; l'allantoïne améliore par ailleurs sa capacité d'hydratation

☹☹ **Almond Oil PEG-6 Esters (esters d'huile d'amande)**
Substance de soin pour la peau, c
Laisse la peau lisse et agréablement douce ; voir p. 141 : PEG, PPG

☺☺☺ **Aloe barbadensis (aloès)**
Agent actif, v
Hydratant, s'avère efficace contre la peau irritée, renforce le processus d'auto-guérison après les coups de soleil, protège légèrement contre les rayons UV ; redonne douceur et velouté aux peaux sèches et fatiguées, ses différents sucres ayant une action particulièrement lissante

☺☺ **Alpha-isomethyl ionone**
Parfum de synthèse, c

☺☺☺ **Althea officinalis (guimauve)**
Substance de soin pour la peau, v
Anti-inflammatoire, émollient ; substance classique en cosmétologie naturelle pour le soin des peaux impures

☺☺ **Alumina**
Épaississant, abrasif, d

☹☹ **Aluminum Chloride**
Déodorant, désinfectant, d
Risque de réaction cutanée inflammatoire ; voir p. 142 : Sels d'aluminium

☹☹ **Aluminum Chlorohydrate**
Déodorant, c
Risque de réaction cutanée inflammatoire ; voir p. 141 et 142 : Sels d'aluminium ; PEG, PPG

☹☹ **Aluminum Chlorohydrex**
Déodorant, c
Risque de réaction cutanée inflammatoire ; voir p. 136 et 142 : Sels d'aluminium ;

Composés organo-halogénés

☹☹ **Aluminum Chlorohydrex PG**
Agent actif antitranspirant, m
Voir p. 141 et 142 : Sels
d'aluminium ; PEG, PPG

☹ **Aluminum Distearate**
Gélifiant, émulsifiant, m

☺☺ **Aluminum Hydroxide**
*Substance de soin pour la peau,
substance clarifiante et décolo-
rante, m*
Hydrate d'argile ; action hydratante

☺☺ **Aluminum Lactate**
Substance tampon, m
Astringent, antitranspirant ;
peut boucher, en plus forte
concentration, les pores de la
peau ; voir p. 142 : Sels d'aluminium

☺☺☺ **Aluminum/Magnesium
Hydroxide Stearate**
*Stabilisant, gélifiant, co-
émulsifiant, d*
Argile minérale avec acide
stéarique

☹☹ **Aluminum
Sesquichlorohydrate**
Déodorant, m
Risque de réaction cutanée
inflammatoire ; voir p. 142 :
Sels d'aluminium ; Composés
organo-halogénés

☺☺☺ **Aluminum Starch
Octenylsuccinate**
*Épaississant, stabilisateur
d'émulsions à base d'amidon, d*

☹ **Aluminum Stearate**
Co-émulsifiant, stabilisant, d
Antitranspirant ; risque de
réaction cutanée inflammatoire ; voir p. 142 : Sels
d'aluminium

☹ **Aluminum Tristearate**
*Déodorant, gélifiant, émulsi-
fiant, agent actif, d*

☹☹ **Aluminum Zirconium
Trichlorohydrex GLY**
Déodorant, agent actif, m
Risque de réaction cutanée
inflammatoire ; voir p. 136 et
142 : Sels d'aluminium,
Composés organo-halogénés

☹☹ **4-Amino-2-Hydroxytoluene**
Colorant par oxydation, c
Douteux sur le plan toxicologique ; voir p. 143 : Amines
aromatiques

☺☺ **Aminomethyl Propanol**
*Substance neutralisante pour
résines, c*
Surtout dans les aérosols

☺☺☺ **Ammonia
(solution ammoniacale)**
Substance tampon, m
Ajuste le pH, émollient

☺☺☺ **Ammonium Glycyrrhizate**
Additif, v
Retient l'humidité

☺☺☺ **Ammonium Hydroxide**
*Fixe le pH, agent de neutralisa-
tion des acides, v*

☹☹ **Ammonium Laureth Sulfate**
Tensioactif, c
Voir p. 141 : PEG, PPG

☹ **Ammonium Lauryl Sulfate**
Tensioactif, c
Dégraissant

☹ **Ammonium
Polyacryldimethylauramide**
*Gélifiant, substance de soins ca-
pillaires, c*
Il n'y a pas de données sûres
concernant sa toxicité et ses
effets
Note écologique ☹☹

☹ **Ammonium
Polyacryloydimethyl taurate**
Co-émulsifiant, c
Polymère de synthèse, stabi-

lise une émulsion, forme un film
Note écologique 😟😟

☹ **Ammonium Thiolactate**
Agent actif, d
Utilisé par ex. dans des produits d'épilation et de défrisage de cheveux

😟 **Ammonium Xylenesulfonate**
Substance tensioactive, c
La base est le xylol ; rarement utilisé ; sa toxicologie n'est pas définitivement élucidée ; peut être remplacé sans problème par des substances moins douteuses

☹ **Amodimethicone**
Agent antistatique, c
Facilite le coiffage des cheveux ; voir p. 49 : Silicones
Note écologique 😟😟

☺☺ **Amyl Cinnamal**
Substance odoriférante, v, c
Voir p. 186/187

☺☺ **Amylcinnamylalcohol**
Substance odoriférante, v, c
Voir p. 186/187

☺☺☺ **Anacardium Occidentale (noix de cajou)**
Substance de soin pour la peau, v

☺☺☺ **Ananas Sativus (ananas)**
Substance de soin pour la peau, v

☺☺☺ **Anethole**
Substance odorifère, agent actif, d
Déodorant, anti-inflammatoire

☺☺☺ **Angelica Archangelica (angélique)**
Agent actif, v

☺☺☺ **Aniba Rosaeodora**
Agent actif, v
Bois du rosier ; l'huile essentielle obtenue à partir de ces bois a une action décontractante et apaisante sur la peau

☺☺ **Anisyl Alcohol**
Substance odoriférante, v, c
Voir p. 186/187

☺☺☺ **Anthemis Nobilis (camomille romaine)**
Colorant, agent actif, v
Calmant, anti-inflammatoire ; adapté surtout au soin de la peau impure et sensible ; comme colorant pour les cheveux, la camomille donne de chauds coloris blonds

☺☺☺ **Anthocyanins**
Colorant tiré de fleurs, v

😟😟 **Apricot Kernel Oil PEG-6 Esters**
Substance de soin pour la peau, émulsifiant, v
Voir p. 141 : PEG, PPG

☺☺☺ **Arachidonic Acid**
Substance de soin pour la peau (corps gras), v
Lissant, guérissant

☺☺☺ **Arachidyl Palmitate**
Substance de soin pour la peau, agent actif, d
Possède des effets anti-inflammatoires ; l'acide arachidonique est un acide gras essentiel insaturé

☺☺ **Arachidyl Propionate**
Substance de soin pour la peau, d
Émollient

☺☺☺ **Arachis Hypogaea (arachide)**
Corps gras, agent actif, v
Riche en vitamine E, en acides gras insaturés et en minéraux

☺☺ **Arctium Lappa**
Substance de soin pour la peau (corps gras), v
Active la circulation du sang, soigne la peau dont elle harmonise le métabolisme.

Huile grasse obtenue en pressant les fruits de bardane, teneur élevée en vitamine E, en bêtacarotène et en acides gras insaturés et polyinsaturés.

☺☺☺ **Arctium Majus (racine de bardane)**
Agent actif, v
Renforce le cuir chevelu et les racines des cheveux, fongicide, ralentit le développement des bactéries, prévient la chute des cheveux

☺☺☺ **Argania Spinosa**
Matière active, substance de soin de la peau, v
Huile des noyaux des fruits de l'arganier (Maroc). Ralentit le vieillissement de la peau, riche en acides gras insaturés et du tocophérol (Vit. E)

☺☺☺ **Arginine/Arginine Aspartate/-Glutamate/-PCA**
Agent actif, v
Retient l'humidité

☺☺☺ **Arnica Montana (arnica)**
Agent actif, composant huileux, v
Riche en provitamine A ; utilisé surtout pour des eaux de toilette contre une peau impure et grasse

☺☺☺ **Ascorbic Acid (acide ascorbique, vitamine C)**
Agent actif, antioxydant, d
Retient l'humidité, acide de fruit (AHA)

☺☺☺ **Ascorbyl Glucoside**
Agent actif pour la peau, v
Composé de glucose et de vitamine C

☺ **Ascorbyl Methylsilanol Pectinate**
Agent actif, couplé à de la silicone, d

Voir p. 49 : Silicones
Note écologique ☹☹

☺☺☺ **Ascorbyl Palmitate**
Antioxydant, d
Obtenu à partir d'acide palmitique et d'acide ascorbique (vitamine C) ; une forme plus stable de la vitamine C ; effet vivifiant

☺☺ **Aspartic Acid (acide aspartique)**
Agent actif, v
Fixe l'humidité

☺☺ **Atelocollagen**
Agent actif, retient l'humidité, d
Mélange d'acide hyaluronique (obtenu par un processus biotechnologique) et de collagène de veau ; grande capacité de fixer l'eau, engendre une sensation de peau lisse ; voir p. 133 : Composants d'origine animale

☺☺☺ **Avena Sativa (avoine, amidon)**
Base pour poudres, stabilisateur d'émulsion, fixe l'huile, v
Amidon provenant de céréales, pommes de terre, tapioca, farine, etc. ; employé par ex. dans des produits exfoliants

☹☹ **Avocado Oil PEG-11 Esters**
Substance de soin de la peau, c
Voir p. 141 : PEG, PPG

☺☺☺ **Azulene (azulène)**
Agent actif, d
L'huile d'azulène a une action guérissante et apaisante pour la peau

B

☹ **Babassuamide DEA**
Corps gras, d

Voir p. 139 : La formation des nitrosamines

☺☺☺ **Bambusa Arundinacea**
Agent actif, v
Fibres de bambou, riches en cellulose. Procure à la peau une sensation de douceur et de souplesse. Optimise la capacité de l'épiderme à renvoyer les rayons lumineux.

☺☺☺ **Bambusa Vulgaris**
Matière active, v
Extrait végétal obtenu des différentes parties du Bambusa Vulgaris (pousses, racines). La racine contient des actifs astringents et rafraîchissants, l'extrait des jeunes pousses est anti-inflammatoire. Le jus a un taux élevé d'acide silicique, important pour la peau et les os

☺☺☺ **Bambusoidea (bambou)**
Agent actif, v

☺☺ **Barium Sulfate**
Colorant, m
Substance au pouvoir adhérant, pour excipient de poudres

☹ **Barium Sulfide**
Substance dépilatoire, m
Substance adhésive pour excipient de poudres ; en concentration plus élevée, peut avoir un effet irritant

☺☺☺ **Barm Extract (levure)**
Substance de soin pour la peau, v
Conseillée surtout contre les peaux grasses, impures, souffrant d'acné

☺☺☺ **Beer (bière)**
Additif alimentaire, v
Produit naturel qui a fait ses preuves ; donne une belle brillance et plus de volume aux cheveux

☺☺☺ **Beeswax Acid (cire d'abeille)**
Stabilisateur d'émulsion, a

☹☹ **Beheneth-5,-10,-20,-25 (alcool de Ben)**
Émulsifiants, gélifiants, donnent une brillance nacrée, c
Voir p. 141 : PEG, PPG

☺☺☺ **Behenic Acid**
Agent actif, composant gras, v
Acide gras insaturé, par ex. dans l'huile de pépins de raisin

☹ **Behenic Ester Dimethicone**
Corps gras, c
Voir p. 49 : Silicones
Note écologique : ☹☹

☹ **Behenoxy Dimethicone**
Voir p. 49, Silicones
Note écologique : ☹☹

☹ **Behentrimonium Chloride**
Conservateur, c
Voir p. 144 : Quats

☺☺☺ **Behenyl Alcohol**
Texturant, v
Obtenu à partir d'huiles végétales ; action lissante sur la peau

☺☺☺ **Bentonite (terre à porcelaine)**
Gélifiant, démêlant pour les cheveux, m
Nettoyant, dégraissant

☹☹ **Benzalkonium Chloride**
Conservateur, démêlant, c
Danger que la peau réagisse par des inflammations, irritant

☹☹☹ **Benzethonium Chloride**
Conservateur, c
Autorisé seulement en quantité limitée (0,10 %) ; soupçonné d'être cancérigène

☺☺ **Benzoic Acid (acide benzoïque)**
Conservateur, c

☹☹ **Benzophenone-1,-3,-4,-9**
Filtre protecteur contre la lumière à spectre large, c

☺☺ **Benzyl Alcohol**
Conservateur, solvant, substance odoriférante v,c
Voir p. 186/187

☺☺ **Benzyl benzoate**
Substance odoriférante, v, c
Voir p. 186/187

☺☺ **Benzyl cinnamate**
Substance odoriférante, v, c
Voir p. 186/187

☺☺ **Benzyl salicylate**
Substance odoriférante, v, c
Voir p. 186/187

☺☺☺ **Bertholletia Excelsa**
Huile de la noix du Brésil, agent actif, v

☺☺☺ **Beta-Carotene (provitamine A)**
Colorant, agent actif, v
Important chasseur de radicaux

☺☺☺ **Betaglucan**
Agent actif pour la peau, v
Polysaccharide végétal

☺☺☺ **Betaine (glycines)**
Agent actif, d
Obtenu par ex. à partir du sucre de canne ; donne du volume aux cheveux ; calme la peau, hydrate

☺☺☺ **Beta vulgaris (betterave rouge)**
Colorant, v
Obtenu à partir des tubercules séchés et moulus de la betterave rouge

☺☺☺ **Betula alba (bouleau)**
Agent actif et colorant, v
Affine le grain de la peau ; cicatrisant, colorant

☹☹☹ **BHA**
Antioxydant, c
Voir p. 136 : BHA / BHT

☹☹☹ **BHT**
Antioxydant, c
Voir p. 136 : BHA / BHT

☺☺☺ **Biosaccharide Gum-1**
Épaississant, b
Obtenu à partir du sorbitol

☺☺☺ **Biosaccharide Gum-2**
Épaississant, b
Obtenu à partir du sorbitol, polymère d'origine végétal

☺☺☺ **Biotin (vitamine H)**
Additif, agent actif, d
Pour la peau et les cheveux ; son action stimulante pour la croissance des cheveux a été prouvée

ARÔME ET PARFUM

- « Aroma » est le terme INCI général pour tous les arômes. Ils sont employés pour affiner le goût d'une préparation (par ex. dentifrice ou rouge à lèvres).
- Jusqu'ici, toutes ces substances odorantes étaient regroupées dans la déclaration des composants sous le terme générique de « parfum ». La septième Directive européenne sur les Cosmétiques, qui comprend en annexe une liste de 26 substances odorantes plus particulièrement repérées dans les cas de réactions allergiques, va changer les choses. On trouve dans cette liste des substances de synthèse, mais aussi des substances d'origine naturelle. Au-delà d'une certaine concentration, ces 26 substances doivent désormais être mentionnées sur l'emballage du produit de beauté sous leur dénomination INCI. Cette réglementation est applicable depuis mars 2005. Pour en savoir plus sur le sujet, se reporter à la page 183.

☺☺☺ **Bisabolol**
Agent actif, d
Anti-inflammatoire, pour le
soin de la peau sensible

☺☺☺ **BIS-Diglyceryl Capry-
late/Caprate/Isostearate/
Hydroxystearate Adipate
(acide adipique)**
Texturant, c
Élaboré sur base végétale ;
ester de diglycérine avec des
acides gras naturels hydro-
génés

☹ **Bismuth Oxychloride**
*Colorant, donne un effet de na-
cre mat, m*
Aussi un antitranspirant

☺☺☺ **Borago officinalis
(bourrache)**
Substance de soin pour la peau, v
Améliore l'élasticité et la capacité qu'a la peau à retenir
l'eau ; pour le soin de la peau
grasse sujette aux inflammations ; convient aussi aux
ongles cassants

☹ **Boron Nitride**
Excipient pour poudres, c
Une poudre absolument stable ; agent antifriction à
haute température, point de
fusion au-dessus de 3000 ° C

☺☺☺ **Boswellia carterii (encens)**
Agent actif, v
Les extraits d'encens ont un
effet désinfectant et régénérant

☺☺☺ **Brassica Campestris/
Alertes Fordi Oil Copolymer**
Agent actif, v
Conditionneur capillaire qui
donne du volume, hydra-
tant ; tiré de la canne à sucre

☺☺☺ **Brassica Campestris**
Texturant, v

Phytostérol sur base d'huile
de colza

☺☺☺ **Brassica oleifera (colza)**
Agent actif, corps gras, v

☹☹☹ **Bromochlorophene**
Conservateur, c
Voir p. 136 : Composés orga-
no-halogénés

☹☹☹ **2-Bromo-2-Nitropropane-
1,3-Diol (Bronopol)**
Conservateur, c
Voir p. 138 : Formaldéhyde

☹☹☹ **5-Bromo-5-Nitro-1,3-
Dioxane (Bronidox)**
Conservateur, c
Voir p. 138 : Formaldéhyde

☹ **Butane**
Gaz propulseur, c

☹☹ **Butoxydiglycol**
Solvant, c
Voir p. 162 : éther de glycol

☹☹ **Butoxyethanol**
Solvant, c
Voir p. 162 : éther de glycol

☺☺ **Butyl Acetate**
Substance odoriférante, solvant, c

☹ **Butylbenzyl
methylpropional**
Parfum de synthèse, c
Peut aussi être mentionné
sous le terme INCI erroné : 2-
(4 ter butylbenzyl) Propionaldehyde
Déclaration dans la liste INCI
obligatoire (voir p. 186/187 :
parfum)

☺☺ **Butylene Glycol**
*Solvant, maintient humide,
conserve, c*

☹ **Butyl Ester of PVM/MA
Copolymer**
*Agent antistatique, forme un
film, c*
Par ex. dans la mousse pour
cheveux

☹ **Butyl Methoxydibenzoyl-methane**
Filtre ultraviolet, c

☹ **Butylparaben**
Conservateur, c
Les parabènes peuvent déclencher des allergies ; voir p. 155

☺ **Butylphenyl methylpropional**
Parfum de synthèse, c
Déclaration dans la liste INCI obligatoire

☺☺ **Butyl Stearate**
Huile synthétique de soins pour la peau, c

☺☺☺ **Butyris Lac (babeurre)**
Substance de soin pour la peau, a

☺ **Butyrolactone**
Solvant pour résines, c

☺☺☺ **Butyrospermum parkii (beurre de karité)**
Substance grasse, régulateur de consistance, v
Précieuse substance de soin pour la peau, issue des noix de l'arbre de karité (arbre à beurre) ; teneur élevée en allantoïne naturelle, en vitamine E et en carotènes ; regraissant, lissant, guérit les inflammations de la peau

C

☹ **C9-19 Fluoralcohol Phosphates**
Agent actif pour le soin des dents, c
Matière première douteuse sur le plan de la santé

☺ **C10-11 Isoparaffinum liquidum**
Dérivé de paraffine, huile de synthèse, c
Note de soin pour la peau ☹☹

☺☺☺ **C10-30 Cholestorol/Lanesterol Esters**
Agent actif, a
Composant de la lanoline (cire de la laine) ; bonne action hydratante

☺☺ **C12-15 Alkyl Benzoate**
Agent d'étalement, d

☺☺ **C12-15 Alkyl Lactate**
Agent d'étalement, d

☹☹ **C12-20 Acid PEG-8 Ester**
Tensioactif, émulsifiant, gélifiant, donne une brillance nacrée, c
Voir p. 141 : PEG, PPG

☺☺☺ **C18-36 Acid Triglyceride**
Émulsifiant, substance de soin pour la peau, d
Lissant, regraissant

☺☺☺ **C12-13 Alcohols**
Texturant, stabilisateur d'émulsion, d
Utilisé surtout dans les crèmes et les lotions

☺ **C13-14 Isoparaffin**
Huile minérale, c
Note de soin pour la peau ☹☹

☺ **C13-16 Isoparaffin**
Solvant, c
Note de soin pour la peau ☹☹

☹☹ **C9-11 Pareth 8**
Émulsifiant, c
Voir p. 141 : PEG, PPG

☺☺☺ **Caffeine (caféine)**
Agent actif, v
Améliore l'irrigation sanguine, raffermissant ; employée entre autres en tant qu'agent actif contre la cellulite

☺☺☺ **Calamine**
Agent absorbant, colorant, m
Poudre vulnéraire couvrante, utilisée pour le soin des

LES COMPOSANTS DE A À Z

coups de soleil

☺☺☺ **Calcium Alginate**
Épaississant, agent de viscosité, v
Issu de l'algue brune *Lessonia Flavikans*

☺☺☺ **Calcium aluminium borosilicate**
Verre, m
Utilisé comme pigment colorant ou comme support pour des pigments, origine minérale

☺☺☺ **Calcium Carbonate (marbre, pierre calcaire, craie)**
Particules nettoyantes dans les dentifrices, m

☺☺☺ **Calcium Chloride**
Sel, additif, m

☹ **Calcium Fluoride**
Agent actif, d
Agent d'hygiène de la bouche

☹ **Calcium Glycerophosphate**
Agent actif, c
Employé pour les soins de bouche, efficace contre le rachitisme

☺☺ **Calcium Hydroxide (chaux éteinte)**
Substance tampon, excipient, d
Émollient fortement basique, règle le pH ; caustique sous sa forme pure ; doit être accompagné d'une mise en garde

☹ **Calcium Monofluorophosphate**
Agent actif, c
Employé principalement pour les soins de bouche, prévient les caries ; voir p. 269 : Fluorides

☺☺☺ **Calcium Pantothenate**
Agent actif, vulnéraire, c
Sel du groupe des vitamines B

☺☺☺ **Calcium Silicate**
Sel de silice, d

Base pour poudres et masques

☺☺☺ **Calcium Stearate (savon calcaire)**
Co-émulsifiant, stabilisateur d'émulsion, d

☺☺ **Calcium Sulfide**
Agent dépilatoire, m

☺☺☺ **Calendula officinalis (calendula)**
Agent actif, v
Calme la peau, anti-inflammatoire, antiseptique et régénérateur ; utilisé aussi dans les dentifrices et les produits après-soleil

☺☺☺ **Camelia Kissi (arbuste de thé)**
Agent actif, v
Taux élevé de phénol

☺☺☺ **Camelia oleifera (thé vert)**
Agent actif, v
Calme la peau ; utilisé pour ses antioxydants naturels, afin de lutter contre un vieillissement prématuré de la peau ; employé dans les produits de visage pour le soin de la peau fragile ; dans les produits dentaires pour protéger des caries

☺☺☺ **Camelia sinensis (thé vert)**
Substance de soin pour la peau, v
Contient des flavonoïdes ; efficace contre les radicaux libres

☺☺☺ **Camphor (camphre)**
Agent actif, v, c
Calmant, contre les démangeaisons, antiseptique, anti-inflammatoire, rafraîchissant ; sous forme d'Esprit de vin, entre dans la composition des lotions pour le visage

☹ **Camphor Benzalkonium Methosulfate**
Filtre protecteur contre le soleil, c

☺☺☺ **Cananga odorata (Ylang-Ylang)**
Agent actif, substance odoriférante, v
Huile essentielle des fleurs du *Cananga odorata* ; précieux agent actif pour la peau, hydratant, antiseptique

☺☺☺ **Candelilla cera (cire de candelilla) Nouvelle appellation : Euphorbia Cerifera (Candelilla) Wax**
Texturant, v
Obtenue à partir d'euphorbiacées ; soigne la peau ; regraissante, lissante ; employée dans les bâtons de rouges à lèvres sous sa forme de consistance ferme

☺☺☺ **Cannabis sativa (chanvre)**
Agent actif, v
Riche en acides gras insaturés, soigne et calme la peau, surtout la peau irritée et problématique ; utilisé aussi contre la neurodermite ; employé principalement sous forme d'huile

☺☺☺ **Canola (colza)**
Agent actif, v
Soigne la peau, regraissant ; employé principalement sous forme d'huile

☺☺ **Capryl Glycol**
Substance de soin pour la peau, c
Agent hydratant ; régulateur de l'humidité

☺☺☺ **Caprylic/Capric Triglyceride**
Substance de soin pour la peau, solvant, v
Lissant, regraissant

☺☺☺ **Caprylic/Capric/ Linoleic Triglyceride**
Émulsifiant (substance alimentaire), v
Lissant, guérissant

☺☺☺ **Caprylic/Capric/ Stearic Triglyceride**
Émulsifiant, v

☺☺ **Capryloyl Salicylic Acid**
Agent actif, d
Action antibactérienne

☺☺☺ **Caprylyl/Capryl Glucoside**
Tensioactif de sucre, émulsifiant, v

☺☺☺ **Capsanthin/Capsorubin**
Colorant proche du carotène, v

☺☺☺ **Caramel**
Colorant, c

☹ **Carbomer**
Stabilisateur, gélifiant, c
Acide acrylique
Note écologique ●●

☺☺☺ **Carboxymethyl Chitin**
Forme un film, a
Obtenue à partir des carapaces d'animaux marins

☺☺ **Carboxymethyl Hydroxypropyl Guar**
Stabilisateur, gélifiant, d

☺☺ **Carica Papaya Fruit Extract**
Agent actif, v
Le jus de papaye est une source naturelle de précieux principes actifs : le latex des fruits frais et des feuilles de papayer contient de précieuses enzymes comme la papaïne, et des acides aminés libres.

☺☺☺ **Carnauba (cire de palme) Nouvelle appellation : Copernica Cerifera (Carnauba) Wax**
Texturant, v
Cire obtenue à partir du palmier de carnauba ; soigne et protège la peau ; est employée par ex. pour les produits de maquillage

☺☺☺ **Carrageenan**
Liant, épaississant à partir d'algues marines, v
Apaise aussi les irritations

☺☺☺ **Carthamus tinctorius (chardon)**
Substance de soin pour la peau, v
Regraissant et lissant, raffermit et adoucit la peau ; utilisé principalement sous forme d'huile pour la peau sèche

☺☺☺ **Carum carvi (cumin)**
Agent actif, v

☺☺☺ **Cassia auriculata (cassier)**
Substance de soins capillaires, donne de la brillance, v
Feuilles de senné (henné neutre), feuilles broyées de *Cassia Auriculata*

☺☺☺ **Cassia italica**
Substance de soins capillaires, v
Connu sous l'appellation d'henné neutre ; soigne et donne de la brillance sous forme de cure végétale pour cheveux

COMMENT RECONNAÎTRE LES SUBSTANCES CRITIQUES ?

Parfois, le nom (ou certaines parties du nom) permet déjà de reconnaître si un produit cosmétique contient des substances critiques comme :
- les dérivés des PEG / PPG qui portent des noms avec un « PEG » ou les lettres « eth » en combinaison avec un chiffre, par exemple Ceteareth 33. Ils s'appellent aussi polyglycol, polysorbate ou copolyol ;
- les composés organo-halogénés, reconnaissables par les préfixes « bromo », « jodo » ou « chloro ».

☺☺☺ **Cellulose**
Corps exfoliant, excipient pour poudres, v

☺☺☺ **Cellulose Gum (sel de sodium)**
Liant, stabilisateur, forme un film, gélifiant, v
Par ex. dans les dentifrices

☺☺☺ **Centaurea Cyanus**
Fleur, v
Utilisée traditionnellement pour soigner et calmer les yeux

☺☺☺ **Centella Asiatica**
« Herbe du tigre »,v
Cicatrisant, stimule la synthèse du collagène,

☺☺☺ **Cera alba (cire d'abeilles purifiée)**
Substance de soin pour la peau, co-émulsifiant, forme un film, a
Obtenue à partir de rayons d'abeille fondus ; lissant, regraissant

☺☺☺ **Cera flava (cire d'abeilles non purifiée)**
Substance de soin pour la peau, co-émulsifiant, forme un film, a
De couleur jaune, contrairement à la cire purifiée (Cera alba)

☹ **Cera microcristallina (cire de paraffine)**
Liant, stabilisateur, c
Note de soin pour la peau ☹☹

☺☺☺ **Ceramide 3**
Agent actif, d
Les céramides font partie des lipides et sont un composant important de la graisse de la couche cornée ; elles forment un film protecteur qui rend la peau plus résistante contre les influences extérieures ; renforce la barrière lipidique

☹ **Ceresin (paraffine)**
Corps gras, d
Effet lissant et regraissant ;

en concentration plus élevée,
effet occlusif
Note de soin pour la peau ☹☹

☹☹ **Ceteareth (aussi
Ceteareth-12, -15, -20, -25)**
Émulsifiants, c
Voir p 141 : PEG, PPG

☺☺☺ **Cetearyl Alcohol**
*Substance de soin pour la peau,
stabilisateur, texturant, v*
Retient l'humidité, effet lissant

☺☺☺ **Cetearyl Glucoside**
Émulsifiant de sucre, v
Émulsifiant doux et agréable
pour la peau dans les émulsions huile dans l'eau

☺☺ **Cetearyl Isononanoate**
*Substance de soin pour la peau
(cire), d*
Graissant

☺☺☺ **Cetearyl Octanoate**
*Substance de soin pour la peau
(cire), d*
Lissant, regraissant ; rend la
peau douce et veloutée

☹☹ **Ceteth-1, -20**
Émulsifiant, c
Voir page 141 : PEG, PPG

☹ **Cetrimonium Chloride**
Démêlant, v
Facilite le coiffage des cheveux ; voir page 144 : Quats

☺☺☺ **Cetyl Acetate**
*Substance de soin pour la peau
(cire), v*
Un ester d'acide acétique de
l'alcool cétylique ; lissant

☺☺☺ **Cetyl Alcohol**
*Substance de soin pour la peau,
stabilisateur d'émulsion, v*
Lissant, regraissant

☹ **Cetylamine Hydrofluoride**
*Substance de soins buccaux,
conservateur, c*

Voir p. 269 : Fluorides

☺☺☺ **Cetyl Betaine**
Substance de soin pour la peau, d

☺ **Cetyl Dimethicone**
Substance de soin pour la peau, c
Voir p. 49 : Silicones
Note écologique ☹☹

☺ **Cetyl Dimethicone Copolyol**
*Émulsifiant, laque pour cheveux
(silicone), c*
Voir p. 49 : Silicones
Note écologique ☹☹

☺☺☺ **Cetyl Esters**
Texturant, soin des cheveux, d

☺☺ **Cetyl Isononanoate**
*Substance de soin pour la peau
(cire), c*

☺☺☺ **Cetyl Lactate**
Substance de soin pour la peau, d

☺☺☺ **Cetyl Octanoate**
*Substance de soin pour la peau
(cire), d*
Lissant, regraissant

☺☺☺ **Cetyl Palmitate (substitut de
blanc de baleine)**
Stabilisateur d'émulsion, d
Regraissant

☺ **Cetyl Phosphate**
Émulsifiant, tensioactif, c

☹☹ **Cetylpyridinium Chloride**
*Déodorant, substance de soin
pour cheveux, conservateur, d*
Allergène, provoque de fortes irritations ; voir p. 144 :
Quats

☺☺☺ **Cetyl Ricinoleate**
Alcool gras, règle la texture, v
Regraissant

☺☺☺ **Chamomilla recutita
(camomille)**
Agent actif, v
Calme et affine la peau, anti-inflammatoire, antiseptique ;
surtout pour le soin de la
peau irritée et rougie ; em-

ployée dans la protection solaire, les produits pour bébés, crèmes pour les mains ainsi que shampooings et après-shampooings pour cheveux blonds (à cause de son effet légèrement colorant)

☻☻☻ **Chlorhexidine Digluconate**
Conservateur, c
Voir p. 136 : Composés organo-halogénés

☻☻ **Chlorhexidine Dihydrochloride**
Conservateur, c
Voir p. 136 : Composés organo-halogénés

☻☻ **Chloroacetamide**
Conservateur, c
Voir p. 136 : Composés organo-halogénés

☻☻ **Chlorobutanol**
Conservateur, c
Voir p. 136 : Composés organo-halogénés

☻☻ **Chlorophene**
Conservateur, c
Voir p. 136 : Composés organo-halogénés

☻☻ **Chloroxylenol**
Conservateur, c
Voir p. 136 : Composés organo-halogénés

☻☻ **Chlorphenesin**
Conservateur, c
Voir p. 136 : Composés organo-halogénés

☺☺☺ **Cholecalciferol Polypeptide**
Additif, agent actif médicinal, d
Complexe de vitamines A et D, pouvoir guérissant

☺☺☺ **Cholesterol (cholesterine)**
Substance de soin pour la peau, émulsifiant, d
Anti-inflammatoire, effet lissant

☺☺☺ **Cholesteryl/Behenyl Octyl-dodecyl Lauroyl Glutamate**
Agent actif, substance de soin pour la peau, d
Hydratant

☺☺☺ **Cholesteryl Hydroxystearate**
Épaississant, agent actif, stabilisateur d'émulsion, b
Hydratant

☻☻ **Choleth-10 , -20, -24**
Émulsifiants, c
Voir p. 141 : PEG, PPG

☻ **CI 10006**
Colorant, vert
Non autorisé aux USA, mais autorisé dans l'Union européenne uniquement pour cosmétiques restant très peu en contact avec la peau

☻ **CI 10020**
Colorant, vert
Non autorisé aux USA, autorisation restrictive dans l'Union européenne

☻ **CI 10316**
Colorant, jaune
Non autorisé aux USA dans la zone des yeux et des lèvres, autorisation restrictive pour l'Union européenne

CI 11680 à 40215
Voir encadré ci-contre

☺☺☺ **CI 40800**
Colorant, orange
Bêtacarotène ; autorisé aussi comme colorant alimentaire

☺☺☺ **CI 40820**
Colorant, orange
Bêtacarotène particulier ; autorisé aussi comme colorant alimentaire

☺☺☺ **CI 40825**
Colorant, orange
Bêtacarotène particulier ; autorisé en colorant alimentaire

DOUTEUX SUR LE PLAN TOXICOLOGIQUE - LES COLORANTS AZOÏQUES

Aux USA, la plupart des colorants azoïques (monoazo et biazo), c'est-à-dire les colorants synthétiques dérivés du goudron avec groupe aminé, ne sont pas autorisés. Dans l'Union européenne beaucoup d'entre eux sont classés dans la catégorie 4 (contact court avec la peau). L'abréviation CA signifie colorant alimentaire.

CI 11680 *jaune*	CI 14270 *jaune*	CI 15985 *jaune-orange*	CI 20040 *jaune*
CI 11710 *jaune*	CI 14700 *jaune-rouge*	CI 16035 *rouge (CA)*	CI 20170 *jaune-marron*
CI 11725 *orange*	CI 14720 *rouge (CA)*	CI 16185 *rouge*	CI 20470 *bleu foncé*
CI 11920 *orange*	CI 14815 *rouge*	CI 16230 *orange*	CI 21100 *jaune*
CI 12010 *marron*	CI 15510 *orange*	CI 16255 *rouge*	CI 21108 *jaune*
CI 12085 *rouge*	CI 15525 *rouge*	CI 16290 *rouge*	CI 21230 *jaune*
CI 12120 *rouge*	CI 15580 *rouge*	CI 17200 *bleu-rouge*	CI 24790 *rouge*
CI 12150 *rouge (CA)*	CI 15620 *rouge*	CI 18050 *rouge*	CI 26100 *rouge*
CI 12370 *rouge*	CI 15630 *rouge*	CI 18130 *rouge*	CI 27290 *rouge*
CI 12420 *rouge*	CI 15800 *rouge*	CI 18690 *jaune*	CI 27755 *bleu-noir*
CI 12480 *marron*	CI 15850 *rouge (CA)*	CI 18736 *rouge*	CI 28440 *bleu-violet*
CI 12490 *rouge*	CI 15865 *rouge*	CI 18820 *jaune*	CI 40215 *orange*
CI 12700 *jaune*	CI 15880 *rouge*	CI 18965 *jaune*	
CI 13015 *jaune (CA)*	CI 15980 *jaune-orange*	CI 19140 *jaune (CA)*	

☺☺☺ **CI 40850**
Colorant, jaune-orange / rouge
Colorant alimentaire

☹ **CI 42045**

Colorant, bleu
Non autorisé aux USA, autorisation restrictive dans l'Union européenne

☹ **CI 42051**
Colorant, bleu
Non autorisé aux USA

☹ **CI 42053**
Colorant, bleu-vert
Non autorisé aux USA dans
la zone des yeux

☹ **CI 42080**
Colorant, bleu
Non autorisé aux USA

☺☺ **CI 42090**
Colorant, bleu
Colorant alimentaire

☹ **CI 42100**
Colorant, vert
Non autorisé aux USA

☹ **CI 42170**
Colorant, vert
Non autorisé aux USA, autorisé avec restrictions dans les
pays de l'Union européenne

☹ **CI 42510**
Colorant, rouge-violet
Non autorisé aux USA, autorisation restrictive dans
l'Union européenne

☹ **CI 42520**
Colorant, rouge-violet
Non autorisé aux USA, autorisation restrictive dans
l'Union européenne

☹ **CI 42735**
Colorant, bleu
Non autorisé aux USA, autorisation restrictive dans
l'Union européenne

☹ **CI 44045**
Colorant, bleu
Non autorisé aux USA, autorisation restrictive dans
l'Union européenne

☹ **CI 44090**
Colorant, bleu-vert
Autorisé aussi comme colo-
rant alimentaire

☹ **CI 45100**
Colorant, rouge
Non autorisé aux USA, autorisation restrictive dans
l'Union européenne

☹ **CI 45190**
Colorant, rouge-violet
Non autorisé aux USA, autorisation restrictive dans
l'Union européenne

☹ **CI 45220**
Colorant, rouge
Non autorisé aux USA, autorisation restrictive dans
l'Union européenne

☺☺ **CI 45350**
Colorant, jaune
Non autorisé aux USA pour
les zones des yeux et des lèvres

☺☺ **CI 45370**
Colorant, orange
Non autorisé aux USA pour
la zone des yeux

☺☺ **CI 45380**
Colorant, rouge
Non autorisé aux USA pour
la zone des yeux

☹ **CI 45396**
Colorant, orange
Non autorisé aux USA

☹ **CI 45405**
Colorant, rouge
Non autorisé aux USA

☹ **CI 45410**
Colorant, bleu-rouge
Non autorisé aux USA pour
les zones des yeux et des lèvres

☺☺ **CI 45425**
Colorant, rouge
Non autorisé aux USA pour
les zones des yeux et des lèvres

☹ **CI 45430**

Colorant, rouge
Non autorisé aux USA ; dans l'Union européenne, autorisé aussi en colorant alimentaire

☺☺ **CI 47000**
Colorant, jaune
Non autorisé aux USA pour les zones des yeux et des lèvres, dans les pays de l'Union européenne autorisé avec restrictions

☺☺ **CI 47005**
Colorant, jaune
Autorisé aussi comme colorant alimentaire

☹☹ **CI 50325**
Colorant, rouge-violet
Non autorisé aux USA, autorisation restrictive dans l'Union européenne

☹☹ **CI 50420**
Colorant, bleu-violet
Non autorisé aux USA, autorisation restrictive dans l'Union européenne

☹☹ **CI 51319**
Colorant, violet
Non autorisé aux USA, autorisation restrictive dans l'Union européenne

☹ **CI 58000**
Colorant, rouge
Non autorisé aux USA

☺☺ **CI 59040**
Colorant, jaune-vert
Non autorisé aux USA pour les zones des yeux et des lèvres, dans les pays de l'Union européenne autorisé avec restrictions

☹ **CI 60724**
Colorant, violet
Non autorisé aux USA, autorisation restrictive dans l'Union européenne

☺☺ **CI 60725**
Colorant, bleu-violet
Non autorisé aux USA pour les zones des yeux et des lèvres

☺☺ **CI 60730**
Colorant, violet
Non autorisé aux USA pour les zones des yeux et des lèvres, dans les pays de l'Union européenne autorisé avec restrictions

☺☺ **CI 61565**
Colorant, bleu-vert
Non autorisé aux USA pour les zones des yeux et des lèvres

☺☺ **CI 61570**
Colorant, vert
Non autorisé aux USA pour la zone des yeux

☹ **CI 61585**
Colorant, bleu
Non autorisé aux USA, autorisation restrictive dans l'Union européenne

☹ **CI 62045**
Colorant, bleu
Non autorisé aux USA, autorisation restrictive dans l'Union européenne

☺☺ **CI 69800**
Colorant, bleu
Non autorisé aux USA

☹ **CI 69825**
Colorant, bleu
Non autorisé aux USA

☹ **CI 71105**
Colorant, orange
Non autorisé aux USA, autorisation restrictive dans l'Union européenne

☺☺☺ **CI 73000**
Colorant, bleu
Non autorisé aux USA

☺☺☺ **CI 73015**
Colorant, bleu
Non autorisé aux USA

☺☺ **CI 73360**
Colorant, rouge
Non autorisé aux USA pour les zones des yeux et des lèvres

☹ **CI 73385**
Colorant, rouge-violet
Non autorisé aux USA

☹ **CI 73915**
Colorant, rouge
Non autorisé aux USA

☹ **CI 74100**
Colorant, bleu
Non autorisé aux USA, autorisation restrictive dans l'Union européenne

☹ **CI 74160**
Colorant, bleu
Non autorisé aux USA ; dans l'Union européenne, autorisé pour tous cosmétiques

☹ **CI 74180**
Colorant, bleu
Non autorisé aux USA, autorisation restrictive dans l'Union européenne

☹ **CI 74260**
Colorant, vert
Non autorisé aux USA, autorisation restrictive dans l'Union européenne

CI 75100 bis 77947
Voir encadré ci-dessous

COLORANTS NATURELS - DOUX ET BIEN SUPPORTÉS PAR LA PEAU

Les colorants naturels sont soit extraits des diverses parties des plantes, soit d'origine minérale. Heureusement, depuis quelques années ils sont de plus en plus employés dans les produits cosmétiques.

☺☺☺ **CI 75100** *jaune*	☺☺ **CI 77002** *blanc*	☺☺☺ **CI 77266** *noir*	☺☺☺ **CI 77492** *jaune*
☺☺☺ **CI 75120** *jaune-orange*	☺☺☺ **CI 77004** *blanc*	☺☺☺ **CI 77267** *noir*	☺☺☺ **CI 77499** *noir*
☺☺☺ **CI 75125** *jaune-orange*	☺☺☺ **CI 77007** *bleu-violet, rose, rouge*	☺☺☺ **CI 77268:1** *noir*	☺☺ **CI 77510** *bleu*
☺☺☺ **CI 75130** *jaune-orange*	*vert*	☺☺ **CI 77288,** *vert*	☺☺☺ **CI 77713** *blanc*
☺☺☺ **CI 75170** *blanc-jaune*	☺☺☺ **CI 77015** *rouge*	☺☺ **CI 77289** *vert*	☺☺ **CI 77742** *violet*
☺☺☺ **CI 75300** *jaune*	☺☺ **CI 77120** *blanc*	☺☺ **CI 77346** *bleu/vert*	☺☺ **CI 77745** *rouge*
☺☺☺ **CI 75470** *rouge*	☺☺ **CI 77163** *blanc*	☺☺☺ **CI 77400** *cuivre*	☺☺☺ **CI 77820** *argent*
☺☺☺ **CI 75810** *vert-rouge*	☺☺☺ **CI 77220** *blanc*	☺☺☺ **CI 77480** *or*	☺☺☺ **CI 77891** *blanc*
☺☺☺ **CI 77000** *argent*	☺☺☺ **CI 77231** *blanc*	☺☺☺ **CI 77947** *blanc*	☺☺☺ **CI 77491** *rouge-marron*

☺☺☺ **Cinnamomum cassia (cannelle)**
Agent actif, substance odoriférante, v
Affine le grain de la peau, stimule la circulation sanguine, antiseptique ; risque d'allergie

☹ **Cinnamal**
Substance odoriférante, v, c
Voir p. 186/187

☹ **Cinnamyl alcohol**
Substance odoriférante, v, c
Voir p. 186/187

☺☺☺ **Cistus incanus**
Agent actif, v
Affine le grain de la peau, antiseptique ; extrait des feuilles et branches du *Cistus Labdaniferus*

☺☺☺ **Cistus ladaniferus**
Agent actif, v
Affine le grain de la peau, efficace contre les bactéries responsables des boutons, antiseptique

☺☺ **Citral**
Substance odoriférante, v, c
Voir p. 186/187

☺☺☺ **Citric Acid (acide citrique)**
Substance tampon, c
Ajuste le pH

☺☺ **Citronellol**
Substance odoriférante, v, c
Voir p. 186/187

☺☺☺ **Citrulline**
Agent actif, d

☺☺☺ **Citrullus vulgaris (pastèque)**
Agent actif, v
Rafraîchissant, vivifiant

☺☺☺ **Citrus amara (orange amère)**
Substance odoriférante, agent actif, v
Apaise, tonifie et stimule la peau ; employé en général sous forme d'huile essentielle

☺☺☺ **Citrus aurantifolia**
Odoriférant, v
Distillat de la peau de *Citrus Aurantifolia Swingle*, huile essentielle

☺☺☺ **Citrus bergamia (bergamotte)**
Substance odoriférante, agent actif, v
Affine le grain de la peau, antiseptique, déodorant ; employé en général sous forme d'huile essentielle

☺☺☺ **Citrus dulcis (orange)**
Substance odoriférante, agent actif, v
Apaise, tonifie et stimule la peau ; employée en général sous forme d'huile essentielle

☺☺☺ **Citrus grandis (pamplemousse)**
Substance odoriférante, v
Employé en général sous forme d'huile essentielle

☺☺☺ **Citrus limonum**
Substance odoriférante, agent actif, v
Employé en général sous forme d'huile essentielle

☺☺☺ **Citrus nobilis (mandarine)**
Substance odoriférante, agent actif, v
Décontractant, stimulant ; employé en général sous forme d'huile essentielle

☹☹ **Climbazole**
Conservateur, c
Voir p. 136 : Composés organo-halogénés

☺☺ **Cocamide**
Texturant, v

☹☹ **Cocamide DEA**
Texturant, v
Regraissant; voir p. 139 : For-

LES COMPOSANTS DE A À Z

mation des Nitrosamines

☹ **Cocamide MEA**
Épaississant, agent actif, c
Anti-inflammatoire

☹ **Cocamide MIPA**
Texturant, c

☹☹ **Cocamidopropylamine Oxide**
Tensioactif, v
Dégraissant, nettoyant ; voir p. 139 : Formation des nitrosamines

☺☺ **Cocamidopropyl Betaine**
Tensioactif doux, c

☹ **Cocamine (amine grasse de noix de coco)**
Émulsifiant, démêlant, v
Voir p. 139 : Formation des nitrosamines

☹☹ **Coceth-8/-10**
Émulsifiants, c, v
Voir p. 141 : PEG, PPG

☺☺☺ **Coco-Betaine**
Tensioactif, c

☺☺☺ **Coco-Caprylate/Caprate**
Solvant, substance d'étalement, v
Composant huileux qui s'étale bien

☺☺☺ **Coco-Glucoside**
Tensioactif de sucre, v
Action douce, particulièrement agréable à la peau ; facilite le coiffage des cheveux

☺☺☺ **Cocoglycerides**
Corps gras, stabilisateur d'émulsion, texturant, v
Lissant, retient l'humidité

☺☺☺ **Coconut Acid (acide gras de noix de coco)**
Substance de soin pour la peau, co-émulsifiant, texturant, v
Lissant, regraissant

☺☺☺ **Coconut Alcohol**
Texturant, stabilisateur d'émulsion, v

Alcool gras de l'huile de noix de coco

☺☺☺ **Cocos nucifera (huile de coco, monoï de Tahiti)**
Corps gras, v
Provient du noyau du fruit de la palme de coco ; soigne la peau et les cheveux ; sous forme de graisse hydrogénée, texturant des produits de maquillage et des émulsions

☹ **Cocotrimonium Chloride**
Agent antistatique, démêlant, v
Voir p. 144 : Quats

☺☺☺ **Cocoyl Sarcosine**
Tensioactif doux, v

☺☺☺ **Coffea arabica (graine de café)**
Ravive les couleurs, agent actif, v
A la réputation d'activer le métabolisme, stimule la circulation sanguine

☺☺ **Collagen**
Agent actif, a
Retient l'humidité de la peau, action lissante et pouvoir guérissant; voir p. 133 : Composants d'origine animale

☺☺☺ **Colloidal Oatmeal (farine d'avoine)**
Substance de soin pour la peau, v
Lissant ; convient bien pour les masques

☺☺☺ **Colloidal Sulfur (soufre)**
Substance anti-microbienne, d
Agent actif contre les pellicules

☺☺☺ **Commiphora gileadensis (myrrhe)**
Substance de soin pour la peau, v
Germicide, astringent, raffermissant ; souvent employé pour le soin de la peau vieillissante

☺☺☺ **Commiphora myrrha (myrte)**

Agent actif, v
Employé souvent par ex.
dans les dentifrices

☺☺☺ **Copernica cerifera
(Candelilla) Wax
Ancienne appellation :
Carnauba (cire de palme)**
*Substance de soin pour la peau,
texturant, v*
Soigne la peau, donne la tex-
ture aux crèmes ; cire du
palmier de carnauba

☺☺☺ **Corylus avellana nut oil**
Matière active, v
Huile de noisette

☺☺ **Coumarin**
Substance odoriférante, v, c
Voir p. 186/187

☺☺☺ **Crystalline Cellulose**
Substance exfoliant, v
Corps abrasifs dans les pee-
lings, graines de cellulose

☺☺☺ **Cucumis sativus
(concombre)**
Substance de soin pour la peau, v
Améliore l'hydratation de la
peau ; souvent employé pour
les laits nettoyants car le jus de
concombre élimine en douceur
le sébum et les impuretés

☺☺☺ **Curcuma longa
(curcuma, safran des Indes)**
Substance colorante, v

☺☺☺ **Cyanocobalamin**
Vitamine B12, d
Additif en vitamines pour
cosmétiques – mais l'effet
publicitaire est supérieur à
l'efficacité

☺☺☺ **Cyanopsis tetragonalba
(farine des graines de guar)**
Épaississant, gélifiant, v
Issu des graines de cette plante
qui ressemble au haricot

☺☺☺ **Cyclodextrin**

Agent solubilisant, d
Est employé comme les liposomes pour véhiculer des
agents actifs

☹ **Cyclohexasiloxane**
*Substance de soin pour la peau
et les cheveux, c*
Voir p. 49 : Silicones
Note écologique : ☻☻

☹ **Cyclomethicone
(huile de silicone)**
*Agent antistatique, substance
de soin pour la peau, c*
Substitut d'huile, agent
d'étalement ; voir p. 49 : Silicones
Note écologique ☻☻

☹ **Cyclopentasiloxane**
*Substance de soin pour la peau
et les cheveux, solvant, émol-
lient, c*
Voir p. 49 : Silicones
Note écologique : ☻☻

☺☺☺ **Cysteine HCL**
Agent actif, d
Soigne les cheveux

☺☺☺ **Cymbopogon schoenanthus
(Lemon-grass)**
Substance odoriférante, v

D

☺☺☺ **Damar**
*Forme un film, épaississant,
substance odoriférante, v*

☺☺☺ **Daucus carota (carotte)**
*Substance de soin pour la peau,
agent actif, v*
Pour la régulation de la couche cornée, donne un grain
fin au teint ; colore légèrement la peau

☻☻ **DEA PG propul PEG/PPG
18/21 dimethicone**

*Agent actif, substance de soin
pour les cheveux et pour le coiffage, c*
Silicone (voir p. 49) et PEG
(voir p. 141)

☹ **Decarboxy Carnosine HCL**
Amine biogène, d

☹ **Decene/Butene Copolymer**
Forme un film, c
Pour la normalisation la couche cornée, donne un grain
fin au teint

☹ **Decyloxazolidinone**
Substance de soin pour la peau, d

☺☺ **Decyl Glucoside**
Tensioactif du sucre, d
Tensioactif du sucre doux

☺☺☺ **Decyl Oleate**
*Corps gras, substance de soin
pour la peau, v*
Lissant, regraissant

☺☺ **Decyl Polyglucose**
Tensioactif, émulsifiant, v
Identique à Decyl Glucoside ;
l'ancien dénomination INCI
est remplacée par Decyl Glucoside

☺☺☺ **Dehydroacetic Acid**
Conservateur, d

☺☺ **Desamido Collagen**
Forme un film, agent actif, a
Lisse et raffermit la peau ;
voir p. 133 : Composants
d'origine animale

☺☺☺ **Dextran**
Liant, gélifiant, d
Retient l'humidité

☺☺☺ **Dextrin**
Auxiliaire, v
Utilisé par ex. comme support pour produits séchés
par vaporisation ou excipient
pour poudres

☹☹ **2,4-Diaminophenol**
Couleur pour cheveux, c

Voir p. 143 : Amines aromatiques

☹☹ **2,4-Diaminophenoxyethanol
HCL**
*Colorant synthétique pour che-
veux, c*

☹☹ **Diazolidinyl urea**
Conservateur, c
Voir p. 138 : Formaldéhyde

☹☹☹ **Dibromohexamidine
Isethionate**
Conservateur, c
Voir p. 136 : Composés orga-
no-halogénés

☹☹ **Dibutyl Phthalate**
*Adoucissant, substance de déna-
turation, c*
Douteux sur le plan toxicologique, les risques pour la
santé ne sont pas encore définitivement éclaircis

☹ **Dicalcium Phosphate**
*Substance abrasive, substance
de soin buccaux, d*
Protection contre les caries

☹ **Dicalcium Phosphate
Dihydrate**
*Substance abrasive, substance
de soins buccaux, m*
Protection contre la carie

☺☺ **Dicaprylyl carbonate**
Substance de soin pour la peau, c
Huile de synthèse

☺☺ **Dicaprylyl Ether**
Composant huileux, c
Incolore et inodore

☹☹☹ **Dichlorobenzyl Alcohol**
Conservateur, c
Voir p. 136 : Composés orga-
no-halogénés

☹☹ **Diethanolamine Bisulfate**
*Substance tampon, agent d'alca-
linisation, c*
Dégraissant, nettoyant; voir p.
139 : formation de nitrosamines

☺☺ **Diethylhexyl succinate**
Solvant de synthèse, c

☹☹ **Diethyl Phthalate**
Agent de dénaturation, c
Douteux sur le plan toxicologique, risque potentiel pour la santé

☺☺ **Diglycerin**
Agent actif, d
Hydratant

☹☹ **Dihydrogenated Tallowamidoethyl Hydroxyethylmonium Methosulfate**
Substance de soins capillaires, c
Voir p. 144 : Quats

☺☺ **Dihydroxyacetone (DHA)**
Additif, autobronzant, d
Peut être obtenu par fermentation de matières végétales (sucres)

☺☺☺ **Diisopropyl Adipate**
Corps gras, substance de soin pour la peau, d
Action lissante et regraissante

☺☺ **Diisopropyl Dimer Dilinoleate**
Substance de soin pour la peau, adoucissant, solvant, d

☹ **Diisopropyl Sebacate**
Substance de soins capillaires, d

☺☺ **Diisostearyl Malate**
Substance de soin pour la peau, d
Émollient

☺☺☺ **Dilinoleic Acid**
Corps gras, substance de soin pour la peau, v
Lissant, regraissant

☹ **Dimethicone (huile de silicone)**
Corps gras, substitut d'huile, c
Voir p. 49 : Silicones
Note écologique ☹☹

☹ **Dimethicone Copolyol**
Substitut d'huile, co-émulsifiant, substance de soin pour la peau, c
Souvent employé dans les gels douche, shampooings et savons liquides ; voir p. 49 : Silicones
Note écologique ☹☹

☹ **Dimethicone Copolyol Acetate**
Substance hydratante, c
Voir p. 49 : Silicones
Note écologique ☹☹

☹ **Dimethicone Copolyol Avocadoate**
Substitut d'huile, substance hydratante, c
Ester de silicone et d'huile d'avocat ; voir p. 49 : Silicones
Note écologique ☹☹

☹ **Dimethicone Copolyol Beeswachs**
Substance de soin pour la peau, c
Voir p. 49 : Silicones
Note écologique ☹☹

☹ **Dimethicone Copolyol Cocoa Butterate**
Substitut d'huile, substance de soin pour la peau, c
Ester de silicone et beurre de cacao ; voir p. 49 : Silicones
Note écologique ☹☹

☹ **Dimethicone Copolyol Behenate**
Substance hydratante, c
Voir p. 49 : Silicones
Note écologique ☹☹

☹ **Dimethicone Copolyol Butyl Ether**
Substance hydratante, c
Voir p. 49 : Silicones
Note écologique ☹☹

☹ **Dimethicone Copolyol Hydroxystearate**
Substance hydratante, c

Voir p. 49 : Silicones
Note écologique 😞😞

☹ **Dimethicone Copolyol Isostearate**
Substance hydratante, c
Voir p. 49 : Silicones
Note écologique 😞😞

☹ **Dimethicone Copolyol Olivate**
Substance de soin pour la peau, c
Voir p. 49 : Silicones
Note écologique 😞😞

☹ **Dimethicone Crosspolymer**
Substance hydratante, c
Voir p. 49 : Silicones
Note écologique 😞😞

☹ **Dimethicone/Sodium PG-Propyldimethicone Thiosulfate Copolymer**
Forme un film, c
Composé de silicones particulier qui se fixe sur les cheveux ; employé dans des shampooings et après-shampooings pour le soin des cheveux abîmés ; voir p. 49 : Silicones
Note écologique 😞😞

☹ **Dimethiconol**
Substance de soins capillaires, antimousse, c
Pour les cheveux abîmés après les permanentes ; voir p. 49 : Silicones
Note écologique 😞😞

😞😞 **Dimethylamine**
Auxiliaire, c
Amine secondaire ; substance de départ pour l'élaboration de matières premières ; en principe ne devrait pas avoir sa place dans les cosmétiques ; voir p. 139 : Formation des nitrosamines

☺☺ **Dimethyl Cocamine**

Émulsifiant, texturant, d
Action regraissante

☺☺ **Dimethyl Ether**
Gaz propulseur, solvant, c

☹ **Dioctylcyclohexane**
Corps gras, surgraissant synthétique, c
Huile de cire provenant d'esters et d'alcools ; lisse la peau

☺☺ **Dioctyl Sodium Sulfosuccinate**
Humidificateur rapide, tensioactif, d
Dégraissant, nettoyant

☺☺☺ **Dioscorea villosa (igname)**
Agent actif, v

😞😞 **Dipalmitoylethyldimonium Chloride**
Composé d'acide aminé, c
Voir p. 144 : Quats

☺☺ **Dipalmitoylethyl Hydroxyethylmonium Methosulfate**
Antistatique, substance de soins capillaires, c
Esterquat nouveau ; améliore le coiffage des cheveux ; voir p. 144 : Quats / Esterquats

☺☺ **Dipentaerythrityl Hexacaprylate/Hexacaprate**
Co-émulsifiant, d

☺☺ **Dipentaerythrityl Hexahydroxystearate/Stearate/Rosinate**
Co-émulsifiant, d
Substance de soin pour la peau

☹ **Diphenyl Dimethicone**
Émulsifiant, c
Voir p. 49 : Silicones
Note écologique 😞😞

☺☺☺ **Dipotassium glycyrrhizate**
Agent actif, v
Issu de la racine de réglisse

☹ **Dipropylene Glycol**
Solvant, maintient l'humidité, c

☺☺☺ **Disodium Adenosine Triphosphate**
Agent actif, d
Agent actif médical à l'origine, stimule la circulation sanguine, vasodilatateur

☹ **Disodium Azelate**
Agent actif, d
Produit contre l'acné (antimicrobien) ; employé pour éclaircir les parties pigmentées de la peau ; peut provoquer des irritations de la peau et des réactions phototoxiques

☺☺ **Disodium Cocoamphodiacetate**
Tensioactif, c
Dégraissant, nettoyant

☺☺☺ **Disodium Cocoyl Glutamate**
Tensioactif, v
Nettoie de façon douce, protège la peau ; assure une bonne formation de mousse

☹ **Disodium Distyrylbiphenyl Disulfonate**
Blanchissant, c

☹☹ **Disodium EDTA**
Agent complexant, c
Voir p. 140 : EDTA (Ethylène-Diamino-Tetra-Acetate)

☺☺ **Disodium Hydrogenated Tallow Glutamate**
Substance tensioactive, d

☹☹ **Disodium Laureth Sulfosuccinate**
Tensioactif, c
Voir p. 141 : PEG, PPG

☺☺☺ **Disodium Lauryl Sulfosuccinate**
Tensioactif doux, v

☹☹ **Disodium PEG-4 Cocamido MIPA-Sulfosuccinate**
Tensioactif, d
Voir p. 141 : PEG, PPG

☹☹ **Disodium PEG-10 Laurylcitrate Sulfosuccinate**
Substance de soin pour la peau, c
Voir p. 141 : PEG, PPG

☺☺ **Disodium phenyl dibenzimidazole tetrasulfonate**
Filtre UV, c
Absorbe les UVΛ, filtre UV de synthèse

☹ **Disodium Phosphate**
Substance abrasive, produit de soins buccaux, m
Protège contre les caries ; risque de formation de tartre

☹ **Disodium Pyrophosphate**
Substance abrasive, produit de soins buccaux, m
Protège contre la carie ; risque de formation de tartre

☺☺ **Disodium Ricinoleamido MEA-Sulfosuccinate**
Tensioactif doux, c

☺☺☺ **Distarch Phosphate**
Phosphate d'amidon, d
Poudre repoussant l'huile et l'eau ; employée surtout dans les excipients des poudres et des maquillages

☺☺ **Distearoylethyl Hydroxyethylmonium Methosulfate**
Agent antistatique, substance de soins capillaires, c
Esterquat nouveau ; améliore le coiffage des cheveux ; voir p. 144 : Quats / Esterquats

☹ **Distearyldimonium Chloride**
Démêlant, c
Voir p. 136 : Composés organo-halogénés

☹ **Ditallowdimonium Chloride**
Démêlant, c

☹☹ **DMDM Hydantoin**

Conservateur, c
Peut déclencher des allergies ; voir p. 138 : Libérateurs
de formaldéhydes

☻ **Dodecane**
Liquide, c
Narcotique, irrite les mu-
queuses

☺☺ **Dodecyl Gallate**
Antioxydant, d
Éventuellement sensibilisant,
mais non toxique

☺☺☺ **D-Panthenol
(Provitamin B5)**
Agent actif, c
Protège la peau et les cheveux

E

☺☺☺ **Echinacea angustifolia
(echinacea)**
Agent actif, v
Effet normalisant pour les
glandes sébacées ; cicatrisant,
anti-inflammatoire

☻☻ **EDTA (Ethylène-Diamino-
Tetra-Acetate)**
*Agent chélateur, agent com-
plexant, conservateur, c*
Douteux sur le plan toxicologique et difficilement
dégradable : l'EDTA a la caractéristique de fixer très
fortement d'autres substances, par ex. les métaux
lourds ; voir p. 140 : EDTA

☺☺☺ **Elaeis Guineensis**
Huile du palmier, v

☺☺ **Elastin**
Agent actif, a
Retient l'humidité, raffermis-
sant.

☺☺☺ **Equisetum arvense (prêle)**
Agent actif, v

Teneur élevée en acide silicique et en saponines ; action
raffermissante, stimule l'irrigation sanguine ; utilisée
dans les crèmes raffermissan-
tes et des produits de soins
capillaires

☹ **Erythorbic Acid**
Antioxydant, d
Sa toxicologie n'est pas défi-
nitivement élucidée

☺☺☺ **Escin**
Agent actif, v
Obtenu à partir des semences
du marronnier ; action dé-
congestionnante et inhibitrice
d'œdèmes

☹ **Ethanolamine**
*Substance tampon, agent alcali-
nisant, c*
Nettoyant, dégraissant

☻☻ **Ethoxydiglycol**
Solvant, c
Hydratant, Voir p. 162 : éther
de glyclol et p. 141 : PEG,
PPG

☺☺☺ **Ethyl Acetate**
Solvant, c

☺☺ **Ethyl Diisopropylcinnamate**
Filtre de protection solaire, c
Peut avoir des effets allergi-
sants

☹ **Ethylene/Acrylic Acid
Copolymer**
*Substance de soins capillaires,
forme un film, c*

☹ **Ethylene/VA Copolymer**
Forme un film, c

☹ **Ethyl Ester of PVM/MA
Copolymer**
Cire synthétique, c
Utilisés dans les produits de
soins capillaires et les fixateurs pour les cheveux ;
difficilement dégradable

☺☺ **Ethylhexyl Cocoate**
Substance de soin pour la peau,
corps gras, d

☹ **Ethylhexyl Dimethyl PABA**
Filtre de protection contre les
rayons UVB, c

☺☺☺ **Ethylhexyl Ethylhexanonate**
Composant huileux (huile d'es-
ter), d

☺☺☺ **Ethylhexylglycerin**
Agent actif déodorant, c
Déodorant doux, peut être
utilisé aussi comme solvant

☺☺☺ **Ethylhexyl Hydroxystearate**
Substance de soin pour la peau,
composant huileux, d

☺☺ **Ethylhexyl**
Methoxycinnamate
Filtre de protection contre les
rayons UVB, c

☺☺☺ **Ethylhexyl Palmitate**
Composant huileux, d
Lissant, regraissant

☹ **Ethylhexyl Salicylate**
Filtre de protection contre les
rayons UVB, c

☺☺☺ **Ethylhexyl Stearate**
Substance de soin pour la peau, d
Lissant, regraissant

☺☺☺ **Ethyl Linoleate**
Substance de soin pour la peau
(corps gras), v
Lissant, guérissant

☺☺☺ **Ethyl Myristate**
Substance de soin pour la peau
(corps gras), v
Lissant, regraissant

☺☺☺ **Ethyl Palmitate**
Substance de soin pour la peau
(corps gras), v
Lissant, regraissant

☹ **Ethylparaben**
Conservateur, c
Peut avoir des effets allergi-
sants

☺☺☺ **Ethyl Stearate**
Substance de soin pour la peau
(corps gras), v
Lissant, regraissant

☺☺ **Ethyl Urocanate**
Agent chélateur (agent com-
plexant), filtre de protection
solaire, c

☹☹ **Etidronic Acid**
Agent complexant, c
Autorisé seulement avec res-
trictions

☺☺☺ **Eucalyptus globulus**
(eucalyptus)
Agent actif, substance odorifé-
rante, v
Antiseptique, régénérateur,
accélère la guérison des plaies,
antispasmodique, stimulant ;
l'huile essentielle d'eucalyptus
est employée surtout dans les
produits de soin des pieds,
dans des préparations capillaires et pour parfumer

☺☺☺ **Eugenia Caryophyllus**
Agent actif, v
Antiseptique, pouvoir désinfectant, agent
d'aromatisation ; huile essentielle des fleurs du giroflier

☺☺ **Eugenol**
Substance odoriférante, v
Voir p. 186/187

☺☺☺ **Euphorbia Cerifera**
(Carnauba) Wax
Ancienne appellation :
Candelilla cera
v
Cire de candelilla, cire végétale extraite
d'euphorbiacées ; soigne la
peau, regraisse, lisse, donne
de la consistance

☺☺☺ **Euphrasia officinalis**
(euphraise, casse-lunettes)

Agent actif, v
L'extrait d'euphraise est surtout employé comme substance régénératrice et apaisante dans les produits de soin du contour des yeux

F

☺☺☺ **Faex (levures)**
Agent actif, d
La levure possède de bonnes propriétés de soin pour la peau ; stimule le renouvellement cellulaire

☺☺☺ **Fagus sylvatica (hêtre)**
Agent actif, v
Employé principalement sous forme d'huile de hêtre ou d'extrait de feuilles de hêtre

☺☺ **Farnesol**
Déodorant, Substance odoriférante, c, v
Alcool naturel de fleurs; inhibiteur de la croissance et de la multiplication des bactéries

☺☺☺ **Foeniculum vulgare (fenouil)**
Agent actif, substance odoriférante, v
Raffermit la peau et améliore son pouvoir d'absorbtion de l'humidité, antispasmodique, décontractant ; employé surtout sous forme d'huile essentielle

☺☺☺ **Folic Acid (acide folique)**
Agent actif, d
Important pour l'approvisionnement des cellules ; l'efficacité dans les cosmétiques n'est pas vraiment prouvée, elle se situe plutôt sur un plan publicitaire

☹☹☹ **Formaldéhyde**
Conservateur, c
Catégorie d'allergie A (important allergène de contact) ; voir p. 138 : Formaldéhyde

☺☺☺ **Formic Acid (acide formique)**
Conservateur, c
Employé entre autres pour la régulation du pH

☺☺☺ **Fructose**
Fructose, v
Substitut de sucre pour diabétiques ; édulcorant pour dentifrices et produits de soins buccaux

☺☺☺ **Fucus vesiculosus (algue)**
Agent actif, v
Les extraits d'algues sont des bons hydratants pour la peau et la protègent contre les radicaux libres ; ils lui conservent son élasticité et influencent l'action des glandes sébacées

☺☺☺ **Fumaric Acid (acide de fruit)**
Agent actif, d
Bon produit antipelliculaire

G

☺☺☺ **Galactoarabinan**
Forme un film, stabilise les émulsions, v

☺☺☺ **Gelatin (gélatine)**
Agent actif, a
Retient l'humidité, lissante, pouvoir guérissant ; voir p. 133 : Composants d'origine animale

☺☺ **Geraniol**
Substance odoriférante, v, c
Voir p. 186/187

LES COMPOSANTS DE A À Z

☺☺☺ **Geranium (géranium)**
Agent actif, v
L'huile essentielle de géranium affine la structure de la peau et calme la peau irritée

☺☺☺ **Ginkgo Biloba**
Agent actif, v
Raffermit et fortifie la peau ; extrait des feuilles de Ginkgo

☺☺☺ **Glucamine (sucre aminé)**
Agent alcalinisant, v
Bonnes propriétés de soin pour la peau, retient l'humidité

☺☺ **Glucosamine HCL**
Régulateur d'acidité

☺☺☺ **Glucose**
Agent actif, solvant, v
Hydrate et calme la peau

☺☺ **Glucose Glutamate**
Agent actif, forme un film, v
Calme la peau et retient l'humidité, protège, donne aux cheveux du volume et de la brillance

☺☺☺ **Glucose Oxidase**
Additif, b
Antimicrobien ; employé aussi dans des systèmes de conservation

☺☺☺ **Glucosylrutin**
Agent actif, v
Flavonoïde, anti-radicaux libres, protège du stress oxydatif

☺☺☺ **Glutamic Acid**
Agent actif, acide aminé, d
Hydrate et protège

☹☹ **Glutaral**
Conservateur, c
Voir p. 138 : libérateurs de formaldéhyde

☺☺☺ **Glutathione**
Bio-additif, agent actif, d
Présent dans presque toutes les cellules vivantes, surtout dans la levure ; désintoxiquant, peut protéger contre les radiations (par ex. du radium etc.)

☹☹ **Glycereth-7**
Agent actif, solvant, c
Hydratant ; voir p. 141 : PEG, PPG

☹☹ **Glycereth-7 Benzoate**
Émulsifiant, c
Voir p. 141 : PEG, PPG

☹☹ **Glycereth-5 Lactate**
Émulsifiant, c
Voir p. 141 : PEG, PPG

☹☹ **Glycereth-26 Phosphate**
Émulsifiant, c
Voir p. 141 : PEG, PPG

☹☹ **Glycereth-20 Stearate**
Émulsifiant, c
Voir p. 141 : PEG, PPG

☹☹ **Glycereth-7 Triacetate**
Substance de soin pour la peau, c
Voir p. 141 : PEG, PPG

☺☺☺ **Glycerin**
Agent actif, solvant, d
Fixe l'humidité, lisse la peau

☺☺☺ **Glyceryl Caprate**
Substance de soin pour la peau (corps gras), v
Regraissant, lissant

☺☺☺ **Glyceryl Caprylate**
Substance de soin pour la peau (corps gras), émulsifiant, v
Regraissant, lissant

☺☺☺ **Glyceryl Citrate/Lactate/ Linoleate/Oleate**
Émulsifiant, texturant, v
Regraissant

☺☺☺ **Glyceryl Dioleate**
Émulsifiant, v

☺☺☺ **Glyceryl Lanolate (lanoline artificielle)**
Substance de soin pour la peau (corps gras), émulsifiant, d

Regraissant, maintient et régule le taux d'humidité

☺☺☺ **Glyceryl Laurate**
Texturant, co-émulsifiant, v
Action légèrement antimicrobienne, employé de préférence comme regraissant dans les préparations pour le bain

☺☺☺ **Glyceryl Myristate**
Solvant, co-émulsifiant, v
Regraissant

☺☺☺ **Glyceryl Oleate**
Substance de soin pour la peau (corps gras), émulsifiant, v
Lissant, retient l'humidité

☹ **Glyceryl Polymethacrylate**
Gélifiant synthétique, c
Note écologique 😟😟

☺☺☺ **Glyceryl Rosinate**
Forme un film, v
Augmente la résistance à l'eau et aux changements de températures ; employé en général dans les bâtons (rouges à lèvre etc.)

☺☺☺ **Glyceryl Stearate**
Substance de soin pour la peau, émulsifiant, d
Retient l'humidité, regraissant, lissant

☺☺☺ **Glyceryl Stearate Citrate**
Émulsifiant provenant d'acide stéarique, d'acide citrique et de glycérine, d
Retient l'humidité, lissant, regraissant

☺☺☺ **Glyceryl Stearate SE**
Émulsifiant (substance alimentaire), d
Retient l'humidité, regraissant, lissant

☺☺☺ **Glycine**
Agent actif, substance tampon, d
L'aminoacide acétique est un vulnéraire (cicatrisant)

☺☺☺ **Glycine Soja (huile de soja)**
Substance de soin pour la peau, v
Riche en lécithine et vitamine E ; laisse la peau veloutée

☺☺ **Glycogen (glucose sanguin)**
Agent actif, gélifiant, a
Amidon animal ; hydratant, lissant, augmente la viscosité

☹ **Glycol**
Solvant, conservateur, c

☺☺ **Glycol Distearate**
Rend les substances troubles, d
Dans shampooings et gels douche

☺☺ **Glycol Stearate**
Co-émulsifiant, rend les substances troubles, c
Employé par ex. pour donner une brillance nacrée

☺☺☺ **Glycosaminoglycans**
Agent actif, d
Même famille de substances que l'acide hyaluronique ; d'origine animale ou biotechnologique ; bon produit de protection pour la peau

☺☺☺ **Glycyrrhetinic Acid**
Agent actif, v
Obtenu à partir de la réglisse

☺☺☺ **Glycyrrhiza glabra (réglisse)**
Agent actif, v
Calme la peau et les irritations

😟😟😟 **Glyoxal**
Conservateur, c
Hautement toxique, action proche des formaldéhydes ; voir p. 138 : Formaldéhyde

☺☺☺ **Guaiazulene**
Agent actif, colorant, v
Obtenu à partir de l'huile essentielle de camomille ; pouvoir guérissant

☺☺ **Guanine**

Rend les substances troubles, colorant, a
Substance donnant du brillant (éclat nacré) obtenue à partir d'écailles de poisson ; voir p. 133 : Composants d'origine animale

☺☺☺ **Guanosine**
Agent actif, substance de soin pour la peau, d
Composant de la peau ayant un rôle important pour sa constitution ; son efficacité dans les cosmétiques est mise en question, c'est-à-dire pas éclaircie définitivement

☹ **Guar Hydroxypropyltrimonium Chloride (gomme de guar)**
Substance de soins capillaires, forme un film, d
Démêlant, améliore le coiffage des cheveux

H

☺☺☺ **Hamamelis virginiana (hamamélis)**
Agent actif, v
Affine le grain de la peau et la raffermit, anti-inflammatoire ; souvent employée dans des produits de soin pour la peau grasse et impure, et dans les lotions pour le visage et les eaux de rasage

☺☺☺ **Hectorite**
Gélifiant, stabilisateur d'émulsion, épaississant, m
Connu sous le nom de rhassoul, produit traditonnel au Maroc pour le lavage du visage, du corps et des cheveux

☺☺☺ **Hedera helix (lierre)**

Agent actif, v
Décontractant et fortifiant, en particulier pour le cuir chevelu ; les extraits de lierre sont aussi employés dans des produits anti-cellulite car l'hédéragénine a la propriété de décomposer les graisses.

☺☺☺ **Helianthus annuus (tournesol)**
Substance de soin pour la peau (corps gras), v
L'huile grasse des graines de tournesol soigne et nettoie

☺☺☺ **Henna**
Agent actif, colorant, v
Voir Indigofera argentea, Indigofera tinctoria

😠 **Hexadimethrine Chloride**
Agent antistatique, c

☹ **Hexamethyldisiloxane**
Anti-mousse, substance soignante, c
Voir p. 49 : Silicones
Note écologique 😠😠

😠😠 **Hexamidine Diisethionate**
Conservateur, c
Voir p. 138 : Formaldéhyde

😠😠 **Hexetidine**
Conservateur, c
Voir p. 138 : Formaldéhyde

☺☺ **Hexyl cinnamaldehyde**
Substance odoriférante, c
Voir p. 186/187

☹ **Hexylene Glycol**
Solvant, c
Antimicrobien ; employé par ex. dans les savons transparents ; peut déclencher des allergies de contact

☺☺☺ **Hexyl Laurate**
Substance de soin pour la peau, solvant, c
Regraissant, lissant

☺☺☺ **Hibiscus esculentus (hibis-**

cus esculentus seed extract)
Agent actif, v
Extrait de graines de Gombo
(asperge du pauvre)

☺☺☺ **Hibiscus sabdariffa
(hibiscus)**
Agent actif, colorant, v

☺☺☺ **Hippophae rhamnoides
(argousier)**
Agent actif, v
Calme la peau, anti-
inflammatoire, cicatrisant

☺☺☺ **Histidine**
Agent actif, d
Aminoacide semi-essentiel ;
employé aussi pour le traitement d'allergies

☺☺ **Histidine Hydrochloride**
Agent actif, c
C'est l'hydrochloride d'un
aminoacide semi-essentiel ;
utilisé en médecine comme
agent actif dans le traitement
des allergies

☺☺☺ **Humulus lupulus (houblon)**
Agent actif, v
Décontractant, apaisant, anti-
inflammatoire ; surtout pour
le soin de la peau sèche et
vieillissante pour améliorer
sa capacité régénératrice

☺☺☺ **Hyaluronic Acid
(acide hyaluronique)**
*Agent antistatique, forme un
film, d*
Très fort pouvoir hydratant,
soignant, raffermissant ;
forme un film sur la peau
fixant l'humidité ; comme il
agit sur la surface de la peau,
l'action lissante faiblit lorsque l'on arrête l'application
de produits contenant de
l'acide hyaluronique

☺☺☺ **Hydrated Silica (silice)**

*Épaississant, stabilisant, exfo-
liant, d*

☺☺ **Hydrochloric Acid
(acide chlorhydrique)**
*Régulateur de pH (sous forme
diluée), c*
Caustique en forte concentration

☺☺☺ **Hydrogenated Castor Oil**
Texturant, v
Améliore l'hydratation de la
peau ; employé surtout pour
crayons et bâtons

☺☺☺ **Hydrogenated Coco-
Glycerides**
Texturant, v
Employé surtout pour
crayons et bâtons

☺☺☺ **Hydrogenated Coconut Oil**
*Base pour crayons et bâtons,
texturant, v*

☺☺☺ **Hydrogenated Glycerin**
Agent actif, solvant, d

☺☺☺ **Hydrogenated Jojoba Oil**
*Excipient pour cires, stabilisa-
teur d'émulsion, texturant, v*

☺☺☺ **Hydrogenated Lanolin**
*Agent antistatique, substance
de soin pour la peau, d*

☺☺☺ **Hydrogenated Lecithin**
Co-émulsifiant, v
Améliore l'humidité de la
peau

☺☺☺ **Hydrogenated Palm
Glyceride**
*Excipient pour cires, stabilisa-
teur d'émulsion, texturant, v*

☺☺☺ **Hydrogenated Palm Kernel
Oil (huile de palme
hydrogénée)**
*Texturant (cire), base pour
crayons et bâtons, v*

☺☺☺ **Hydrogenated Palm Oil**
Texturant, v

☺☺ **Hydrogenated Polyisobu-**

tene (graisse de glande uro-pygienne artificielle, *vulgo Fluidum sybillii*)
Substance de soin pour la peau (corps gras), c
Lisse la peau, imprégne, re-graisse

☺☺ **Hydrogenated Tallow Glyceride Citrate**
Émulsifiant, d

☺☺☺ **Hydrogenated Vegetable Oil (huile végétale hydro-génée)**
Texturant, v
Pour les sticks, lisse la peau

☺☺☺ **Hydrogen Peroxide**
Conservateur, décolorant, c

☺☺☺ **Hydrolyzed Actin**
Agent actif, substance de soin pour la peau, d
Protéine obtenue à partir d'algues ; hydratante

☺☺ **Hydrolyzed Collagen**
Agent antistatique, forme un film, a
Hydrate et raffermit la peau ; améliore le coiffage des cheveux ; voir p. 133 : Composants d'origine animale

☺☺ **Hydrolyzed Elastin**
Agent antistatique, substance de soin pour la peau, forme un film, a
Hydrate et raffermit la peau ; améliore le coiffage des cheveux ; voir p. 133 : Composants d'origine animale

☺☺☺ **Hydrolyzed Keratin**
Agent antistatique, forme un film, a
Hydrate et raffermit la peau ; améliore le coiffage des cheveux

☺☺☺ **Hydrolyzed Milk Protein**

Agent antistatique, forme un film, a
Hydrate et raffermit la peau, fixe l'humidité ; améliore le coiffage des cheveux

☺☺☺ **Hydrolyzed Silk (protéine de soie)**
Agent actif, agent antistatique, a
Améliore l'hydratation de la peau, donne du volume aux cheveux et facilite leur coiffage ; conseillé surtout pour les cheveux secs et fatigués

☺☺☺ **Hydrolyzed Soy Protein**
Substance de soin pour la peau, v
Hydratant

☺☺☺ **Hydrolyzed Wheat Protein (protéines de blé)**
Forme un film, v
Retient l'humidité, guérit et raffermit la peau ; améliore le coiffage des cheveux

☺☺☺ **Hydrolyzed Yeast Protein**
Agent actif pour le soin de la peau, d
Obtenu à partir de levure

☹ **Hydroquinone**
Colorant pour cheveux, décolo-rant, c
Enlève aussi les taches de pigmentation

☻ **4-Hydroxybenzoic Acid**
Conservateur (parabène), c

☹ **Hydroxycitronellal**
Substance odoriférante, c
Voir p. 186/187

☺☺ **Hydroxyethylcellulose**
Liant, stabilisateur, forme un film, d

☹ **Hydroxyisohexyl 3-Cyclohexene Carboxaldehyde**
Parfum, c
Déclaration dans la liste INCI obligatoire (voir parfum, p.

186/187)

☻ Hydroxylamine HCI
Antioxydant, c
Hautement toxique ; employé autrefois contre les maladies de peau

☹ Hydroxymethylpentylcyclohexenecarboxaldehyd
Substance odoriférante, c

☺☺ Hydroxyoctacosanylhydroxystearate
Substance de soin pour la peau, cire synthétique pour réguler la texture, c
Lissant, regraissant

☻☻ Hydroxypropyl BIS (N-Hydroxyethyl-P-Phenylendiamine) HCI
Colorant pour cheveux, c
Voir p. 143 : Amines aromatiques

☺☺ Hydroxypropyl Chitosan
Forme un film, d
Fixateur pour les cheveux

☺☺ Hydroxypropyl Methylcellulose
Liant, stabilisateur, forme un film, v

☺☺ Hydroxypropul starch phosphate
Épaississant, liant, minéral/synthétique

☺☺ Hydroxystearyl Cetyl Ether
Co-émulsifiant, stabilisateur d'émulsion, c

☺☺☺ Hypericum perforatum (millepertuis)
Agent actif, v
Affine le grain de la peau, harmonisant, calmant ; par contre, augmente la sensibilité de la peau à la lumière

I

☻☻ Imidazolidinyl urea
Conservateur, c
Voir p. 138 : Formaldéhydes

☻☻☻ Iodopropynyl Butylcarbamate
Conservateur, c
(Voir p. 136 et 138 : Composés organo-halogénés ; Libérateurs de formaldéhyde)

☺☺☺ Indigofera argentea (henné)
Colorant, v
En retirant le colorant on obtient un henné clair qui est un soin pour les cheveux

☺☺☺ Indigofera tinctoria (henné)
Colorant, v
Indigofera argentea (voir p. 97) et Indigofera tinctoria sont obtenus à partir du henné ; il s'agit de deux variétés d'une même famille, employées de la même façon (généralement dans des colorants végétaux pour les cheveux) ; Indigofera tinctoria sous l'appellation « henné noir »

☺☺☺ Inositol
Substance de soin pour la peau, agent actif (alcool de sucre), d
Auparavant cette substance faisait partie du complexe vitamine B ; hydrate et lisse la peau

☺☺☺ Iron Hydroxide
Colorant, m

☺☺ Isoamyl p-Methoxycinnamate (ester d'acide cinnamique)
Filtre UV-B, c
Obtenu par synthèse

☹ **Isobutane**
Gaz propulseur, c
Gaz issu du raffinage du pétrole ; voir p. 132. : VOC

☹ **Isobutylparaben**
Conservateur, c

☺☺ **Isocetyl Alcohol**
Texturant, stabilisateur d'émulsion, c

☹ **Isododecane**
Solvant, composant huileux, c
Variante particulière de la paraffine
Note de soin pour la peau ☹☹

☹ **Isoeugenol**
Substance odoriférante, v, c
Voir p. 186/187

☹ **Isohexadecane (paraffine)**
Substance de soin pour la peau, solvant, c
Note de soin pour la peau ☹☹

☺☺ **Isononyl isononanoate**
Substance de soin pour la peau, c
Huile de synthèse

☹ **Isopropane**
Gaz propulseur, c
Gaz issue du raffinage du pétrole ; même un HVOC (high volatile organic compound) ; voir p. 132 : VOC

☺☺ **Isopropyl Alcohol**
Conservateur, solvant, antimousse, c
Nettoyant, désinfectant

☹ **Isopropyl Dibenzoylmethane**
Filtre de protection solaire, c

☹ **Isopropyl Isostearate**
Substance de soin pour la peau (cire), c
Lisse la peau et a une action regraissante

☺☺ **Isopropyl Lanolate**
Agent antistatique, substance de soin pour la peau, émulsifiant, d
Regraissant

☺☺ **Isopropyl Methoxycinnamate**
Filtre de protection solaire, c

☺☺ **Isopropyl Myristate**
Corps gras, v
Lisse la peau

☺☺ **Isopropyl Palmitate**
Base pour huiles, c
Bonne capacité d'étalement ; peut irriter la peau

☹ **Isopropylparaben**
Conservateur, c

☺☺ **Isopropyl Stearate**
Composant huileux, d
Bonne action d'étalement, lissant, regraissant

☹ **Isopropyl Titanium Triisostearate**
Adoucissant, co-émulsifiant, c

☺☺☺ **Isoquercitin**
Agent actif, v
Flavonoïde

☺☺ **Isostearic Acid**
Texturant, stabilisateur d'émulsion, c
Acide gras synthétique

☺☺ **Isostearyl Alcohol**
Texturant, stabilisateur d'émulsion, c
Alcool gras synthétique ; base pour rouges à lèvre

☺☺ **Isostearyl Diglyceryl Succinate**
Émulsifiant, d
Nettoyant, dégraissant

☺☺ **Isostearyl Isostearate**
Liant, substance de soin pour la peau, d

☺☺ **Isostearyl Neopentanoate**
Corps gras synthétique, c

J

☺☺☺ **Jasmine Wax**
Nouvelle appellation :
Jasminum Sambac
(Jasmine) Flower Wax
Agent actif, texturant, v

☺☺☺ **Jasminum officinale**
(jasmin)
Extrait de plante, v

☺☺☺ **Jasminum Sambac**
(Jasmine) Flower Wax
Ancienne appellation :
Jasmine Wax
Texturant, substance de soin, v
Cire florale obtenue lors de la
fabrication de l'huile de jasmin

☺☺ **Jojoba Esters**
*Corps abrasifs, substance exfo-
liante, v*
Tirés de l'huile de jojoba.

☺☺☺ **Jojoba Wax**
Nouvelle appellation :
Simmondsia Chinensis
(Jojoba) Seed Wax
*Substance de soin pour la peau
(cire), v*
Cire liquide ; l'huile de jojoba
fait du bien aux peaux rêches
et fatiguées qu'elle lisse et
raffermit ; utile avant et après
un bain de soleil et comme
huile de massage

☺☺☺ **Juglans regia (noix)**
*Substance de soin pour la peau,
colorant, v*
Les extraits de coque de noix
sont employés avant tout
pour le soin de la peau et des
cheveux gras ; ils sont aussi
des auto-bronzants naturels

☹ **Juniper Tar**
(goudron de genièvre)
Agent actif, substance odorifé-

rante, v
Substance anti-pelliculaire

☺☺☺ **Juniperus communis**
(genièvre)
*Agent actif, substance odorifé-
rante, v*
Le genièvre est une compo-
sante de base de la
phytocosmétologie

☺☺ **Juniperus Oxicedrus (cade)**
Antimicrobien, v
L'huile essentielle de genévrier est obtenue par
hydrodistillation du bois de
cet arbuste épineux.

K

☺☺☺ **Kaolin (terre à porcelaine)**
*Substance au pouvoir absor-
bant, m*
Possède de bonnes qualités
d'absorption du sébum et ralentit sa formation ; le kaolin
est une bonne base pour
poudres et masques

☺☺ **Keratin**
Agent actif, a
Hydratante ; utilisée pour le
soin des cheveux ; voir p.
133 : Composants d'origine
animale

☺☺☺ **Krameria triandra (ratanhia)**
Colorant, agent actif, v
Astringent, raffraîchissant,
tonifiant

L

☺☺☺ **Lac (lait de vache)**
Agent actif, a
Le lait contient toutes les vi-
tamines, minéraux et oligo-

éléments importants pour la peau

☺☺ **Lactamide MEA**
Agent antistatique, agent actif, d
Hydratant

☺☺☺ **Lactic Acid (acide lactique)**
Substance tampon, conservateur, d
Hydratant, raffermissant

☺☺☺ **Lactis proteinum (protéine de lait)**
Agent actif, substance de soin pour la peau, a

☺☺ **Lactobazillus Ferment**
Agent actif pour la peau, b
Stimule la formation des cellules, antimicrobien ; employé aussi dans les systèmes de conservation

☺☺☺ **Lactoperoxidase**
Additif, b
Antimicrobien, employé aussi dans les systèmes de conservation

☺☺☺ **Lactose (sucre de lait)**
Substance auxiliaire, a
Utilisé souvent comme excipient pour agents actifs ou comme base pour les poudres

☺☺☺ **Laminaria digitata**
Agent actif, v
Extrait d'algues ; contient des minéraux et oligo-éléments

☹☹ **Laneth-10, 5 (ou autres chiffres)**
Émulsifiants, a
Voir p. 141 : PEG, PPG

☺☺☺ **Lanolin (cire de laine)**
Substance de soin pour la peau (corps gras), a
Lissante, regraissante ; pâte jaune obtenue à partir du suint de la laine de mouton nettoyée, un des plus anciens émulsifiants eau-dans-l'huile

☺☺☺ **Lanolin Acid**
Substance de soin pour la peau, émulsifiant, a
Lisse et regraisse la peau

☺☺☺ **Lanolin Alcohol**
Substance de soin pour la peau, émulsifiant, a
Lisse et regraisse la peau

☺☺☺ **Lanolin cera**
Substance de soin pour la peau, émulsifiant, a
Alcool de lanoline ; est composé des parties précieuses non-saponifiables du suint ; émulsifiant et substance de soin pour la peau naturel

☺☺☺ **Lanolin liquida**
Substance de soin pour la peau et les cheveux, a
L'huile de lanoline a une action regraissante

☺☺ **Lard Glycerides (saindoux)**
Substance de soin pour la peau, émulsifiant, a
Obtenu à partir du gras de porc ; lissant, regraissant ; très rarement employé

☹☹ **Lauramide DEA**
Agent antistatique, gélifiant, v
Voir p. 139 : Formation de nitrosamines

☹ **Lauramine Oxide**
Substance de soin pour la peau et les cheveux, c
Hydratant ; voir p. 139 : Formation de nitrosamines

☹☹ **Laurdimonium hydroxypropyl hydrolized wheat protein**
Agent actif, c
Composé d'ammonium quaternaire, voir p. 144

☹☹ **Laureth-2,-3,-4,-7**
Émulsifiants, tensioactifs, v
Voir p. 141 : PEG, PPG

☹☹ **Laureth-5 Carboxylic Acid**
Émulsifiant, d
Voir p. 141 : PEG, PPG

☹☹ **Laureth-8 Phosphate**
Émulsifiant, tensioactif, c
Voir p. 141 : PEG, PPG

☺☺☺ **Lauric Acid (acide laurique)**
Texturant, d

☺☺☺ **Lauroyl Lysine**
Stabilisateur, base pour poudres, d
Fixe l'huile ; procure une très agréable sensation sur la peau

☺☺☺ **Laurus nobilis (laurier)**
Forme un film, v
Substance de soins capillaires ; forme un film protecteur

☺☺☺ **Lauryl Aminopropylglycine**
Agent antistatique, lensioactif, v

☺☺ **Lauryl Betaine**
Tensioactif, émulsifiant, d

☺☺☺ **Lauryl Diethylenediaminoglycine**
Tensioactif, agent actif, d
Hydrate la peau

☺☺ **Lauryldimonium Hydroxypropyl Hydrolyzed Collagen**
Substance de soin pour la peau et les cheveux, a
Soigne et fixe les cheveux, facilite leur coiffage ; employé surtout comme démêlant

☺☺☺ **Lauryl Glucoside**
Tensioactif, d
Très bien supporté par la peau

☺☺ **Lauryl Hydroxysultaine**
Tensioactif, c

☺☺☺ **Lauryl Lactate**
Donne du brillant, v
Laisse la peau douce et veloutée ; employé surtout dans les crèmes pour un meilleur étalement

☹ **Laurylmethicone Copolyol**
Substance de soin pour la peau, émulsifiant, c
Voir p. 49 : Silicones
Note écologique ☹☹

☹☹ **Lauryl Methyl Gluceth-10 Hydroxypropyldimonium Chloride**
Agent antistatique, démêlant, d
Voir p. 141 : PEG, PPG

☺☺ **Lauryl Octanoate**
Corps gras, v, c
Graissant, regraissant

☺☺☺ **Lauryl PCA**
Agent actif, co-émulsifiant, v
Substance hydratante, inhibitrice de germes

☺☺☺ **Lauryl Polyglucose**
Tensioactif de sucre, v
Nettoyant, dégraissant

☹☹☹ **Laurylpyridinium Chloride**
Conservateur, c
Voir p. 136 et 144 : Composés organo-halogénés, Quats

☺☺☺ **Lauryl Pyrrolidone**
Substance hydratante avec propriétés complexantes, c
Employé comme conditionneur dans les produits de soin des cheveux

☺☺☺ **Lavandula angustifolia (lavande)**
Agent actif, substance odoriférante, v
Déodorant, renouvelle les cellules ; huile essentielle de lavande ; stimule la circulation du sang et apaise la peau ; souvent utilisé pour parfumer les cosmétiques

☺☺☺ **Lawsonia inermis (henné)**
Colorant, v
Obtenu à partir des feuilles d'un arbuste d'Afrique du Nord ; donne de l'éclat aux cheveux

☺☺☺ **Lecithin**
Substance de soin pour la peau, émulsifiant, v
Hydratante, lissante, soignante ; très bien pour le soin des peaux sèches, puisque la lécithine fixe particulièrement bien l'eau

☺☺☺ **Leptospermum scoparium**
Agent actif, substance odoriférante, v
Cette plante originaire de Nouvelle Zélande (manuka) est très bien supportée par la peau et particulièrement adaptée au soin des peaux à problémes et impures ; employée surtout sous forme d'huile essentielle

☺☺☺ **Leucine**
Agent antistatique, agent actif, c
Lisse et soigne les cheveux

☹ **Lilial**
Substance odoriférante, c
Voir p. 186/187

☺☺ **Limonene**
Substance odoriférante, v
Voir p. 186/187

☺☺ **Linalool**
Substance odoriférante, v, c

●● **Linoleamide DEA**
Agent antistatique, corps gras, v
Soigne les cheveux ; voir p. 139 : formation des nitrosa-mines

☹ **Linoleamide MEA**
Agent antistatique, corps gras, d
Pouvoir guérissant, lisse la peau

☺☺☺ **Linoleic Acid**
Agent actif, substance de soin pour la peau, v
Lissant, regraissant

☺☺☺ **Linum usitatissimum (graine de lin)**
Substance de soin pour la peau, v
Hydratante, a un effet apaisant sur la peau

☺☺☺ **Luffa cylindrica (luffa cylindrica seed oil)**
Huile végétale de luffa (courge-éponge), v

☺☺☺ **Lysine**
Agent actif, d
Aminoacide anti-inflammatoire ; c'est aussi un bon agent actif pour le soin des cheveux

☺☺☺ **Lysine Hydrochloride**
Substance de soin pour la peau, c
Variante de la lysine facilement hydrosoluble ; son effet sur la peau n'est pas encore élucidé

☺☺☺ **Lysolecithin**
Émulsifiant, co-émulsifiant, agent actif, v/c
Lécithine hydrolisée

LES FLUORIDES – TOUT DÉPEND DU DOSAGE

- Les fluorides sont employés dans le domaine des soins dentaires pour durcir l'émail dentaire. Les fluorides ont des effets positifs, surtout pendant la phase de croissance des enfants (particulièrement par voie orale).
- Mais les fluorides étant (en concentration élevée) des poisons pour les cellules, leur concentration maximale d'utilisation est limitée à 0,15 %. C'est pour cette raison qu'il faut les utiliser avec précaution et qu'ils ont seulement obtenu la note « satisfaisant » (☹).

M

☺☺☺ **Macadamia ternifolia (noix de Macadamia)**
Agent actif, v
L'huile de noix de Macadamia ressemble à un composant du sébum ; cette huile lisse la peau, la rend douce et veloutée ; elle contient de la palmitoléine, un acide oléique très rare, particulièrement bénéfique pour le soin des peaux sèches.

☺☺ **Magnesium Aluminium Silicate**
Gélifiant naturel, épaississant, m
Argile anorganique ; substance de base pour poudres

☺☺☺ **Magnesium Ascorbyl Phosphate**
Agent actif, antioxydant, d
Sel de vitamine C stable

☺☺☺ **Magnesium Carbonate**
Absorbant, m
Substance de base pour poudres

☺☺ **Magnesium Chloride (sel de magnésium)**
Additif, d
Raffermit la peau

☹☹ **Magnesium Laureth Sulfate, Magnesium Laureth-8 Sulfate**
Tensioactifs , d
Voir p. 141 : PEG, PPG

☺☺ **Magnesium Lauryl Sulfate**
Tensioactif, d

☹☹ **Magnesium Oleth Sulfate**
Tensioactif, c
Voir p. 141 : PEG, PPG

☺☺☺ **Magnesium Stearate**
Stabilisateur d'émulsion, d
Lissant, regraissant

☺☺☺ **Magnesium Sulfate (sel amer, sel d'epsom)**
Stabilisant, m
Raffermit la peau

☺☺☺ **Malic Acid (acide malique)**
Agent actif, d
Cet acide de fruit (AHA) a la réputation de détacher les squames et d'avoir un effet raffermissant pour la peau

☺☺☺ **Maltodextrin (maltose)**
Excipient pour agents actifs, v

☺☺☺ **Malva sylvestris (mauve)**
Agent actif, v
Affine le grain de la peau et la calme

☺☺☺ **Mannitol**
Substance de remplissage et liant dans les poudres, v
Alcool de sucre naturel de valence 6 ; excipient pour des substances lyophilisées (par ex. pour Aloe vera)

☺☺☺ **Maris Sal (sel de mer)**
Agent actif et épaississant pour tensioactifs, m

☹☹ **MDM Hydantoin**
Conservateur, c
Voir p. 138 : Formaldéhydes

☹ **MEA-Lauryl Sulfate**
Tensioactif, d
Action nettoyante, mais aussi dégraissante

☺☺☺ **Mel (miel)**
Substance de soin pour la peau et les cheveux, a
Le miel est particulièrement riche en substances qui soignent la peau et la maintiennent veloutée ; il a une action raffermissante, améliore la souplesse de la peau et l'hydrate

☺☺☺ **Melaleuca alternifolia (arbre à thé)**

LES COMPOSANTS DE A A Z

Agent actif, v

L'huile essentielle de l'arbre à thé australien (tea tree) possède un fort pouvoir antimicrobien ; elle est surtout employée dans les shampooings, conditionneurs, crèmes pour les mains et le corps, gargarismes et savons

☺☺☺ **Melia azadirachta (arbre à neem)**

Agent actif, v

Anti-inflammatoire et antimicrobien ; employé surtout sous forme d'huile essentielle ; principalement contre les pellicules des cheveux ou, dans le domaine de l'hygiène buccale, dans les dentifrices pour lutter contre les gingivites

☺☺☺ **Melissa officinalis (mélisse)**

Agent actif, v

Action protectrice, calmante, fortifiante et apaisante ; employée principalement pour ses effets apaisantes dans les crèmes, les lotions ou les produits pour le bain

☺☺☺ **Mentha piperita (menthe)**

Agent actif, substance odoriférante, v

Déodorante, raffraîchissante, antiseptique, stimule la circulation sanguine ; employée surtout sous forme d'huile essentielle

☺☺☺ **Menthol**

Substance odoriférante, d

Le menthol est le composant principal de l'huile essentielle de menthe

☺☺☺ **Meristem (extrait de tourbe)**

Agent actif, v

Considéré comme chasseur de radicaux libres ; peut sou-lager lors d'allergies solaires

☹ **Methicone**

Corps gras, substitut d'huile, c

Voir p. 49 : Silicones

Note écologique ☹☹

☺☺☺ **Methionine**

Agent actif, d

Aminoacide essentiel

☺☺ **3-Methyl-4-(2,6,6-trimethyl-2-cyclohexen-1-yl)-3-buten-2-one**

Substance odoriférante, c

Voir p. 186/187

☺☺ **4-Methylbenzylidene Camphor**

Filtre de protection contre les rayons UV-B, c

☺☺☺ **Methylcellulose**

Gélifiant, v

☹☹☹ **Methylchloroisothiazolinone**

Conservateur, c

Voir p. 136 : Composés organo-halogénés

☹☹☹ **Methyldibromo Glutaronitrile**

Conservateur, c

Voir p. 136 : Composés organo-halogénés

☹☹ **Methyl Gluceth-10 et -20**

Gélifiant, v

Voir p. 141 : PEG, PPG

☺☺☺ **Methyl Glucose Dioleate**

Emulsifiant de sucre, v

☺☺ **Methyl Glucose Sesquiisostearate**

Substance de soin pour la peau, émulsifiant, v

☹ **Methyl heptin carbonate**

Substance odoriférante, c

Voir p. 186/187

☹ **Methyl Hydroxyethylcellulose**

Gélifiant, épaississant, d

Voir p. 141 : PEG, PPG

😐😠 **Methylisothiazolinone**
Conservateur, c
Attention : déclenche des allergies, irrite la peau et les muqueuses

😠 **Methylparaben**
Conservateur, c

😐😠 **2-Methylresorcinol**
Colorant pour cheveux, c
Fait partie des phénols et sert de coupleur ; voir p 143 : Amines aromatiques

☹ **Methylsilanol carboxymethyl theophylline alginate**
Substance de soin pour la peau et les cheveux, c
Dérivé du silicone, note écologique : 😐😠

☺☺☺ **Mica**
Colorant, m
Excipient pour poudres, protège contre le soleil

☺☺☺ **Micrococcus Lysate**
Agent actif, v
Variété de bactérie inoffensive qui est présente dans le sol et dans des lacs salés ; action incertaine

☺☺☺ **Mimosa tenuiflora (mimosa)**
Agent actif, v
Antibactérien ; employé comme substance naturelle contre l'acné

☺☺☺ **Mortierella isabellina**
Agent actif pour le soin de la peau, v

☺☺ **Mourera Fluviatilis**
Agent actif, v
Hydratant ; de la famille des Podostemaceae qui poussent dans les rivières de Guyane française.

☺☺ **Muscle Extract**
Agent actif (extrait de muscles), a
Retient l'humidité ; voir p.

133 : Composants d'origine animale

😐😠 **Myreth-4**
Émulsifiant, v
Voir p. 141 : PEG, PPG

😐😠 **Myreth-3 Myristate**
Substance de soin pour la peau, gélifiant, v
Voir p. 141 : PEG, PPG

☺☺ **Myrica Cerifera**
Texturant, v
Cire des baies du Myrica Pennsylvania, riches en triglycérides et en diglycérides

☺☺☺ **Myristic Acid**
Substance de soin pour la peau, co-émulsifiant, v
Lissant, regraissant, nettoyant

☺☺ **Myristyl Alcohol**
Substance de soin pour la peau, co-émulsifiant, agent actif, v
Hydratant, lissant

☺☺ **Myristoyl Hydrolyzed Collagen**
Agent antistatique, substance de soin pour la peau, a
Voir p. 133 : Composants d'origine animale

☺☺☺ **Myristyl Lactate**
Substance de soin pour la peau, v
Rend la peau veloutée

☺☺☺ **Myristyl Myristate**
Substance de soin pour la peau, gélifiant, v
Lissant, regraissant

☺☺☺ **Myristyl Octanoate**
Agent actif pour le soin de la peau, d

N

😐😠 **1-Naphtol, 2-Naphthol**
Colorant pour cheveux, c

Colorant pour cheveux aux effets allergisants ; 2-Naphthol peut-être résorbé par la peau et déclencher des intoxications

☺☺☺ **Nasturtium officinale (cresson)**
Agent actif, v
Peut éclaircir des taches de vieillissement de la peau (taches de pigmentation) ; employé surtout dans les produits exfoliants et des préparations nettoyantes

☺☺ **Nelumbo Nucifera (Nucifera Flower Extract)**
Agent actif, v
Extrait de feuilles de lotus ; astringent, l'extrait affine le grain de la peau

☹ **Neopenytyl glycol**
Solvant, hydratant, c

☹ **Neopenytyl glycol diheptanoate**
Solvant, émollient, substance de soin pour la peau, c

☺☺☺ **Niacin (acide nicotinique)**
Agent actif, d
Stimulant, stimule la circulation sanguine

☺☺☺ **Niacinamide**
Agent actif, d
Fait partie du groupe des vitamines B ; des manques dûs à l'alimentation sont à l'origine d'une mauvaise pigmentation de la peau

☺☺☺ **Nicotiana tabacum (tabac)**
Agent actif, v
Les extraits de tabac ont un effet stimulant pour la circulation sanguine

☹☹ **Nonoxynol-2, -4, -10**
Émulsifiants, c
Voir p. 141 : PEG, PPG

☹☹ **Nonoxynol-12 Iodine**

Conservateur, c
Effet antimicrobien ; peut déclencher des allergies ; voir p. 141 : PEG, PPG

☹☹ **Nordihydroguaiaretic Acid**
Antioxydant, c
Peut provoquer des eczémas et des dermatoses

☹ **Nylon 6, 11,12, 66**
Corps abrasif, base pour poudres, c

☺☺☺ **Nymphaea odorata (nénuphar)**
Agent actif, v

O

☹ **Oak moos (mousse de chêne)**
Substance odoriférante, v
Voir p. 186/187

☹ **Isoeugenol**
Substance odoriférante, v, c

☹ **Octocrylene**
Filtre de protection contre les rayons UV-B, c

☺☺ **Octoxyglycerin**
Solvant, c
Substance auxiliaire aux propriétés antimicrobiennes

☹ **Octylacrylamide/ Acrylates/Butylaminoethyl Methacrylate Copolymer**
Agent antistatique, forme un film, c

☺☺ **Octyl Cocoate**
Nouvelle appellation : Ethylhexyl Cocoate
Substance de soin pour la peau, corps gras, d

☹ **Octyl Dimethyl PABA**
Nouvelle appellation : Ethylhexyl Dimethyl PABA
Filtre de protection contre les

rayons UVB, c

☺☺ **Octyldodecanol**
Substance de soin pour la peau, solvant, c
Lissant, regraissant

☺☺☺ **Octyldodecyl Lanolate**
Substance de soin pour la peau, d

☺☺☺ **Octyldodecyl Octanoate**
Nouvelle appellation : Octyldodecyl Ethylhexanonate
Substance de soin pour la peau, d
Action graissante

☺☺ **Octyldodecyl Stearoyl Stearate**
Emollient, c
Employé entre autres comme liant dans poudres et rouges à lèvre

☺☺☺ **Octyl Hydroxystearate**
Nouvelle appellation : Ethylhexyl Hydroxystearate
Substance de soin pour la peau, composant huileux, d

☺☺ **Octyl Methoxycinnamate**
Nouvelle appellation : Ethylhexyl Methoxycinnamate
Filtre de protection contre les rayons UVB, c

☺☺ **Octyl Octanoate**
Nouvelle appellation : Ethylhexyl Ethylhexanonate
Composant huileux (huile d'ester), d

☺☺☺ **Octyl Palmitate**
Nouvelle appellation : Ethylhexyl Palmitate
Composant huileux, d
Lissant, regraissant

☹ **Octyl Salicylate**
Nouvelle appellation : Ethylhexyl Salicylate
Filtre de protection contre les rayons UV-B, c

☺☺☺ **Octyl Stearate**

Nouvelle appellation : Ethylhexyl Stearate
Substance de soin pour la peau, d
Lissant, regraissant

☺☺☺ **Oenothera biennis (onagre)**
Agent actif, v
L'onagre améliore la souplesse de la peau et limite les pertes en eau car elle renforce sa barrière protectrice ; généralement employée sous forme d'huile ; efficace pour le traitement de la neurodermite

☺☺☺ **Olea europaea (olive)**
Substance de soin pour la peau, solvant, v
L'huile d'olive est un composant classique des cosmétiques ; contient, outre l'acide oléique, l'acide linolique et l'acide palmitaténique qui soignent la peau ; rend la peau douce et veloutée.

☹ **Oleamide DEA**
Agent antistatique, gélifiant, c
Lissant, regraissant ; voir p. 139 : Formation de nitrosamines

☹ **2-Oleamido-1,3-Octadecanediol**
Solvant, substance de soins capillaires, c

☺☺☺ **Oleic Acid (acide oléique)**
Substance de soin pour la peau, excipient, v
Action nettoyante et regraissante, lisse la peau

☹☹ **Oleth-4**
Émulsifiant, v
Voir p. 141 : PEG, PPG

☹☹ **Oleth-3 Phosphate**
Tensioactif, d
Voir p. 141 : PEG, PPG

☺☺☺ **Oleyl Alcohol**

Substance de soin pour la peau, émulsifiant, d
Hydratant

☺☺☺ **Oleyl Erucate**
Agent actif, v
Lissant, regraissant

☺☺☺ **Oleyl Linoleate**
Substance de soin pour la peau, v
Lissant, regraissant

☺☺☺ **Oleyl Oleate**
Substance de soin pour la peau, c
Lissant, regraissant ; améliore l'étalement

☺☺☺ **Olus**
Substance de soin pour la peau, v

☺☺☺ **Orbignya oleifera**
Agent actif, v
L'huile et la graisse sont issues des noix du palmier babassu ; riche en acides gras insaturés ; se distingue par une stabilité à l'oxydation élevée ; lissant, regraissant

☺☺☺ **Origanum majorana (marjolaine)**
Agent actif, v
Les extraits de la marjolaine ont une action antiseptique et astringente

☺☺☺ **Ornithine**
Agent actif, d

☺☺☺ **Orobanche Rapum Extract**
Agent actif, v
Fleur parasitaire, souvent aux racines du carthame ou tournesol

☺☺☺ **Oryza sativa (riz)**
Texturant, corps gras, excipient pour poudres, v
Soigne la peau ; employé en règle générale sous forme d'huile de germe de riz ou de poudre de riz

☺☺☺ **Ovum (œuf)**
Substance de soin pour la peau, a
Employé généralement sous forme de poudre de jaune d'œuf séché ; mais il peut s'agir aussi d'une huile d'œuf

☹ **Oxidised Polyethylene**
Corps exfoliant, c

☹ **Ozokerite (cire fossile)**
Stabilisateur d'émulsion, m
Fait partie des cires minérales ; regraissant ; en concentration élevée, effet occlusif
Note de soin pour la peau ☻☻

P

☺☺ **PABA**
Filtre de protection solaire, absorbe les UV, c
Protection solaire

☺☺☺ **Palm Glyceride**
Substance de soin pour la peau, texturant, v
Lissant, regraissant

☺☺☺ **Palmitic Acid**
Substance de soin pour la peau, texturant, v
Lissant, regraissant

☺☺☺ **Palmitoyl Oligopeptide**
Substance de soin pour la peau, d
Lissant, regraissant

☺☺☺ **Palmitoyl pentapeptide-3**
Substance de soin pour la peau, d
Dérivé de protéine

☺☺☺ **Palm Kernel Acid**
Substance de soin pour la peau, texturant, v
Acide gras à partir d'huile de palme

☺☺☺ **Panax Ginseng Root Extract**
Matière active, v
Extrait de ginseng

☺☺☺ **Panthenol (provitamine B5)**
Agent actif, c

Soutient le processus de renouvellement et de régénération en cas de blessures de la peau ; émollient ; renforce les cheveux

☺☺☺ **Pantenyl Ethyl Ether**
Agent actif pour la peau et les cheveux, c
Forme liquide du panthénol ; plus facile à travailler que le panthénol (épais et visqueux)

☺☺☺ **Panthenyl Triacetate**
Antistatique, agent actif, c
Pouvoir guérissant

☺☺ **Pantolactone**
Substance de soin pour la peau et les cheveux, hydratant, d

☹ **Paraben**
Conservateur, c
Peut provoquer des allergies

☹ **Paraffin**
Cire, c
Obtenue à partir du pétrole ; étranger à la peau, occlusif
Note de soin pour la peau ☹☹

☹ **Paraffinum liquidum (huile de parrafine)**
Substance de soin pour la peau, solvant, c
Etranger à la peau, occlusif
Note de soin pour la peau ☹☹

☺☺☺ **Passiflora incarnata (passiflore)**
Agent actif, v
Obtenu à partir de la passiflore ; calmant pour la peau

☺☺☺ **PCA**
Agent actif, d
Hydratant

☺☺☺ **PCA Ethyl Cocoyl Arginate**
Substance de soin, d
Antistatique, anti-microbien

☺☺☺ **Pectin**
Gélifiant, agent actif, v
Composant végétal à partir

de fruits et écorces d'agrumes ; pouvoir guérissant, désintoxiquant

☹☹ **PEG**
Voir encadré ci-contre

☹☹ **PEI-7**
Substance de contrôle de la viscosité, c
En concentration plus élevée peut déclencher des irritations ; difficilement dégradable

☺☺ **Pentaerythrityl Tetraisostearate**
Émulsifiant huile-dans-l'eau, d

☺☺☺ **Pelargonium Capitatum**
Matière active el parfum naturel, v
Huile essentielle ou extrait du géranium, odeur très proche de la rose, mais beaucoup moins onéreux

☹ **Pentane**
Gaz propulseur, solvant, c
Voir p. 132 : VOC

☹☹ **Pentasodium Ethylenediamine Tetramethylene Phosphate**
Agent chélateur, c
Voir p. 140 : EDTA

☹☹ **Pentasodium Pentetate**
Agent complexant, c
Substitut d'EDTA ; voir p. 140 : EDTA

☹☹ **Penetic Acid**
Agent chélateur, conservateur, c
Effets comparables à ceux des EDTA ; voir p. 140 : EDTA

☹ **Pentylene Glycol**
Agent hydratant, solvant, c
Hydratant, antimicrobien

☹ **Perfluoropolymethylisopropyl Ether**
Protection de la peau, c
Polymère liquide incolore,

inodore et sans goût ; composé totalement synthétique, dont les effets ne sont pas encore élucidés définitivement (proche des FCKW)

PEG

SUBSTANCE DE BASE TOXIQUE, PROCÉDÉS CHIMIQUES DANGEREUX

Les PEG, employés surtout comme émulsifiants, solvants ou pour donner une brillance nacrée, sont obtenus à partir de gaz toxiques (voir page 141). Ils sont malheureusement toujours très répandus dans les cosmétiques, pourtant, de bonnes alternatives existent.

- PEG-4, -17, -8
- PEG-350
- PEG Castor Oil
- PEG-2 Castor Oil
- PEG-35 Castor Oil
- PEG-22 Cetylstearyl Alcohol
- PEG-4 Cocoamido MIPA Sulfosuccinate
- PEG-10 Cocoate
- PEG-3 Distearate
- PEG-150 Distearate
- PEG-22/Dodecyl Glycol Copolymer
- PEG-45/Dodecyl Glycol Copolymer
- PEG-20 Stearate Glycol Copolymer
- PEG-7 Glyceryl Cocoate
- PEG-8 Glyceryl Laurate
- PEG-30 Glyceryl Monococoate
- PEG-5 Glyceryl Stearate
- PEG-30 Glyceryl Stearate
- PEG-32
- PEG-200 Glyceryl Tallowate
- PEG-40 Hydrogenated Castor Oil
- PEG-200 Hydrogenated Glyceryl Palmate
- PEG-75 Lanolin
- PEG-2 Laurate
- PEG-10M
- PEG-14M
- PEG-45M
- PEG-20 Methyl Glucose Sesquistearate
- PEG-120 Methyl Glucose Dioleate
- PEG-5 Octanoate
- PEG- Oleamide
- PEG-25 PABA
- PEG-4 Polyglyceryl-2 Stearate
- PEG-40 Sorbitan Peroleate
- PEG-60 Sorbitan Stearate
- PEG-160 Sorbitan Triisostearate
- PEG-5 Soya Sterol
- PEG-2 Stearate
- PEG-6 Stearate
- PEG-8 Stearate
- PEG-8 Beeswax
- PEG-40 Stearate
- PEG-100 Stearate
- PEG-5 Stearyl Ammonium Lactate

☺☺☺ **Persea gratissima (avocado)**
Substance de soin pour la peau, v
Très proche du sébum ; riche en vitamines et minéraux ; protège la peau du dessèchement ; généralement employé sous forme d'huile

☹ **Petrolatum**
Agent antistatique, substance de soin pour la peau, c
Lissant, regraissant ; en concentration plus élevée, occlusif
Note de soin pour la peau ●●

☺☺☺ **Phenethyl Alcohol**
Déodorant, substance odoriférante, conservateur, d
Action désinfectante et cal-

mante pour la peau

☹☹ **Phenol**
Conservateur, c
Antiseptique toxique ; nuisible à la santé

☹☹ **Phenoxyethanol**
Solvant, conservateur, c
Voir p. 162 : Éther de glycol

☹ **Phenoxyisopropanol**
Conservateur, solvant, c
Peut irriter la peau

☺☺☺ **Phenylalanine**
Agent antistatique, d
Retient l'humidité

☹ **Phenylbenzimidazole Sulfonic Acid**
Filtre de protection contre les rayons UVB, c

☹ **Phenyl dibenzimidazole tetrasulfonate**
Filtre solaire, c

☹☹☹ **Phenyl Mercuric Acetate**
Conservateur, c
Composé de mercure hautement toxique

☹☹☹ **Phenyl Mercuric Borate**
Conservateur, c
Composé de mercure hautement toxique, peut provoquer de graves irritations et phénomènes de sensibilisation de la peau

☹☹ **Phenyl Methyl Pyrazolone**
Colorant par oxydation pour les cheveux, c
Douteux sur le plan toxicologique

☹ **Phenylparaben**
Conservateur, c

☺☺ **Phenylpropanol**
Solvant, substance odoriférante, d
Effet antimicrobien

☹ **Phenyl Trimethicone**
Anti-mousse, antistatique, substance de soin pour la peau, c

Voir p. 49 : Silicones
Note écologique ☹☹

☺☺☺ **Phospholipids**
Agent actif, d
Élements constitutifs des cellules du corps, ont aussi un rôle important dans la peau ; riches en acides gras insaturés ; améliorent la capacité de rétention d'eau

☹ **Phosphoric Acid**
Acidifiant, d

☺☺☺ **Phytantriol**
Agent actif, substance de soins capillaires, c
Augmente la capacité de rétention d'eau dans les produits de soin pour la peau ; donne de l'éclat aux cheveux

☺☺☺ **Phytic Acid**
Agent complexant, v
Obtenu à partir du riz

☺☺☺ **Pimpinella Anisum (anis)**
Agent actif, v
Antiseptique, antimicrobien, substance aromatique, huile essentielle d'anis

☺☺☺ **Pinus**
Agent actif, v
Anti-inflammatoire, expectorant, stimule la circulation sanguine

☺☺☺ **Piper methysticum (Kava-Kava)**
Substance de soin pour la peau, v
Précieux agent actif pour les soins de la peau ; calmant, guérissant, antiseptique

☺☺ **Piroctone Olamine**
Conservateur, agent actif, c
L'agent actif le plus connu et le plus souvent employé contre les pellicules ; utilisé aussi dans les préparations

LES COMPOSANTS DE A À Z

contre les impuretés de la peau

☺☺ **Pisces**
Agent actif, a
Dénomination pour tous les extraits de poisson ; voir p. 133 : Composants d'origine animale

☺☺☺ **Pistacia lentiscus**
Agent actif, forme un film, v
Employé dans les gargarismes et dans les produits de soins dentaires

☺☺☺ **Pisum sativum (petit pois)**
Agent actif, v
Les protéines de pois possèdent une grande affinité avec la peau ; elles forment un film protecteur sur la peau et la raffermissent

☺☺ **Placental Protein**
Agent actif, a
Hydratant, guérissant ; voir p. 133 : Composants d'origine animale

☺☺☺ **Plancton Extract**
Agent actif de soin pour la peau, v
Mélange d'extraits à partir de la biomasse marine ; riche en minéraux

☺☺☺ **Pogostemon Cablin (patchouli)**
Agent actif, substance odoriférante, v
Antiseptique, cicatrisant

☺☺ **Polyamidopropyl Biguanide**
Conservateur, c

☹☹ **Poloxamer 124, Poloxamer 184, 188, Poloxamer 407**
Émulsifiants, tensioactifs, c
Voir p. 141 : PEG, PPG

☹☹ **Poloxamine**
Hydratant, agent solubilisant, gélifiant, c
Voir p. 141. : PEG, PPG

☹ **Polyacrylamide**
Agent antistatique, forme un film, c
Note écologique ☹☹

☹ **Polyacrylic Acid**
Liant, forme un film, c
Note écologique ☹☹

☹ **Polybutene**
Huile synthétique, c
Note de soin pour la peau ☹☹
Note écologique ☹☹

☹ **Polycaprolacetone**
Matière plastique, c
Substance proche des polyamides
Note écologique ☹☹

☹ **Polyethylene**
Particules exfoliantes, base pour poudres, c
Note écologique ☹☹

☺☺☺ **Polyglyceryl-3 Beeswax**
Émulsifiant, d

☺☺☺ **Polyglyceryl-2 Caprate**
Émulsifiant, d

☺☺☺ **Polyglyceryl-3 Caprate**
Épaississant, émulsifiant, d

☺☺☺ **Polyglyceryl-4 Caprate**
Agent solubilisant, émulsifiant, d
Regraissant

☺☺☺ **Polyglyceryl-6 Dicaprate**
Agent solubilisant, tensioactif non-ionique, d
Polyglycérylester issu de matières premières végétales

☺☺ **Polyglyceryl-3 Diisostearate**
Émulsifiant, d

☺☺☺ **Polyglyceryl-2 Dipolyhydroxystearate**
Émulsifiant pour émulsions huile-dans-l'eau, v

☺☺ **Polyglyceryl-4 Isostearate**
Émulsifiant, d

☺☺☺ **Polyglyceryl-3 Laurate**
Épaississant, texturant, d
Regraissant pour la peau et le

cuir chevelu

☺☺☺ **Polyglyceryl–10 Laurate**
*Emulsifiant huile dans l'eau,
agent solubilisant, d*
Maintient l'hydratation naturelle et laisse une agréable
sensation sur la peau

☹ **Polyglycerylmethacrylate**
Gélifiant, c
Note écologique ☹☹

☺☺☺ **Polyglyceryl-3 Oleate**
Émulsifiant, v

☹☹ **Polyglyceryl-2-PEG-4 Stearate**
Émulsifiant, d
Voir p. 141 : PEG, PPG

☺☺☺ **Polyglyceryl-2
Polyhydroxystearate**
Émulsifiant, d

☺☺☺ **Polyglyceryl-3 Ricinoleate**
Émulsifiant, d

☺☺ **Polyglyceryl- 2
Sesquiisostearate**
Émulsifiant, d

☺☺☺ **Polyglyceryl-2 Stearate**
Émulsifiant, d

☹ **Polyisobutene**
Liant, forme un film, c
Lissant, regraissant ; difficilement dégradable

☺☺ **Polyisoprene (gomme)**
Substance de soin pour la peau, v
Action regraissante et imprégnante ; généralement utilisé
pour les masques

☹ **Polymethyl Methacrylate**
*Stabilisateur pour produits
donnant un éclat nacré, forme
un film, c*
Risque d'une contamination
par monomères toxiques
Note écologique ☹☹

☹☹ **Polyquaternium -1, -2, -4, -5,
-6, -7, -8, -9, -10, -11, -12, -13,
-37**

Démêlants, c
Améliorent le coiffage des
cheveux ; voir p. 144 : Quats

☹ **Polysilicon-8**
Substance de soin pour les cheveux, c
Huile de silicone, forme un
film, régulateur de mousse.
Voir p. 49 : Silicones
Dérivé du silicone, note écologique : ☹☹

☹☹ **Polysorbate 20**
Émulsifiant, d
Voir p. 141 : PEG, PPG

☹☹ **Polysorbate 60**
Émulsifiant, d
Voir p. 141 : PEG, PPG

☹☹ **Polysorbate 80**
Émulsifiant, d
Voir p. 141 : PEG, PPG

☺☺ **Polyvinyl alcohol**
Forme un film, améliore la viscosité, c/v

☺☺☺ **Populus nigra (peuplier)**
Substance de soin pour la peau, v
Affine le grain de la peau ;
anti-inflammatoire, retient
l'humidité

☺☺ **Potassium Ascorbyl
Tocopheryl Phosphate**
Antioxydant, agent actif, d

☺☺☺ **Potassium Aspartate**
Agent actif, c
Retient l'humidité

☺☺☺ **Potassium Behenate**
Acide gras, v
Acide gras insaturé avec de
très bonnes qualités de soin
pour la peau

☺☺☺ **Potassium Carbonate
(potasse)**
Additif, m
Dégraissant, nettoyant

☺☺ **Potassium Cetyl Phosphate**
Tensioactif, d

☺☺☺ **Potassium Chlorate**
Oxydant, m
Pour le blanchissement des dents

☺☺☺ **Potassium Chloride**
Sel, épaississant pour substances détergentes, m

☺☺☺ **Potassium Cocoate (savon de coco)**
Régulateur de texture, co-émulsifiant, v
Nettoyant, dégraissant

☺☺ **Potassium Cocyl Hydrolyzed Collagen**
Agent actif, a
Soigne la peau ; voir p. 133 : Composants d'origine animale

☺☺ **Potassium Hydroxide**
Agent alcalinisant, m
Gonfle la peau

☺☺ **Potassium Isostearate**
Co-émulsifiant, texturant, c

☺☺ **Potassium Iodide (iodure de potassium)**
Agent actif, m
Employé contre les impuretés de la peau

☺☺☺ **Potassium Laurate (savon de Marseille)**
Émulsifiant, tensioactif, v
Nettoyant, dégraissant

☺☺ **Potassium Persulfate**
Oxydant, blanchissant, m

☺☺ **Potassium Sorbate**
Conservateur, d

☺☺☺ **Potassium Stearate**
Émulsifiant, texturant, d

☺☺ **Potassium Sulfide**
Dépilatoire, m
Sel sulfurique ; employé aussi contre les impuretés de la peau

☹☹ **Potassium Troclosene**
Conservateur, c
Voir p. 136 : Composés orga-

no-halogénés

☺☺ **Potassium Etecylenoyl Hydrolyzed Collagen**
Agent antistatique, d
Bonne substance active contre les pellicules ; très douce pour la peau

☺☺☺ **Potentilla erecta root extract**
Agent actif, v
Extrait de la racine de « l'herbe du diable », qui fait partie des rosacées

☹☹ **PPG-1 trideceth-6**
Substance pour faciliter le coiffage, c
Voir p. 141 : PEG/PPG

☹☹ **PPG-9,-30**
Substance de soin pour la peau, émulsifiant, c
Voir p. 141 : PEG, PPG

☹☹ **PPG-5 Lanolin Wax**
Substance de soin pour la peau, émulsifiant, c
Voir p. 141 : PEG, PPG

☹☹ **PPG-5-Laureth-5**
Substance de soin pour la peau, émulsifiant, c
Voir p. 141 : PEG, PPG

☹☹ **PPG-3 Methyl Ether**
Solvant, c
Voir p. 141 : PEG, PPG

☹☹ **PPG-3 Methyl Ether**
Solvant, c
Voir p. 141 : PEG, PPG

☹☹ **PPG-4 Myristyl Ether**
Substance de soin pour la peau, émulsifiant, c
Voir p. 141 : PEG, PPG

☹☹ **PPG-2 Myristyl Ether Propionate**
Substance de soin pour la peau, c

☹☹ **PPG-12/SMDI Copolymer**
Forme un film, c
Voir p. 49 et 141 : Silicones ; PEG, PPG

☹☹ **PPG-51/SMDI Copolymer**
Forme un film, c
Voir p. 49 et 141 : Silicones ;
PEG, PPG

☹☹ **PPG-15 Stearyl Ether**
Corps gras, c
Voir p. 141 : PEG, PPG

☹☹☹ **p-Phenylenediamine**
Colorant pour cheveux, c
Fortement allergène

☺☺ **Pristane**
Substance de soin pour la peau, a
Lissant, regraissant

☺☺☺ **Proline**
Aminoacide, d

☹ **Propane**
Gaz propulseur, c
Voir p. 132 : VOC

☺☺☺ **Propionic Acid**
Conservateur, d

☺☺☺ **Propolis Cera (propolis)**
Substance de soin pour la peau, a
Antibactérien, conservateur

☹ **Propylene Glycol
Dicaprylate/Dicaprate**
Hydratant, émollient, c
Huile de synthèse, occlusive

☺☺ **Propyl Gallate**
Antioxydant, composant de parfums de synthèse, c

☹ **Propylene Carbonate**
Solvant, c
Additif dans les aérosols ;
peut aussi conserver

☹ **Propylene Glycol**
Conservateur, solvant, c
Hydratant, émollient

☹ **Propylene Glycol Alginate**
Liant, gélifiant, v
Hydratant, raffermissant ;
utilisé pour les masques

☹ **Propylene Glycol
Dicaproate**
*Substance de soin pour la peau,
émulsifiant, d*

☹ **Propylene Glycol
Dicaprylate**
*Substance de soin pour la peau,
émulsifiant, d*

☹ **Propylene Glycol Stearate**
*Substance de soin pour la peau,
émulsifiant, c*

☹ **Propylparaben**
Conservateur, c

☺☺☺ **Prunus armeniaca (abricot)**
*Substance de soin pour la peau,
corps abrasif, v*
Huile pour le soin de la
peau ; les noyaux sont utilisés pour les produits
exfoliants (peeling)

☺☺☺ **Prunus dulcis
(amande douce)**
Substance de soin pour la peau, v
Lissant, très bien absorbé par
la peau ; employé en général
sous forme d'huile

☺☺☺ **Prunus persica (pêche)**
Corps abrasif, v
Poudre de noyaux dans les
produits exfoliants (peeling)

☹ **PTFE**
*Base pour poudres, forme un
film dans des produits de soins
capillaires, c*
Difficilement dégradable
(matière plastique) ; risque
de fixation dans l'organisme

☺☺☺ **Pumice (pierre ponce)**
Corps abrasif, m
Nettoyant ; pour enlever la
couche cornée

☹ **PVP**
*Agent antistatique, liant, forme
un film, c*
Dans les fixatifs pour cheveux

☹ **PVP/Eicosene Copolymer**
*Agent antistatique, liant, forme
un film, c*
Améliore le coiffage

☹ **PVP/Hexadecene Copolymer**
Fixatif pour cheveux, c
Risque d'une fixation dans l'organisme
Note écologique ☻☻

☹ **PVP Iodine**
Agent actif, conservateur, c
Désinfectant

☹ **PVP/VA Copolymer**
Agent antistatique, forme un film, c
Fixatif pour les cheveux

☺☺☺ **Pyredinedicarboxylic Acid**
Agent actif, d
Substance de soin pour la peau ; semblable à la vitamine B

☺☺☺ **Pyridoxine (vitamine B6)**
Agent actif, d
Vitamine essentielle ; obtenue en général à partir de levure ; important pour le métabolisme des tissus ; effet stimulant et guérissant

☺☺☺ **Pyridoxine HCL**
Agent actif, d
Un hydrochlorid de la vitamine B6

☺☺☺ **Pyrus Cydonia (Cydonia Oblonga)**
Agent actif, v
Anti-inflammatoire, lisse la peau, forme un film ; polysaccharide issue des graines du coing

☺☺☺ **Pyrus malus (pomme)**
Agent actif, v
Cire de pomme ; utilisée par ex. pour le soin des cheveux

LES QUATS – DES PRODUITS DE SOINS CAPILLAIRES DÉCONSEILLÉS

Les composés d'ammonium quaternaires sont employés dans des produits pour cheveux pour améliorer leur coiffage. Seul le Quaternium 18 Hectorite est employé à une autre fin, comme épaississant dans la phase huileuse des émulsions. Les quats sont douteux pour la santé ainsi que pour l'environnement. Et puisqu'il existe de bonnes alternatives avec les quats d'ester, ils ont été notés ☻☻ = insuffisant.

☻☻ Qaternium-8
☻☻ Qaternium-14
☻☻ Qaternium-15
☻☻ Qaternium-16
☻☻ Qaternium-18 (DSDMAC)
☻☻ Quaternium-18 Bentonite
☻☻ Qaternium-18 Hectorite
☻☻ Qaternium-22

☻☻ Qaternium-24
☻☻ Qaternium-26
☻☻ Qaternium-27
☻☻ Qaternium-30
☻☻ Qaternium-33
☻☻ Qaternium-43
☻☻ Qaternium-45
☻☻ Qaternium-51
☻☻ Qaternium-52
☻☻ Qaternium-53
☻☻ Qaternium-56

☻☻ Qaternium-60
☻☻ Qaternium-61
☻☻ Qaternium-62
☻☻ Qaternium-63
☻☻ Qaternium-70
☻☻ Qaternium-71
☻☻ Qaternium-72
☻☻ Qaternium-73
☻☻ Qaternium-75
☻☻ Qaternium-80

Q

☺☺☺ **Quercus (chêne)**
Agent actif, v
L'écorce fournit des extraits à haute teneur en tanin, employés comme substance

astringente dans des produits pour les cheveux, des bains de bouche, des produits pour le soin des pieds et comme additifs dans les colorants végétaux pour cheveux

☺☺☺ **Quercus alba (chêne blanc)**
Agent actif, v

☺☺☺ **Quillaia saponaria**
Substance lavante naturelle, v
À partir de l'écorce de quillajar (écorce de Panama), on obtient une substance lavante ; alternative douce aux tensioactifs

☹☹ **Quinine (quinine)**
Agent actif, d
Un alcaloïde à partir du quinquina ; allergisant, irritant (un poison pour le protoplasme)

R

☺☺ **Rayon (rayonne, soie artificielle)**
Agent frottant, c
Nettoyant, couvrant ; employée dans des masques et des poudres

☹☹ **Resorcinol**
Antiseptique, colorant, c
Sensibilisant ; risque de dermatite de contact

☺☺ **Retinyl Acetate (vitamine A)**
Antioxydant, agent actif, d
Efficace contre les radicaux libres ; protège contre les rayons UV, pouvoir guérissant

☺☺☺ **Retinyl Palchis Hypogaea**
Agent actif de soin de la peau, d
Dérivé de la vitamine A

☺☺☺ **Retinyl Palmitate (vitamine-A-palmitate)**
Agent actif, antioxydant, d

Régule la formation de la couche cornée, action régénératrice sur les cellules

☺☺☺ **Rhamnus Frangula (bourdaine)**
Colorant, v
Utilisé dans les colorants pour cheveux, donne de la brillance ; écorce broyée du Rhamnus Purshiana (bourdaine)

☺☺☺ **Rhamnus Purshiana (bourdaine)**
Colorant, v
À partir de l'écorce moulue de la bourdaine

☺☺☺ **Rheum palmatum (rhubarbe)**
Colorant, v
Obtenue à partir des racines broyées de la rhubarbe

☺☺☺ **Riboflavin (vitamine B2)**
Colorant, agent actif, c
Pouvoir guérissant

☺☺ **Ricinoleamidopropyl Betaine**
Agent antistatique, tensioactif, v
Action nettoyante ; améliore le coiffage des cheveux

☹ **Ricinoleamidopropyltrimonium Methosulfate**
Agent antistatique, tensioactif, v
Action nettoyante ; souvent utilisé pour améliorer le coiffage des cheveux ; Attention : ne doit pas entrer en contact avec les muqueuses

☺☺☺ **Ricinus communis (ricin)**
Corps gras, v
Employé en général sous forme d'huile, surtout dans les crayons

☺☺☺ **RNA**
Substance de soin pour la peau, d

☺☺☺ **Rosa canina (cynorrhodon)**

Substance de soin pour la peau, v
Affine le grain de la peau, guérissant ; employé sous forme d'huile

☺☺☺ **Rosa centifolia**
Substance de soin pour la peau, v
Affine le grain de la peau, calmant, équilibrant, nettoyant, clarifiant, rafraîchissant ; employé en général sous forme d'huile

☺☺☺ **Rosa damascena**
Substance de soin pour la peau, v
Issu des « roses d'été de Damas »

☺☺☺ **Rosa gallica (rose gallique)**
Substance de soin pour la peau, v
Affine le grain de la peau, calmant, équilibrant, nettoyant, clarifiant, rafraîchissant

☺☺☺ **Rosmarinus officinalis (romarin)**
Agent actif, v
Stimulant ; utilisé principalement dans les produits de bain et des préparations pour la forme

☺☺ **Royal Jelly (Royal Jelly Extract) (gelée royale)**
Agent actif, a
Active l'oxygénation des tissus, améliore le métabolisme ; la gelée royale est riche en acides aminés et en précieuses vitamines

☺☺ **Rumex Acetosa**
Agent actif, v
Antiseptique, légèrement astringent ; l'oseille est la partie aérienne du Rumex acetosa L.; principaux actifs: tanins, oxalates, flavonoïdes

☺☺☺ **Rutin**
Flavonoïde et antioxydant, v

Appelé aussi « vitamine P », se trouve entre autres dans le vin rouge, dans l'ail et dans le millepertuis

S

☺☺ **Saccharin**
Produit d'hygiène buccale, édulcorant, c

☺☺☺ **Saccharide Isomerate**
Agent actif, v
À base de sucre

☺☺☺ **Saccharum officinarum (canne à sucre)**
Agent actif, v
Soigne et raffermit la peau

☺☺☺ **Salicylic Acid**
Conservateur, c, v
L'acide salicylique élimine les couches supérieures de la peau (desquamation) et détache les points noirs

☺☺☺ **Salix alba (saule)**
Substance de soin pour la peau, agent actif, v
Extrait de l'écorce de saule ; affine le grain de la peau et possède une action antiseptique

☺☺☺ **Salvia officinalis (sauge)**
Substance de soin pour la peau, agent actif, v
Affine le grain de la peau, anti-inflammatoire et anti-transpirant

☺☺☺ **Salvia Triloba**
Agent actif, v
Affine le grain de la peau, anti-inflammatoire, anti-transpirant et anti-bactérien ; Salvia Triloba est un extrait de sauge

☺☺☺ **Sambucus nigra**

(baie de sureau)
Colorant, v
Obtenu à partir de baies de sureau séchées et moulues

☺☺☺ **Saxifraga sermentosa (saxifrage)**
Agent actif, v
Les différentes espèces des saxifragacées fournissent une substance riche en tanin à effet astringent et antiseptique

☺☺☺ **Sea Salt (sel de mer)**
Agent actif, m

☺☺☺ **Sedum purpureum extract**
Agent actif, v
Extrait de l'orpin blanc

☹☹ **Selenium Sulfide**
Agent actif, d

Contre les pellicules et les dartres ; douteux pour la santé

☺☺☺ **Sericin**
Substance de soins capillaires, a
Protéine de soie ; employée entre autres dans des produits de protection solaire pour son action protectrice contre la lumière

☺☺☺ **Serine**
Agent actif, d
Hydratant

☺☺ **Serum Protein (protéine du plasma sanguin)**
Agent actif, a
Retient l'humidité, lissant ; voir p. 133 : Composants d'origine animale

LES SUBSTANCES BIOTECHNOLOGIQUES
L'ŒUVRE DE MICRO-ORGANISMES PRODUCTIFS

Les composants biotechnologiques sont produits par des micro-organismes selon un processus naturel très simple : les organismes sont nourris et exécrètent des substances de leur métabolisme qui sont ensuite centrifugées, lavées et transformées. Le type de micro-organisme et son alimentation dépendent du composant biologique que l'on veut obtenir.

☺☺☺ **Sesamum indicum (sésame)**
Substance de soin pour la peau, v
Lissant, regraissant ; l'huile de sésame est une huile douce qui soigne la peau et est ajoutée par ex. dans les crèmes pour les yeux

☺☺☺ **Shellac (gomme-laque)**
Forme un film, résine fixatrice, a
Obtenue à partir d'une sécrétion de la femelle d'une cochenille d'Inde

☺☺☺ **Shorea stenoptera**
Substance de soin pour la peau, v
Obtenue à partir du fruit d'un arbre (shorea) ; possède une grande part de substances non saponifiables ; très bon pou-

voir soignant pour la peau

☺☺☺ **Silica (acide silicique)**
Corps gommant, gélifiant, d
Employé pour poudres, produits exfoliants et dentifrices

☺☺☺ **Silt**
Mousse de la Mer Morte, d

☺☺☺ **Silver**
Colorant, agent actif, m
Antimicrobien

☹ **Silver Nitrate**
Colorant pour cheveux, m
Autorisé jusqu'à une concentration de 4 % ; antiseptique ; douteux pour la santé

☺☺☺ **Silver Sulfate**
Auxiliaire technique, m
Antimicrobien

☺☺☺ **Silybum marianum (chardon Marie)**
Substance de soin pour la peau, v
Une variété de chardon riche en huile ; employé généralement sous forme d'huile

☹ **Simethicone**
Substance de soin pour la peau, anti-moussant, c
Voir p. 49 : Silicones
Note écologique ☻☻

☺☺☺ **Simmondsia Chinensis**
Substance de soin pour la peau, v
L'huile de jojoba fait du bien aux peaux rêches et fatiguées qu'elle lisse et raffermit

☺☺☺ **Simmondsia Chinensis (Jojoba) Seed Wax**
Ancienne appellation : Jojoba Wax
Agent actif, v
Cire végétale naturelle (liquide), riche en vitamine E et minéraux ; soigne, regraisse et rend la peau lisse, affine la peau rêche, fatiguée et agressée par le soleil.

☹ **Sodium Acrylate/acryloyldimethyl taurate copolymer**
Forme un film, c
Stabilise un gel ou une émulsion, rend opaque
Note écologique : ☻

☹ **Sodium Acrylates/C10-30 Alkylacrylate Crosspolymer**
Forme un film , c
Voir p. 49 : Silicones
Note écologique ☻☻

☺☺☺ **Sodium Ascorbyl Phosphate**
Agent actif, d
Phosphate de vitamine C, un dérivé de la vitamine C stable avec des propriétés protectrices pour la peau ; attrape les radicaux libres, inhibiteurs de nitrosamines cancérigènes

☺☺☺ **Sodium beeswax**
Émulsifiant, co-émulsifiant, a
Cire d'abeille saponifiée

☺☺ **Sodium Benzoate**
Conservateur, d

☺☺☺ **Sodium Bicarbonate**
Additif, m
Ajuste le pH

☹ **Sodium C14-16 Olefin Sulfonate**
Substance tensioactive anionique, c
Principalement employée dans les produits vaisselle

☹ **Sodium Carbomer**
Épaississant, gélifiant synthétique, c
Acide acrylique
Note écologique ☻☻

☺☺ **Sodium Cetearyl Sulfate**
Émulsifiant, v
Dégraissant, nettoyant

☺☺☺ **Sodium Chloride (sel)**
Augmente la viscosité dans certains produits tensioactifs, m

☺☺ **Sodium Chondroitin Sulfate**
Agent actif, a
À partir de substances cartilagineuses ; voir p. 133 : Composants d'origine animale

☺☺☺ **Sodium Citrate**
Substance tampon, agent actif, c
Ajuste le pH

☺☺ **Sodium Cocoamphoacetate**
Tensioactif doux, c

☺☺ **Sodium Cocoamphopropionate**
Tensioactif, c

☺☺☺ **Sodium Cocoate (savon de Marseille)**
Émulsifiant, tensioactif, v
Dégraissant, nettoyant, moussant

☺☺☺ **Sodium Cocoyl Glutamate**
Tensioactif anionique, c
Adapté surtout pour les produits de soin du bébé ou des personnes allergiques

☺☺☺ **Sodium Dehydroacetate**
Conservateur, d

☹☹ **Sodium Diethylenetriamine Pentamethylene Phosphonate**
Agent chélateur, complexant, c
Voir p. 140 : EDTA

☺☺☺ **Sodium Formate**
Conservateur, acidifiant, c

☺☺☺ **Sodium Gluconate**
Co-émulsifiant, substance de soin de la peau, d

☺☺☺ **Sodium Glutamate**
Tensioactif anionique, v

☺☺☺ **Sodium Hyaluronate (acide hyaluronique)**
Additif, forme un film, b
Sel de sodium de l'acide hyaluronique ; agit comme le Hyaluronic Acid ; raffermit et hydrate la peau

☺☺ **Sodium Hydrogenated Tallow Glutamate**
Tensioactif anionique, v

☺☺ **Sodium Hydroxide**
Régulateur de pH, d

☺☺ **Sodium Isostearoyl Lactylate**
Produit de soin, d
Donne du volume aux cheveux ; bonne substance pour fixer l'humidité

☺☺☺ **Sodium Lactate**
Substance hydratante, d
Sel de sodium de l'acide lactique ; employé le plus souvent en combinaison avec de l'acide lactique en tant que tampon et substance hydratante (moisturizer) ; fixe l'humidité, lisse la peau

☺☺ **Sodium Lanolate**
Substance de soin pour la peau, co-émulsifiant, d

☹☹ **Sodium Laureth Sulfate**
Tensioactif, d
Dégraissant, nettoyant ; voir p. 141 : PEG, PPG

☺☺☺ **Sodium Lauroyl Glutamate**
Tensioactif anionique, v

☺☺☺ **Sodium Lauroyl Sarcosinate**
Tensioactif anionique, d

☹ **Sodium Lauryl Sulfate**
Tensioactif, c
Nettoyant, dégraissant, irritant

☺☺ **Sodium Metabisulfite**
Antioxydantf, d

☹ **Sodium Methylparaben**
Conservateur, c
Voir p. 141 : parabènes

☹☹ **Sodium Myreth Sulfate**
Émulsifiant, tensioactif, v
Dégraissant, nettoyant ; voir p. 141 : PEG, PPG

☺☺☺ **Sodium Palmitate**
Texturant, savon, v

☺☺ **Sodium Palm Kernelate**
Co-émulsifiant, texturant, savon, v

☺☺☺ **Sodium PCA**
Fixe l'humidité, v
Obtenu à partir d'aminoacides ; employé aussi pour donner de la texture (conditionneur) dans les substances de soins capillaires

☹ **Sodium Phosphate**
Substance tampon, agent actif, m
Substance anti-caries ; peut favoriser la formation du tartre dentaire

☹ **Sodium Polyacrylate**
Gélifiant, c
Note écologique ☹☹

☹ **Sodium Polymethacrylate**
Liant, stabilisateur, forme un

film, c

Note écologique 😠😠

☺☺☺ **Sodium Propionate**
Conservateur, c

☺☺☺ **Sodium Salicylate**
Conservateur, d

☺☺☺ **Sodium Stannate**
*Épaississant, gélifiant pour la
phase huileuse, stabilisateur
d'émulsion, d*

☺☺☺ **Sodium Stearate**
Texturant, co-émulsifiant, d

☺☺☺ **Sodium Stearoyl Lactylate**
*Co-émulsifiant d'émulsions
huile dans l'eau,
Tensioactif, texturant, regraissant*

☺☺☺ **Sodium Sulfate
(sel de Glauber)**
Substance auxiliaire, d

☺☺☺ **Sodium Sulfite**
Conservateur, m

☺☺ **Sodium Tallowate**
Émulsifiant, a
Nettoyant, dégraissant ; voir
p. 133 : Composants
d'origine animale

☹ **Sodium Thiosulfate**
Antioxydant, m

☺☺☺ **Sorbic Acid**
Conservateur, c

Sorbitan
voir encadré

LA PREMIÈRE GÉNÉRATION D'ÉMULSIFIANTS DOUX

Les émulsifiants sont nécessaires pour réunir de l'huile et de l'eau dans une émulsion. La substance de départ de cette première génération d'émulsifiants doux à base végétale est l'amidon (par ex. du maïs ou de la pomme de terre). À partir de l'amidon, on obtient du glucose, ensuite du sorbitol, un alcool de valence 6, et ensuite - par un procédé chimique doux (l'esterification) – un émulsifiant relativement doux.

☺☺☺ Sorbitan Caprylate	☺☺☺ Sorbitan Laurate	☺☺☺ Sorbitan Sesquistearate
☺☺☺ Sorbitan Cocoate	☺☺☺ Sorbitan Oleate	☺☺☺ Sorbitan Stearate
☺☺ Sorbitan Diisostearate	☺☺☺ Sorbitan Palmitate	☺☺ Sorbitan Triisostearate
☺☺☺ Sorbitan Dioleate	☺☺ Sorbitan Sesquiisostearte	☺☺☺ Sorbitan Trioleate
☺☺☺ Sorbitan Distearate	☺☺☺ Sorbitan sesquioleate	☺☺☺ Sorbitan Tristearate
☺☺ Sorbitan Isostearate		

☺☺☺ **Sorbitol (alcool de sucre)**
Agent actif, v
Hydratant, lissant

☺☺☺ **Soy Acid**
Substance de soin pour la peau, v
Lissant, regraissant

😠😠 **Soy Amide DEA**
Gélifiant, émulsifiant, v
Voir p. 139 : Formation des
nitrosamines

☺☺☺ **Soy Sterol**
Co-émulsifiant, texturant,

adoucissant, v
Hydratant, lissant

☺☺☺ **Sphingolipids**
*Substance de soin pour la peau,
agent actif, d*
Fixe l'humidité

☺☺☺ **Spirulina Platensis**
Agent actif, v
Riche en vitamines et en éléments minéraux ; hydrate,
lisse et apaise l'épiderme. Extrait de la spiruline, une algue

vert-bleu microscopique.

☺☺ **Spleen Extract (extrait de rate)**
Agent actif, a
Voir p. 133 : Composants d'origine animale

☺☺ **Squalane (huile de foie de requin)**
Agent actif, a
Lissant, regraissant; voir p. 133 : Composants d'origine animale

☺☺ **Squalene**
Agent antistatique, agent actif, d
Graissant

☹ **Stannous Fluoride**
Substance d'hygiène buccale, c
Employée pour la prophylaxe des caries ; voir encadré p. 269 : Fluorides

☹ **Stannous Pyrophosphate**
Particules nettoyantes, c

☹☹ **Stearamide MEA**
Texturant, substance auxiliaire, stabilisateur d'émulsion, d
Employé dans les dentifrices ; voir p. 139 : Formation de nitrosamines

☹☹ **Stearamide MEA-Stearate**
Rend les substances troubles, d
Voir p. 139 : Formation de nitrosamines

☹ **Stearamine**
Agent antistatique, d
Démêlant

☹☹ **Steareth-2, -21 etc.**
Émulsifiants, c
Voir p. 141 : PEG, PPG

☺☺☺ **Stearic Acid**
Émulsifiant, d
Lissant, regraissant

☺☺☺ **Stearyl Alcohol**
Substance de soin pour la peau, stabilisateur, d
Lissant, regraissant

☺☺☺ **Stearyl Caprylate**
Substance de soin pour la peau, corps gras, d
Adoucissant, lissant, regraissant

☺☺☺ **Stearyl Citrate**
Substance de soin pour la peau, émulsifiant, d
Fixe l'humidité, lisse

☹ **Stearyl Dimethicone**
Substance de soin pour la peau, c
Voir p. 49 : Silicones
Note écologique ☹☹

☺☺ **Stearyl Ether**
Corps gras, d

☺☺☺ **Stearyl Glycyrrhetinate**
Agent actif, v
À partir de la racine de réglisse ; améliore de façon significative divers problèmes de la peau (eczéma, desquamation)

☺☺☺ **Stearyl Heptanoate**
Substance de soin pour la peau, c
Lissant, regraissant

☺☺☺ **Stearyl Stearate**
Substance de soin pour la peau, texturant, d

☹☹ **Steramidopropyl Dimethylamine**
Co-émulsifiant, c
Possède indéniablement de bonnes propriétés de soin pour les cheveux ; mais voir aussi p. 144 : Quats

☺☺☺ **Stryphnodendron adstringens bark extract**
Agent actif, v
Extrait très tannique issu d'une Mimosacea brésilienne

☺☺ **Succinic Acid**
Régulateur du pH, m

☹ **Strontium Sulfide**
Dépilatoire, m
Utilisation limitée à des pro-

duits dépilatoires, taux de concentration maximale définie par la réglementation, ne pas laisser à la portée des enfants

☹ **Styrene/Acrylates Copolymer**
Gélifiant, donne une brillance nacrée, c
Note écologique ●●

☹ **Styrene/PVP Copolymer**
Rend les substances troubles, c
Note écologique ●●

☺☺☺ **Sucrose (sucre)**
Agent actif, v
Hydratant

☹ **Sulfated Castor Oil**
Tensioactif, émulsifiant, c
Tensioactif synthétique ; po-

tentiel allergène accru ; hydratant

☺☺☺ **Sulfur (souffre)**
Agent actif, m
Substance anti-pellicules

☺☺ **Synthetic Beeswax**
Liant, d
Graissant, regraissant

☺☺ **Synthetic Jojoba Oil**
Substance de soin pour la peau, d
Lissant, regraissant

☹ **Synthetic Wax (cire de paraffine)**
Agent antistatique, substance de soin pour la peau, c
Action étrangère pour la peau et occlusive
Note de soin pour la peau ●●

LA DEUXIÈME GÉNÉRATION D'ÉMULSIFIANTS DOUX

Les esters de sucre sont des émulsifiants doux et agréables pour la peau qui sont obtenus par des procédés chimiques doux à partir de xylose (sucre de bois) et qui sont facilement dégradables.

☺☺☺ Sucrose Cocoate	☺☺☺ Sucrose Palmitate	☺☺☺ Sucrose Tetrastearate
☺☺☺ Sucrose Dilaurate	☺☺☺ Sucrose Polylaurate	Triacetate
☺☺☺ Sucrose Distearate	☺☺☺ Sucrose Polylinoleate	☺☺☺ Sucrose Tribehenate
☺☺☺ Sucrose Laurate	☺☺☺ Sucrose Polyoleate	☺☺☺ Sucrose Tristearate
☺☺☺ Sucrose Myristate	☺☺☺ Sucrose Polystearate	
☺☺☺ Sucrose Oleate	☺☺☺ Sucrose Stearate	

T

☺☺☺ **Talc**
Poudre, m
Lissant, couvrant

☺☺ **Tallow Acid**
Substance de soin pour la peau, co-émulsifiant, stabilisateur d'émulsion, a
Voir p. 133 : Composants d'origine animale

☺☺ **Tallow Alcohol**

Substance de soin pour la peau, émulsifiant, a
Lissant, regraissant ; voir p. 133 : Composants d'origine animale

☺☺ **Tallow Glyceride**
Substance de soin pour la peau, émulsifiant, a
Lissant ; voir p. 133 : Composants d'origine animale

☺☺☺ **Tannic Acid (acide tannique)**
Agent actif, v

Astringent, antitranspirant, lissant

☺☺☺ **Tapioca Starch**
Épaississant, v
La fécule de tapioca absorbe le gras et donne un teint mat.

☺☺☺ **Tartaric Acid (acide tartrique)**
Substance tampon, v
Acide de fruit (AHA)

☹ **TEA-Carbomer**
Épaississant, c
Voir p. 139 : Formation des nitrosamines
Note écologique ☹☹

☹ **TEA-Cocoate**
Émulsifiant, d

☹☹ **TEA-Dodecylbenzenesulfonate**
Tensioactif, c
Fortement irritant ; peu dégradable ; voir p. 139 : Formation des nitrosamines

☹☹ **TEA-EDTA**
Agent chélateur, conservateur, c
Voir p. 140 : EDTA

☹ **TEA-Lactate**
Agent actif, d
Hydratant, raffermissant

☹ **TEA-Lauryl Sulfate**
Tensioactif anionique, d
Nettoyant ; peut irriter ; voir p. 139 : Formation des nitrosamines

☹ **TEA-Stearate**
Émulsifiant, d
Fortement irritant ; voir p. 139 : formation des nitrosamines

☹ **TEA-Tallate**
Texturant, co-émulsifiant, d

☹ **Terephthal Ylidene Dicamphor Sulfonic Acid**
Filtre de protection solaire UV-A, c

Concentration maximale dans les produits solaires 10 %

☹☹ **2-4-5-6-Tetraaminopyramidine**
Colorant pour cheveux, c
Voir p. 143 : Amines aromatiques

☹☹ **Tetrahydroxypropylethylenediamine**
Agent chélateur, c
Voir p. 140 : EDTA

☹ **Tetrapotassium Pyrophosphate**
Substance tampon, agent chélateur, c

☹☹ **Tetrasodium EDTA**
Agent chélateur, c
Voir p. 140 : EDTA

☹☹ **Tetrasodium Etidronate**
Agent chélateur, stabilisateur, c
Voir p. 140 : EDTA

☺☺ **Tetrasodium iminodisuccinate**
Agent complexant, d
Remplace l'EDTA, voir p. 140

☹ **Tetrasodium Pyrophosphate**
Tampon, agent complexant, m
Note écologique ☹☹

☺☺☺ **Theobroma Cacao (beurre de cacao)**
Substance de soin pour la peau, texturant, v

☺☺☺ **Thiamine Nitrate (vitamine B1)**
Agent actif, b
Utile seulement si on l'ingère ; l'emploi dans les préparations cosmétiques est plutôt à considérer comme une action pour augmenter les ventes

☺☺ **Thiodiglycolic Acid**
Agent de réduction, c
Produit pour permanentes ; doit porter des informations concernant l'emploi et des

indications de mise en garde

☹ **Thiolanediol**
Solvant, c

☺☺☺ **Threonine**
Aminoacide, agent actif, d
Hydratant

☹ **Thymol**
Colorant, substance odorifé-rante, conservateur, v, c
Désinfectant ; potentiel aller-gène élevé

☺☺☺ **Thymus vulgaris (thym)**
Agent actif, v
Soigne, légèrement désinfec-tant ; employé en particulier dans les produits d'hygiène buccale et dans les déodorants

☺☺☺ **Tilia cordata**
Substance de soin pour la peau, v
Complexe de glucose et de vitamine E

☺☺☺ **Tilia vulgaris (tilleul)**
Substance de soin pour la peau, v
Les fleurs de tilleul calment la peau

☺☺ **Tin Oxide**
Rend les substances troubles, m

☺☺☺ **Titanium Dioxide (CI 77891)**
Colorant et filtre ultraviolet mi-néral, d

☺☺☺ **Tocopherol (vitamine E)**
Antioxydant, agent actif, v
Pouvoir guérissant

☺☺☺ **Tocopheryl Acetate**
Antioxydant, agent actif, v
Pouvoir guérissant

☺☺☺ **Tocopheryl Glucoside**
Agent actif, substance de soin pour la peau, v
Complexe de glucose et de la vitamine E

☺☺☺ **Tocopheryl Linoleate**
Antioxydant, agent actif, v
Pouvoir guérissant

☺☺☺ **Tocopheryl Nicotinate**

Antioxydant, agent actif, d
Stimule la circulation san-guine

☹☹ **Toluene**
Solvant, c
Substance auxiliaire dange-reuse ; nocive pour la santé ; seulement autorisée dans les cosmétiques de façon res-treinte

☹☹ **Toluene-2,5-Diamine**
Colorant pour cheveux, c
Voir p. 143 : Amines aroma-tiques

☹ **Tranexamic Acid**
Antioxydant, c
Agent actif médicinal ; éva-luation définitive impossible pour cause de manque d'information

☹ **Tree moos**
Substance odoriférante, v
Voir p. 186/187

☺☺ **Triacetin**
Solvant, adoucissant, d
Lissant, regraissant

☺☺☺ **Tricalcium Phosphate**
Substance abrasive, substance d'hygiène buccale, m
Protection contre la carie

☹☹ **Triceteareth-4 Phosphate**
Émulsifiant, c
Voir p. 141 : PEG, PPG

☹☹☹ **Trichloro Ethane**
Solvant, c
Voir p. 136 : Composés halo-gène-organiques

☹☹ **Triclosan**
Déodorant, conservateur, c
Voir p. 143 : Amines aroma-tiques

☺☺☺ **Tridecyl Stearate**
Co-émulsifiant, composant d'huile, d

☹ **Tridecyl Trimelliate**

Substance de soin pour la peau, d
Occlusif
Note de soin pour la peau 😡😡

😡😡 **Trideceth-12 etc.**
Émulsifiants
Voir p. 141 : PEG, PPG

😡😡 **Triethanolamine**
Substance tampon, c
Voir p. 139 : Formation de nitrosamines

☺☺☺ **Triethyl Citrate**
Antioxydant, déodorant, c
Antitranspirant, agit sur la régulation du pH

☺☺ **Triethylene Glycol**
Solvant, d
Désinfectant

☺☺ **Trihydroxypalmitamidohydroxypropyl Myristyl Ether**
Substance de soin pour la peau, c
Céramides de synthèse

☺☺☺ **Trihydroxystearin**
Substance de soin pour la peau, épaississant, v
Lissant et regraissant

☺☺ **Triisostearin**
Co-émulsifiant, texturant, d
Règle la viscosité

😡😡 **Trilaureth-4 Phosphate**
Émulsifiant, tensioactif, d
Voir p. 141 : PEG, PPG

☺☺☺ **Trilaurin**
Texturant, co-émulsifiant, v
Règle la viscosité

☺☺ **Trilinoleic Acid**
Émulsifiant, substance de soin pour la peau, d
Lissant, regraissant

😡 **Trimethylsiloxysilicate**
Anti-mousse, substance de soins capillaires, c

😡😡 **Trisodium EDTA**
Agent chélateur, c
Voir p. 140 : EDTA

☹ **Trisodium Phosphate**

Substance qui adoucit l'eau, agent complexant, m
Employé surtout dans les savons, mais aussi dans les dentifrices contre les caries

☺☺☺ **Tristearin**
Stabilisateur d'émulsion, donne de la viscosité, co-émulsifiant, d

☺☺☺ **Triticum vulgare (blé)**
Substance de soin pour la peau, v
Contient du magnésium, du potassium et des vitamines, du B-complex ; lisse et protège la peau

☹ **Tromethamine**
Substances tampons, c
Voir p. 139 : Formation de nitrosamines

☺☺☺ **Tyrosine**
Substance de soin pour la peau, matière active, d
Acide aminé

U

☺☺☺ **Ubiquinone**
Agent actif, d
Co-enzyme Q10 ; possède une structure proche des vitamines ; employé principalement comme complément alimentaire

☹ **Undecylenamide DEA**
Agent actif, v
En général employé contre les pellicules des cheveux ; voir p. 139 : Formation de nitrosamines

☺☺☺ **Undecylenic Acid**
Conservateur, agent actif, v
Produit anti-pellicules

☺☺☺ **Urea (urée)**
Substance de soin pour la peau, agent actif, c

Fixe l'humidité, guérissant

☺☺☺ **Urocanic Acid**
Absorbeur d'UV, protection solaire, c
Est présent dans la sueur humaine et possède des propriétés d'absorption des UV

☺☺☺ **Urtica dioica (ortie)**
Agent actif, v
Ajouté surtout dans les produits de soin pour les peaux normales et les peaux grasses ; dans les préparations de soins capillaires, l'ortie stimule la circulation sanguine du cuir chevelu

☺☺☺ **Usnea Barbata**
Agent actif, v
Antimicrobien ; extrait de l'usnée barbue, un lichen que l'on trouve en montagne sur les écorces ou les rochers

☺☺☺ **Usnic Acid**
Agent actif, v
Antitranspirant, antimicrobien

V

☹ **VA/Crotonates/Vinyl Neodecanoate Copolymer**
Substance de soins capillaires, forme un film, c
Dans les sprays et produits de soins capillaires
Note écologique ☹☹

☺☺☺ **Vaccinium myrtillus (myrtille)**
Agent actif, v
Action astringente à cause de sa teneur élevée en tanin

☺☺☺ **Valine**
Aminoacide, agent actif, d
Fixe l'humidité

☺☺☺ **Vanilla planifolia**
Substance odoriférante, v
Désinfectant ; employé en général sous forme d'huile essentielle

☹ **VA/Vinyl Butyl Benzoate/Crotonates Copolymer**
Substance de soins capillaires, forme un film, c
Dans les sprays et produits de soins capillaires
Note écologique ☹☹

☺☺☺ **Vitis vinifera (raisin)**
Substance de soin pour la peau, v
L'huile de pépins de raisin possède une grande teneur en acides gras essentiels ; elle a un effet positif sur la barrière protectrice cutanée si elle est déréglée

☹ **VP / Eicosene copolymer**
Forme un film, améliore la viscosité, v/c

W

☺☺☺ **Wheat Germ Acid (acide gras de germe de blé)**
Substance de soin pour la peau, v

☺☺☺ **Wheat Germ Glycerides**
Substance de soin pour la peau, agent actif, v

X

☺☺☺ **Xanthan Gum**
Liant, gélifiant, c
Raffermissant, augmente la viscosité

☹☹☹ **Xylene**
Solvant, c
Nocif pour la santé

☺☺☺ **Xylitol**

Solvant, maintient l'humidité, v
Sucre de bois (xylose) qui est employé aussi dans les dentifrices (ne provoque pas de caries)

Y

☺☺☺ **Yeast Betaglucan (levure)**
Substance de soin pour la peau, v
Lissant, hydratant
☺☺☺ **Yogurt (yaourt)**
Substance de soin pour la peau, a

Z

☺☺☺ **Zea Mays (maïs)**
Corps gras, poudre, v
Agent actif végétal obtenu à partir du maïs
☺☺☺ **Zein**
Substance de soins capillaires, forme un film, v
Retient l'humidité, lissant
☺☺☺ **Zinc Acetate**
Astringent, substance de soin pour la peau, d
☹☹ **Zinc Borate (acide borique)**
Substance antimicrobienne, c
Les préparations avec de l'acide borique doivent porter la mise en garde « Ne pas employer pour les soins du nourrisson »
☹☹ **Zinc Chloride**
Antiseptique, conservateur, c
Employé par ex. aussi comme substance de protection du bois
☺☺ **Zinc Gluconate**
Déodorant, d
☺☺ **Zinc Glutamate**
Déodorant, d

☺☺☺ **Zinc Lactate**
Déodorant, astringent, d
Raffermit la peau
☺☺☺ **Zinc Laurate**
Co-émulsifiant, stabilisateur, d
☺☺☺ **Zinc Oxide**
Sous forme de micropigment, c'est une substance de protection solaire, sinon une poudre pour les plaies, m
Antitranspirant, protection solaire
☺☺☺ **Zinc Palmitate**
Savon de zinc, d
Les savons de zinc (savons minéraux) sont des poudres blanches astringentes ; elles sont souvent employées dans les poudres pour augmenter leur adhérence et améliorer leur capacité de glisser (anti-friction)
☹ **Zinc Phenolsulfonate**
Déodorant, c
Risque de dermatite de contact
☹ **Zinc Pyrithione**
Conservateur, agent actif anti-pelliculaire, c
Ralentit une division cellulaire débordante ; risque de dermatite de contact ; est autorisé comme conservateur seulement dans des produits qui sont lavés immédiatement
☺☺☺ **Zinc Ricinoleate**
Voir : Zinc Palmitate
☺☺☺ **Zinc Stearate**
Voir : Zinc Palmitate
☹☹ **Zinc Sulfate**
Astringent, antiseptique, d
En concentration plus élevée, altère l'albumine
☹ **Zinc Sulfide**

Dépilatoire, c

☺☺☺ **Zingiber officinalis (gingembre)**

Agent actif, v

Employé en règle générale sous forme d'huile essentielle

Tests produits

Soins du visage

Avène
Émulsion apaisante équilibrante
Lieu de vente : pharmacie, para-
pharmacie
Contenance : 50 ml
Prix : 12,50 € (10 ml = 2,50 €)

INCI

Aqua
☺☺☺ Caprylic Capric Triglyceride
☺☺☺ Cartamus Tinctorius (saf-
flower) seed oil
☺☺☺ Sucrose Stearate
☹☹ PEG-8
☺☺☺ Sucrose Distearate
☺☺ Diethylhexyl Succinate
☺☺ Benzoic Acid
☹☹☹ BHT
⊗ Carbomer
Note écologique ☹☹
☹☹ Chlorphenesin
☹☹ Disodium EDTA
Fragrance parfum
☹☹ Phenoxyethanol
☺☺☺ Sodium Hyaluronate
☺☺☺ Tocopheryl Glucoside
☹☹ Triethanolamine

Total notes négatives :
☹☹ = 5
☹☹☹ = 1

Dior
Crème correcteur rides
Capture R60/80°
Lieu de vente : parfumerie
Contenance : 30 ml
Prix : 46,80 € (10 ml = 15,60 €)

INCI

Aqua
☺☺ Ethylhexyl Methoxycinna-
mate
☺☺ Hydrogenated Polyisobutene
☺☺ Butylene Glycol
☹☹ Benzophenone-3
☹☹ Steareth-21
⊗ Cyclopentasiloxane
Note écologique ☹☹
☺☺☺ Glycerin
☺☺☺ Cetyl Palmitate
☹☹ Steareth-2
☺☺☺ Cetyl Alcohol
☺☺☺ Glyceryl Stearate
☺☺☺ Stearic Acid
☹☹ Phenoxyethanol
⊗ Acrylates/c10-30 Alkyl Acry-
late Crosspolymer
Note écologique ☹☹
☹ Methylparaben
☺☺☺ Sorbitol
☹ Butylparaben
⊗ Propylene Glycol

☹☹ Chlorphenesin
☹ Dimethicone
     Note écologique ☹☹
     Parfum
☹☹ Tetrasodium EDTA
☺☺☺ Tocopheryl Acetate
☺☺☺ Algin
☺☺☺ Urea
☺☺ Glucosamine HCL
☺☺☺ Algae Extract
☺☺☺ Faex (yeast extract)
☺☺ Sodium Hydroxide
☺☺ Polyvinyl Alcohol
☹ Ethylparaben
☺☺☺ Malva Sylvestris Extract
☺☺☺ Ceramide 2
☹ Isobutylparaben
☹ Propylparaben
☺☺☺ Cellulose Gum
☹ Carbomer
     Note écologique ☹☹
☺☺☺ Sodium Hyaluronate
☺☺ Alpha-Isomethyl Ionone
☹☹ Polysorbate-20
☹ Butylphenyl Methylpropio-
     nal
☺☺ Linalool
☺☺ Citronellol
☹ Hydroxyisohexyl 3-
     Cyclohexene Carboxalde-
     hyde
☺☺ Geraniol
☺☺ Limonene
☹☹☹ BHT
☺☺ Coumarin
☹ Hexyl Cinnamal
☺☺☺ Potentilla Erecta Root Extract
☺☺ Benzyl Benzoate
☺☺☺ Palmitoyl pentapeptide-3

Total notes négatives :
☹ = 5
☹☹ = 7
☹☹☹ = 1

L'Oréal
Soin de jour antirides et fermeté
Revitalift
Lieu de vente : grande surface
Contenance : 50 ml
Prix : 11,16 € (10 ml = 2,23 €)

INCI
     Aqua
☺☺ Hydrogenated Polysobutene
☺☺☺ Glycerin
☹ Cyclohexasiloxane
     Note écologique ☹☹
☹ Ammonium Polyacryloyldi-
     methyl Taurate
     Note écologique : ☹☹
☹ Polysilicon-8
     Note écologique ☹☹
☺☺☺ Tocopheryl Acetate
☹ Boron Nitride
☺☺☺ Pisum Sativum/Pea Extract
☺☺☺ Retinyl Palmipate
☺☺☺ Ascorbyl Glucoside
☺☺☺ Sodium Citrate
☹☹ Disodium EDTA
☹ Polycaprolactone
☺☺ Sodium Hydroxide
☺☺☺ Biosaccharide Gum 1
☹☹ Phenoxyethanol
☹☹ Imidazolidinyl Urea
☹ Methylparaben
☹☹ Chlorphenesin
☺☺ Potassium Sorbate
     Parfum/Fragrance
☺☺ Linalool
☺☺ Benzyl Salicylate
☺☺ Citronellol
☺☺ Alpha-Isomethyl Ionone
☺☺ Geraniol
☺☺ Limonene
☺☺ Coumarin
☹ Hydroxyisohexyl 3-
     Cyclohexene Carboxaldehyde
☹ Butylphenyl Methylpropional
☺☺ Citral (FIL B 9964/1)

Total notes négatives :
☹ = 1
☹☹ = 4

Les Douces Angevines
« Fantômette » huile démaquil-
lante nettoyante, yeux-visage
Lieu de vente : magasin de pro-
duits bio, institut de beauté
Contenance : 125 ml
Prix : 26 € (10 ml = 2,08 €)

INCI
☺☺☺ Sesamum Indicum*
☺☺☺ Hypericum Perforatum
☺☺☺ Heliantus Annuus*
☺☺☺ Ricinus Communis*
☺☺☺ Lavandula Angustifolia*
☺☺☺ Cananga Odorata*
☺☺☺ Eugenia Caryophyllus*
* *issu de l'agriculture biologique.*

Total notes négatives :
Aucune

Logona
Crème de jour aloès, peau sensible
Lieu de vente : magasin de pro-
duits bio, institut de beauté
Contenance : 50 ml
Prix : 13,90 € (10 ml = 2,78 €)

INCI
Aqua
☺☺☺ Aloe Barbadensis (Aloe Vera gel)*
☺☺☺ Prunus Dulcis (Sweet Almond Oil)*
☺☺☺ Glyceryl Stearate SE
☺☺☺ Persea Gratissima (Avocat Oil)
☺☺☺ Glycerin
☺☺☺ Simmondsia Chinensis (Jojoba Oil)*
☺☺☺ Cera Flava (Beeswax)
☺☺☺ Lanolin
☺☺☺ Vitis Vinifera (Grape Seed Oil)
☺☺☺ Camelia Sinensis (Green Tea Extract)
☺☺☺ Sodium PCA
☺☺☺ Silica
☺☺☺ Tocopherol
Parfum (Fragrance)
☺☺☺ Xanthan Gum
☺☺☺ Citric Acid
☺☺☺ Sodium Citrate
* *issu de l'agriculture biologique.*

Total notes négatives :
Aucune

Nivea
Visage sensitive soin hydratant peau réactive
Lieu de vente : grande surface
Contenance : 50 ml
Prix : 8,50 € (10 ml = 1,70 €)

INCI

Aqua
☺☺☺ Glycerin
☺☺ Ethylhexyl Methoxycinnamate
☺☺ Methylpropanediol
☺☺ Dicaprylyl Ether
☺☺☺ Cetyl Alcohol
☺☺☺ Glyceryl Sterate Citrate
☺☺☺ Stearyl Alcohol
☺☺ Dicaprylyl Carbonate
☺☺ Hydrogenated Coco-Glycerides
☺☺ Isopropyl Palmipate
☺☺ Glycyrrhiza Inflata
☺☺☺ Glucosylrutin
☺☺☺ Isoquercitrin
☺☺☺ Caprylic Capric Triglyceride
☹ Sodium Carbomer
Note écologique ☹☹
☺☺☺ Tridecyl Stearate
☺☺ Disodium Phenyl Dibenzimidazole (Tretrasulfonate)
☹ Ethylhexylglycerin
☺☺☺ Tocopheryl Acetate
☹ Tridecyl Trimelliate
Note soin de peau ☹☹
☺☺ Tetrasodium Iminodisuccinate
☹☹ PPG-1 Trideceth 6
☹ Acrylats Copolymer
Note écologique ☹☹
☺☺ Sorbitan Oleate
☹ C10-11 Isoparaffinum Liquidum
Note soin de peau ☹☹
☺☺☺ Butylene Glycol
☺☺☺ Citric Acid
☺☺☺ Lodopropynyl Butylcarbamate
☹☹ Phenoxyethanol
☹ Methylparaben
☹ Propylparaben

Total notes négatives :
☹ = 3
☹☹ = 2

Weleda
Crème hydratante rose musquée peaux exigeantes
Lieu de vente : pharmacie, parapharmacie, magasin de produits bio
Contenance : 30 ml
Prix : 12,80 € (10 ml = 4,27 €)

INCI

Aqua
☺☺ Alcohol
☺☺☺ Simmondsia Chinesis (Jojoba) Seed Oil
☺☺☺ Prunus Persica (Peach) Kernel Oil
☺☺☺ Glyceryl Oleate
☺☺☺ Copernicia Cerifera (Carnauba) Wax
☺☺☺ Beeswax (Cera Flava)
☺☺☺ Magnesium Aluminum Silicate
☺☺☺ Sedum Purpureum Extract Fragrance (Parfum)
☺☺ Limonene
☺☺ Linalool
☺☺ Citronellol
☺☺ Benzyl Alcohol
☺☺ Geraniol
☺☺ Citral
☺☺ Eugenol
☺☺ Farnesol
☺☺☺ Rosa Centifolia Flower Extract
☺☺☺ Equisetum Arvense (Horsetail) Extract
☺☺☺ Commiphora Myrrha Extract Xanthan Gum
☺☺☺ Glyceryl Stearate SE
☺☺☺ Sodium Beeswax
☺☺☺ Chondrus Crispus (Carrageenan)

Total notes négatives :
Aucune

Yves Rocher
Crème contour des yeux Bio Specific « active sensitive »
Lieu de vente : magasin franchisé et VPC
Contenance : 30 ml
Prix : 14,40 € (10 ml = 4,80 €)

INCI

Aqua
☺☺ Butylene Glycol
☹ Methylsilanol Carboxymethyl Theophylline
Alginate
☺☺ Isononyl Isononanoate
☺☺☺ Glycerin
☺☺☺ Caprylic/Capric Triglyceride
😣 Glyceryl Polymethacrylate
Note écologique 😣😣
☺☺☺ Betaine
☹ Carbomer
Note écologique 😣😣
☹ Behenoxy Dimethicone
Note écologique 😣😣
😣 Metylparaben
☺☺☺ Escin
☺☺☺ Caffeine
☺☺☺ Allantoin
☺☺ Sodium Hydroxide
☺☺☺ Tocopheryl Acetate
😣😣 Tetrasodium EDTA
😣 Ethylparaben
😣 Propylparaben
😣 Butylparaben
☹ Propylene Glycol
☺☺☺ Rutin

Total notes négatives :
😣 = 5
😣😣 = 1

Maquillage

Gemey
Rouge à lèvres 101 soft cherry "water shine diamonds"
Lieu de vente : grande surface
Prix : 6,97 €

INCI
☺☺ Octyldodecanol
☺☺ Diisostearyl Malate
☹ Tridecyl Trimelliate
Note soin de peau 😣😣
☺☺☺ Lanolin Liquida
☺☺ Isopropyl Lanolate
☺☺☺ Acetylated Lanolin
☹ Polyethylene
☺☺☺ Calcium Aluminium Borosilicate
☺☺☺ Hydrogenated Coco-Glycerides
☹ Phenyl Trimethicone
Note écologique 😣😣
☹ Cera Microcristallina
Note soin de peau 😣😣
☺☺☺ Tocopheryl Acetate
☺☺☺ Simmondsia Chinensis
☺☺☺ Rosa Canina
☺☺☺ Retinyl Palmitate
😣😣😣 BHT
☺☺☺ Silica
☺☺☺ Aloe Barbadensis
☺☺☺ Mica
☺☺☺ CI77820
☺☺☺ CI77891
☺☺☺ CI77491
☺☺☺ CI77492
☺☺☺ CI77499
☺☺ CI15850
☺☺ CI77163
☺☺ CI45410
☺☺ CI45380
😣 CI12085
☺☺ CI19140
☺☺ CI42090
☺☺☺ CI75470
nm* FIL D2125/2
* nm = non mentionné dans le lexique INCI de ce livre

Total notes négatives :
😣 = 1
😣😣😣 = 1

Sante
Rouge à lèvres « shiny red » 05
Lieu de vente : magasin de produits bio, institut de beauté
Prix : 9,95 €

INCI
Aqua
☺☺☺ Ricinus Communis
☺☺☺ Lanolin
☺☺☺ Candelilla Cera
☺☺☺ Cera Alba
☺☺☺ Simmondsia Chinensis
☺☺☺ Brassica Campestris/Aleurites Fordi Oil Copolymer
☺☺☺ Carnauba
☺☺☺ Talc
☺☺☺ Passiflora Incarnata
Aroma
☺☺☺ Tocopherol
☺☺☺ Mica
☺☺☺ CI77007
☺☺☺ CI75120
☺☺☺ CI75470
☺☺☺ CI77499
☺☺☺ CI77491
☺☺☺ CI77492
☺☺☺ CI77891

Total notes négatives :
Aucune

Sisley
Fond de teint Phyto-teint éclat 2 soft-beige
Lieu de vente : parfumerie
Contenance : 30 ml
Prix : 58,00 € (10 ml = 19,33 €)

INCI
Aqua
☹ Cyclomethicone
Note écologique 😖😖
☹ Propylene glycol
☺☺☺ Silica
☹ Dimethicone
Note écologique 😖😖
☹ Dimethicone Copolyol
Note écologique 😖😖
☹ Polyethylene
😖😖 Polysorbate 20
☺☺☺ Sodium Cocoyl Glutamate
☺☺☺ Disodium Cocotyl Glutamate
☺☺☺ Sodium Chloride
☺☺☺ Beeswax (Cera Alba)
😖😖 Phenoxyethanol
☹ Acrylates Copolymer
Note écologique 😖😖
☺☺☺ Malva Sylvestris (Mallow) Extract
☺☺☺ Tilia Cordata Flower Extract
☺☺☺ Sodium Dehydroacetate
☺☺☺ Gardenia Florida Extract
😖 Methylparabene
Fragrance (Parfum)
☺☺☺ Sorbitan Sesquioleate
😖 Ethylparaben
😖 Butylparaben
😖 Propylparaben
☺☺☺ Titanium Dioxyde (CI77891)
☺☺☺ CI77491
☺☺☺ CI77492
☺☺☺ CI77499

Total notes négatives :
😖 = 4
😖😖 = 2

Shampooings et soins capillaires

Logona
Shampooing normalisant à la mélisse (cheveux gras)
Lieu de vente : magasin de produits bio, institut de beauté
Contenance : 250 ml
Prix : 7,90 € (10 ml = 0,32 €)

INCI
- Aqua
- ☺☺ Alcohol*
- ☺☺☺ Coco Glucoside
- ☺☺☺ Glycerin
- ☺☺☺ Disodium Cocoyl Glutamate
- ☺☺☺ Sodium Cocoyl Glutamate
- ☺☺☺ Sodium PCA
- ☺☺☺ Melissa Officinalis (Balm Mint Extract)*
- ☺☺☺ Hydrolysed Silk
- ☺☺☺ Betaine
- ☺☺☺ Triticum Vulgare
- ☺☺☺ Cellulose Gum
- ☺☺☺ Xanthan Gum
- ☺☺☺ Glyceryl Oleate
- Parfum (Fragrance)
- ☺☺☺ Citric Acid
- ☺☺☺ Phytic Acid

* issu de l'agriculture biologique.

Total notes négatives :
Aucune

Schwarzkopf
Shampooing equilibre
Lieu de vente : grande surface
Contenance : 250 ml
Prix : 3,36 € (10 ml = 0,13 €)

INCI
- ☹☹ Sodium Laureth Sulfate
- ☺☺ Cocamidopropyl Betaine
- ☹☹ PEG-7 Glyceryl Cocoate
- ☹☹ PEG-120 Metyl Glucose Dioleate
- ☺☺ Glycol Distearate
- ☹☹ Laurdimonium Hydroxypropyl Hydrolyzed Wheat Protein
- ☺☺ Pantolactone
- ☹☹ DEA PG Propyl peg/ppg 18/21 Dimethicone
- ☹ Guar Hydroxypropyl Trimonium Chloride
- ☹☹ Laureth-4
- ☺☺☺ Hydrogenated Castor Oil
- ☺☺☺ Sodium Chloride
- ☺☺☺ Mica
- ☺☺☺ Citric Acid
- Parfum
- ☺☺ Sodium Salicylate
- ☺☺ Sodium Benzoate
- ☹ Methylparaben
- ☹ Propylparaben
- ☹☹ Phenoxyethanol
- ☹ Ethylparaben
- ☺☺☺ CI 77891

Total notes négatives :
☹ = 3
☹☹ = 7

Hygiène et soins du corps

Nuxe
Lait nourrissant corps spa tonific
Lieu de vente : pharmacie, para-
pharmacie
Contenance : 200 ml
Prix : 23,50 € (10 ml = 1,18 €)

INCI

   Aqua
☺ Octyldodecanol
☺☺☺ Hydrogenated Coconut Oil
☺☺ Butylene Glycol
☺☺☺ C12-C16 Alcohols
☺☺☺ Glycerin
☹ Polymethyl Methacrylate
   Note écologique ☹☹
☹ Neopenytyl Glycol Dihepta-
   noate
   Parfum Fragrance
☹☹ Ceteareth-20
☺☺☺ Ethylexyl Palmitate
☺☺☺ Sucrose
☹ Sodium Acry-
   late/Acryloyldimethyl
   Taurate Copolymer
   Note écologique ☹
☺☺☺ Hydrogenated Lecithin
☺☺☺ Palmitic Acid
☺☺☺ Bertholletia Excelsa (Ber-
   tholletia Excelsa Nut Oil)
☺☺☺ Tocopherol
☹ Dimethicone
   Note écologique ☹☹
☹ Isohexadecane
   Note soin de peau ☹☹
☹☹ Phenoxyhetanol
☺☺☺ Serine
☺☺☺ Arginine
☺☺☺ PCA
☹ Ethylparaben
☺☺☺ Xanthan Gum
☹☹ Polysorbate 80

☺☺☺ Alanine
☹ Carbomer
   Note écologique ☹☹
☹ Tromethamine
☹☹ Tetrasodium EDTA
☹☹ Chlorphenesin
☺☺☺ Luffa Cylindrica (Luffa Cy-
   lindrica Seed Oil)
☺☺☺ Threonine
☺☺☺ Hibiscus Esculentus (Hibis-
   cus Esculentus Seed Extract)
☹ Propylene Glycol Dicapry-
   late/Dicaprate
☺☺☺ Maltodextrin
☺☺ Bambusa Vulgaris (Bambusa
   Vulgaris Extract)
☺☺ Glycogen
☺☺ Stryphnodendron Adstrin-
   gens Bark Extract
☺☺ Mourera Fluviatilis (Mourera
   Fluviatius Extract)
☹ Ethylparaben
☹ Butylparaben
☹ Propylparaben
☹ Isobutylparaben
☺☺ Citral
☹ Hydroxyisohexyl 3-
   Cyclohexene Carboxalde-
   hyde
☺☺ Citronellol
☹ Butylphenyl Methylpropio-
   nal
☺☺ Limonene
☺☺ Linalool

Total notes négatives :
☹ = 6
☹☹ = 5

Petit Marseillais
Douche-crème noisette-abricot
Lieu de vente : grande surface
Contenance : 250 ml
Prix : 2,29 € (10 ml = 0,09 €)

INCI

Aqua
☹☹ Sodium Laureth Sulfate
☺☺ Cocamodopropyl Betaine
☺☺ Hydoxypropyl Starch Phosphate
☹ Styrene/Acrylates Copolymer
Note écologique ☹☹
☺☺☺ Corylus Avellana Nut Oil
☺☺☺ Prunus Armeniaca Fruit Extract
☹☹ Polyquaternium 7
☺☺☺ Lecithin
☺☺ Polyglyceryl 3 Diisostearate
☺☺☺ Glycerine
☺☺☺ Glyceryl Stearate
☺☺ Xanthan Gum
☹ Propylene Glycol
☺☺☺ Sorbitol
☹☹ PEG-40 Hydrogenated Castor Oil
☺☺☺ Sodium Chloride
☹☹ Tetrasodium EDTA
Parfum
☺☺ Benzyl Salicylate
☺☺☺ Geraniol
☹ 2-(4 Tert Butylbenzyl) Propionaldehyde (INCI correct : Butylphenylmethylpopional)
☺☺ Linalool
☺☺ Hexyl Cinnamaldehyde
☹☹ DMDM Hydantoin
☹☹☹ Iodopropynyl Butylcarbamate
☺☺ Sodium Hydroxyde
☺☺☺ Citric Acid

Total notes négatives :
☹☹ = 5
☹☹☹ = 1

Ushuaïa
Douche crème nourrissante lait de coco
Lieu de vente : grande surface
Contenance : 250 ml
Prix : 2,29 € (10 ml = 0,09 €)

INCI

Aqua
☹☹ Sodium Laureth Sulfate
☺☺☺ Glycerin
☺☺ Glycol Distearate
☺☺☺ Coco Betaine
☺☺☺ Sodium Chloride
Parfum/Fragrance
☹ Hexylene Glycol
☹ Cocamide MEA
☺☺☺ Linalool
☹ Metylparaben
☹ Sodium Methylparaben
☹☹ DMDM Hydantoin
☺☺ Coumarin
☺☺ Disodium Cocoamphodiacetate
☹☹ Disodium EDTA
☺☺ Limonene
☺☺☺ Cocos Nucifera/Coconut Extract
☹ Hydroxyisohexyl 3-Cyclohexene Carboxaldehyde
☹☹ Chlorphenesin
☺☺ Citronellol
☹ Acrylates/c10 -30 Alkyl Acrylate Crosspolymer
Note écologique ☹☹
☺☺ Hexyl Cinnamal
☹☹ Polyquaternium-7 (F.I.L C19965/2)

Total notes négatives :
☹ = 2
☹☹ = 5

Narta
Déodorant stick « efficacité 24 h »,
fraîcheur Cologne
Lieu de vente : grande surface
Contenance : 50 ml
Prix : 3,58 € (10 ml = 0,72 €)

INCI
☺/☺☺ Alcohol Denat.
  ☹ Dipropylene Glycol
☺☺☺ Sodium Stearate
    Aqua
    Parfum/Fragrance
  ☺☺ CI47005
  ☹ CI42051
  ☺☺ Linalool
  ☺☺ Geraniol
  ☹☹ Triclosan
  ☺☺ Eugenol
  ☺☺ Alpha-Isomethyl Ionone
  ☺☺ Amyl Cinnamal
  ☺☺ Limonene
  ☹ Hydroxycitronellal
  ☺☺ Citral
  ☹ (Hydroxyisohexyl)
    3-Cyclohexene Carboxalde-
    hyde
☺☺☺ Citronellol
  ☺☺ Ethylhexyl Methoxycinna-
    mate
  ☹ Butylphenylmethylpropional
  ☹ Hexyl Cinnamal
    (INCI correct : Cinnamal)
  ☺☺ Benzyl Salicylate
  ☺☺ Benzyl Benzoate
  ☺☺ Benzyl Alcohol

Total notes négatives :
☹ = 1
☹☹ = 1

Produits solaires

L'Oréal
Crème solaire IP 30 active anti-rides
Lieu de vente : grande surface
Contenance : 75 ml
Prix : 9,14 € (10 ml = 1,22 €)

INCI
    Aqua
  ☹ Octocrylene
☺☺☺ Glycerin
  ☹ Propylene Glycol
  ☺☺ C12-15 Alkyl Benzoate
  ☹ Cyclopentasiloxane
    Note écologique ☹☹
☺☺☺ Titanium Dioxide
  ☹ Butyl Methoxydibenzoylme-
    thane
  ☹ Isohexadecane
    Note soin de peau ☹☹
☺☺☺ Stearic Acid
  ☺☺ Potassium Cetyl Phosphate
  ☹ VP/Eicosene Copolymer
  ☹☹ Phenoxyethanol
  ☹☹ PEG 100 Stearate
☺☺☺ Glyceryl Stearate
☺☺☺ Drometrizole Trisiloxane
☺☺☺ Triethanolamine
  ☹ Dimethicone
    Note écologique ☹☹
  ☺☺ Aluminium Hydroxide
  ☹ Methylparaben
☺☺☺ Ethylhexyloxyglycerin
    (INCI correct : Ethylhexyl-
    glycerin)
☺☺☺ Terephthalyudene Dicam-
    phor Sulfonic Acid
☺☺☺ Glycine Soja
☺☺☺ Tocopherol
  ☹☹ Disodium EDTA
☺☺☺ Xanthan Gum
  ☹ Butylparaben
  ☹ Propylparaben
  ☺☺ CI 15985
  ☺☺ CI16035
    Parfum
nm* C17427/1
** nm = non mentionné dans le lexique
INCI de ce livre*

Total notes négatives :
☹ = 4
☹☹ = 3

Lavera
Spray solaire SUN pour enfants,
« Kids » IP 25
Lieu de vente : magasin de produits bio, institut de beauté
Contenance : 200 ml
Prix : 19,90 € (10 ml = 0,99 €)

INCI

Aqua
☺☺☺ Glycine Soja*
☺☺☺ Titanium Dioxyde
 ☺☺ Alcohol*
☺☺☺ Caprylic/Capric Triglyceride
☺☺☺ Glycerin
☺☺☺ Lysolecithin
☺☺☺ Sodium Lactate
☺☺☺ Dipotassium Glycyrrhizate
☺☺☺ Calendula Officinalis*
☺☺☺ Hamamelis Virginiana*
☺☺☺ Rosa Damascena*
☺☺☺ Xanthan Gum
☺☺☺ Hydrogenated Palm Glycerides
☺☺☺ Hydrogenated Lecithin
☺☺☺ Betaglucan
☺☺☺ Tocopherol
☺☺☺ Brassica Campestris (Rapeseed) Sterols
 ☺☺ Alumina
☺☺☺ Ascorbyl Palmitate
 ☺☺ Ascorbic Acid
☺☺☺ Stearic Acid
Parfum
 ☺☺ Citral
 ☺☺ Coumarin
 ☺☺ Eugenol
 ☺☺ Geraniol
 ☺☺ Citronellol
 ☺☺ Limonene
 ☺☺ Linalool
☺☺☺ CI75810
issu de l'agriculture biologique
Total notes négatives :
Aucune

Index

Notes

[1] Selon le rapport n° 2207 sur la mise en application de la loi déposée le 23 mars 2005.

[2] *Wirkungen und Umweltverhalten von synthetischen Parfümstoffen und UV-Filtern* (Verlag Kind und Umwelt, Zürich, 2003).

[3] www.antiperspirantsinfo.com

[4] www.garnierbeautybar.de, du 2/4/05.

[5] www.oekotest.de, janvier 2004.

[6] Darbre P.D. *et al.*, *J. Appl. Toxicol.*, mai-juin 2004, 24(3) : 167-176.

[7] www.newscientist.com

[8] *Les cosmétiques : effets et réactions aux conditions environnementales des substances odorantes et des filtres anti-U.V. synthétiques*, Verlag Kind und Umwelt, 2003.

[9] Walker A.P. *et al.*, Test Guidelines for Assesments of Skin Compatibility of Cosmetic Finished Products in Man. *Food and Chemical Toxicology* 34, 1996, 651-660.

Achevé d'imprimer en juillet 2005
sur les presses de la Nouvelle Imprimerie Laballery
58500 Clamecy
Dépôt légal : juillet 2005
Numéro d'impression : 507046

Imprimé en France